D1103862

LE POUVOIR DE LA
MOTIVATION
INTÉRIEURE

SHAD HELMSTETTER

Traduit de l'américain
par Louise Drolet

 le jour,
éditeur

Données de catalogage avant publication (Canada)

Helmstetter, Shad

    Le pouvoir de la motivation intérieure

    Traduction de: The Self-Talk Solution.

    ISBN 2-89044-388-4

    1. Confiance en soi. 2. Maîtrise de soi. 3. Succès. I. Titre.

    BF575.S39H4414 1989   158'.1   C89-096173-5

Édition originale: *The Self-Talk Solution*
William Morrow and Company, Inc.
(ISBN: 0-688-07193-7)
© 1987, Shad Helmstetter

© 1989, Le Jour, éditeur,
division de Sogides Ltée
Pour la traduction française

Bibliothèque nationale du Québec
Dépôt légal — 1er trimestre 1989

ISBN 2-89044-388-4

A07946

*Ce livre est dédié à mon neveu André Helmstetter
qui, le premier, m'a posé un jour cette question fondamentale:
«Pourquoi certaines personnes réussissent-elles et d'autres pas?»*

INTRODUCTION

Je ne pouvais plus retarder davantage la rédaction du présent ouvrage. En effet, plusieurs années avant d'écrire *What To Say When You Talk To YourSelf,* j'avais compilé une collection d'exemples d'autosuggestions et j'envisageais de réunir les meilleurs dans un guide de référence facile à lire. Toutefois, ceux-ci semblaient dotés d'une volonté propre et ne se laissèrent pas maîtriser aussi facilement.

En quelques années seulement, l'autosuggestion est passée de l'état de simple concept appliqué par quelques personnes motivées à celui d'un phénomène touchant presque toutes les couches de la population. Des milliers de personnes se sont alors mises à pratiquer l'autosuggestion et à répéter des énoncés dont un grand nombre figure dans cet ouvrage.

Alors qu'auparavant seulement une petite poignée de gens prenaient l'autosuggestion à cœur, les nouvelles techniques pratiques d'autodétermination captivèrent bientôt l'attention de ceux que les théories axées sur la motivation personnelle avaient déçus. L'autosuggestion fit son apparition dans les bureaux, les églises, ies foyers et les écoles. La bonne nouvelle se répandit comme une traînée de poudre. Quelques mois après la publication de *What To Say When You Talk To YourSelf,* des gens qui n'avaient jamais cru pouvoir modifier leur façon de penser réclamaient à l'éditeur d'autres ouvrages sur le sujet. Le premier livre leur avait ouvert une porte, et ils désiraient aller plus loin.

J'ai reçu des lettres en provenance de toutes les couches sociales: hommes et femmes d'affaires, parents, prêtres, médecins, psychologues, psychiatres, vendeurs, professeurs, étudiants, grands-parents, enfants de huit ans, chefs de file endurcis, et de personnes qui, pour la première fois, voyaient la lumière au bout du tunnel. L'histoire de leurs réussites constitue une source inépuisable d'inspiration.

Cependant, bien qu'un grand nombre de personnes issues de milieux différents eussent utilisé avec succès l'autosuggestion, beaucoup d'autres me demandèrent aussi de nouvelles applications de cette technique et d'autres énoncés concernant des situations quotidiennes précises.

Le volume de ces nouvelles données, plus ces énoncés réclamés par mes lecteurs, dépassaient l'ensemble du matériel que j'avais compilé à l'origine dans un guide de référence intitulé *The Complete Book of Self-Talk*. Évidemment, il y avait beaucoup plus à dire: des techniques nouvelles mises au point par des personnes qui les appliquaient à la maison et au travail, des directives touchant d'importants secteurs susceptibles de bénéficier de textes conçus à leur intention et enfin, des questions pertinentes qui méritaient des réponses réfléchies.

Ce livre en est le résultat. Il réunit les plus récentes découvertes dans ce domaine important qu'est l'«autogestion» ou gestion de soi. Il offre un aperçu du processus et des effets de l'autosuggestion dans la vie des gens qui vous entourent et il représente la collection la plus complète d'exemples d'autosuggestions pratiques jamais colligés dans un seul ouvrage.

Ce livre s'est révélé plus complet que mon guide de référence sur l'autosuggestion, tel que je l'avais imaginé au départ. C'est, d'une part, grâce à la réaction favorable du public à son égard et, d'autre part, parce qu'il faut accorder à toute technique valable le temps de faire ses preuves. Certaines choses, lorsqu'elles sont mûres, semblent trouver le moyen et le moment de se faire connaître. Il en fut de même pour l'autosuggestion, c'est-à-dire l'autogestion basée sur l'orientation de ses pensées. Il semble que son heure de gloire ait sonné.

PREMIÈRE PARTIE

Nature et fonctionnement de l'autosuggestion

Chapitre premier

LE TRÉSOR

Pendant ma jeunesse, que je passai dans une petite ferme du Midwest américain, je vécus ce qui deviendrait par la suite une aventure inoubliable. Mon village trônait paisiblement au milieu d'une mosaïque infinie de champs de blé, de maïs, de soya et de lin. Le village lui-même s'étendait sur deux kilomètres dans chaque direction et, ainsi qu'en témoignait le petit écriteau placé à l'entrée, abritait une population de 2 500 aimables habitants. Ses rues étaient bordées d'arbres; il comptait deux écoles, une douzaine d'églises et offrait à tous les jeunes admirateurs du Groupe des Sept de multiples occasions de s'inventer une aventure inimaginable.

La mienne prit la forme d'une chasse au trésor, trésor dont l'existence ne faisait aucun doute pour nous. La maisonnette qui abritait notre famille se trouvait à l'extrémité la plus éloignée du village. Il y avait, de l'autre côté du chemin cendré qui le ceinturait, un verger de pruniers derrière lequel s'étendaient à perte de vue des champs, parsemés ici et là de bosquets ombrageant les granges et la maison du fermier auquel ils appartenaient.

À quelques kilomètres de là se dressait une vieille maison désertée, et certainement hantée, que l'on pouvait observer en toute sécurité depuis la maison familiale. Entouré de fourrés, de remises et de vieux arbres au tronc noueux, c'était sans contredit un endroit à éviter par une nuit venteuse et sans lune, lorsque les charnières des portes-moustiquaires brisées grinçaient et que les branches des arbres heurtaient les fenêtres obscures et nues.

Même les jours de grand soleil, cette vieille maison, avec ses remises désaffectées, ses jardins à l'abandon et ses grands arbres noirs, évoquait dans notre esprit des secrets et des trésors cachés. Aux yeux des aventuriers à l'imagination débordante que nous étions, la vieille maison et son terrain présentaient des possibilités infinies.

À l'époque, l'idée que nous avions inventé de toutes pièces les mystères de cet endroit ne nous effleura jamais. Aussi, n'étions-nous nullement surpris de voir un jour un vieil homme mettre sens dessus dessous les bâtiments délabrés, comme s'il y cherchait quelque chose.

C'était un vieillard entêté qui détestait les enfants et le manifesta clairement lorsque nous nous mîmes à le suivre partout en lui offrant notre aide. Le premier jour, lorsque nous le vîmes tirer sur les planches détachées des murs de la remise et creuser le sol grossier des vieilles resserres, nous essayâmes de gagner son amitié, mais le vieux nous repoussa rudement et continua de creuser et de fouiller partout avec la pointe de son bâton.

Comme nous étions des enfants aventureux, nous comprîmes très vite que ce vieil homme cherchait quelque chose... peut-être bien le trésor que nous espérions trouver depuis longtemps. Nous nous réunîmes donc et décidâmes de tout tenter pour gagner la confiance du vieux et en apprendre le plus possible sur le trésor, qu'à notre avis il cherchait.

Sans se radoucir vraiment, le vieil homme finit cependant par accepter notre aide. Il nous donnerait à chacun une pièce de cinq cents si nous trouvions un objet ressemblant à une boîte.

Auparavant, lors d'une de nos incursions plus audacieuses à l'intérieur de la maison, nous avions trouvé, dans le mur d'une des chambres de l'étage, un rouleau de papier jauni écrit dans une langue inconnue. Nous nous gardâmes bien d'en souffler mot au vieux. En interrogeant nos parents, nous avions appris que le vieil homme, soixante-dix ans bien sonnés, était issu d'une famille d'immigrants européens qui avaient construit la maison bien des années plus tôt. Nos parents nous avaient non seulement défendu de fréquenter le vieil homme, mais aussi de jouer sur le terrain où il passait ses journées.

Le vieillard poursuivit ses efforts quelque temps, mais ne trouva, entre les plaques de plâtre d'une remise, qu'un vieux sac de cuir bourgogne contenant des clés rouillées et des pièces de monnaie. Finalement, il s'en alla et nous ne le revîmes plus jamais.

Comme sa présence avait attisé notre imagination! Désormais, nous *savions* que la vieille maison abritait un secret. Le vieil homme avait renforcé notre certitude quant à la présence d'un trésor et nous pouvions désormais nous mettre à sa recherche.

C'est ce que nous fîmes sans tarder. Notre petit groupe, composé de ma sœur aînée Carole, âgée de treize ans, de mon frère Gérard, huit ans, d'une petite fille de douze ans nommée Rebecca et de moi, qui en avais douze, n'avait pas précisément le profil d'une équipe de chercheurs de trésor.

Mais notre imagination était débordante. Au cours de nos recherches, nous avions remarqué un étrange groupement de grandes pierres polies au milieu d'un petit bosquet. On y voyait une grosse pierre de la taille d'un homme, surmontée d'une pierre ronde, deux pierres oblongues prolongeant la pierre principale vers le bas, et une autre pierre allongée qui continuait les autres pierres vers l'extérieur. Ensemble, elles formaient l'image parfaite d'un homme étendu: le torse, les jambes et un bras indiquant clairement une direction. À notre avis, leur disposition désignait *sans nul doute* l'emplacement du trésor.

En traçant une ligne imaginaire depuis le bras étendu de la figure de pierre, on arrivait pile au centre de trois arbres solitaires qui formaient un triangle, environ six mètres plus loin. Nous en conclûmes que le trésor était enfoui à *cet endroit précis*.

À cette époque, aussi aventureux que nous fussions, mes amis et moi, nous possédions un adversaire de taille dans la personne de mon père. En effet, celui-ci nous avait formellement défendu de jouer sur le terrain de la vieille maison. Malheureusement, c'est justement là que se trouvait notre trésor. Si nous voulions devenir riches — ce qui ne faisait aucun doute pour nous —, il nous faudrait non seulement désobéir à mon père mais, en outre, éviter d'être surpris en train de creuser le terrain défendu.

Nous décidâmes de braver cette interdiction — comme c'était notre habitude dans ces cas-là. L'un de nous monterait la garde au cas où le pirate diabolique — en l'occurrence, mon père — nous surprendrait à l'œuvre, tandis que les autres creuseraient à tour de rôle. Quand j'y repense, je crois qu'aucun de nous ne s'attendait vraiment à trouver quelque chose. Mais nous voulions croire au trésor. C'est ainsi que fonctionne le cerveau des enfants.

Nous nous mîmes à l'ouvrage tôt, le samedi suivant. Nous marquâmes d'abord l'emplacement, puis je donnai le premier coup de pelle. Mon sentiment d'urgence croissait à chaque pelletée. Que se passerait-il si quelqu'un, mon père en particulier, nous surprenait? Il ne comprendrait pas. Nous continuâmes à creuser et nous trouvâmes bientôt devant une excavation bien nette d'un mètre de large sur un mètre et demi de long.

Le sol était rocailleux, et nous devions nous arrêter fréquemment pour extraire de grosses pierres. À une profondeur d'environ un mètre, nous heurtâmes une énorme racine d'arbre, et à force de cajoleries, convainquîmes Rebecca de courir jusqu'à la maison pour nous rapporter une hache. Une autre qu'elle aurait pu éveiller des soupçons, mais la petite Rebecca passerait facilement inaperçue.

Il était presque midi et le trou faisait un mètre vingt de profondeur lorsque ma pelle heurta un objet dur qui n'était ni une roche ni une racine. J'accélérai le rythme, et chaque pelletée de terre vint confirmer la réalité de mon rêve le plus fou. Je crois qu'aucune autre de mes expériences ne m'a causé par la suite une exaltation égale à celle que je ressentis alors.

Nous étions sur la bonne piste. En effet, le couvercle d'un coffre m'était apparu, à moi et aux autres qui se pressaient avec anxiété autour du trou, petit mais incroyablement important, que nous avions creusé. Il était solide, très ancien et *réel*.

Le vieux avait raison! *Nous* avions raison! Le trésor existait *vraiment* et nous l'avions trouvé! Je me rappelle être tombé à genoux afin d'enlever la terre qui recouvrait encore le coffre. Il était magnifique, vieux, profilé, avec un couvercle recouvert de bandes de métal rivetées! Je n'en croyais pas mes yeux. Je grattai la terre autour du coffre, en dégageai la serrure, puis l'époussetai pour la montrer à mes camarades. C'était une serrure rouillée, avec trois grands trous remplis de la terre dans laquelle elle était restée enfouie pendant sans doute une centaine d'années.

Je demandai à mes amis un outil pour l'ouvrir. On s'empressa de me passer une pelle et je m'attaquai à la vieille serrure comme si elle enfermait les plus beaux trésors de l'univers.

C'est à ce moment que Carole donna l'alerte. Malgré l'état d'exaltation dans lequel m'avait plongé la découverte du coffre, je me rappelle encore le cri qu'elle poussa pour nous avertir que mon père se dirigeait vers nous. Cette nouvelle ne pouvait pas plus mal tomber. Nous avions non seulement bravé l'interdiction paternelle mais, en outre, nous avions creusé un trou dans le sol. Or, lorsqu'on a douze ou treize ans, il est tout simplement impensable d'avouer à un adulte qu'on a découvert un trésor.

16

Il ne nous restait donc qu'une chose à faire: enterrer le coffre. À cet instant, le fait d'avoir découvert la plus magnifique cachette d'or et de bijoux comptait peu. Le plus important était d'en effacer toute trace.

Lorsque mon père arriva sur les lieux, il ne put voir qu'un trou d'un demi-mètre ou un mètre de profondeur. L'un de nous, j'ai oublié qui, bafouilla une histoire incroyable d'étang à poissons rouges. Mon père n'en crut pas un mot, mais comme il ne pouvait deviner ce que nous complotions, il joua son rôle de parent. Il nous enjoignit de combler le trou, puis déclara qu'il distribuerait plus tard les punitions appropriées. Il nous fit promettre que nous ne creuserions plus de trou sur ce terrain. Nous promîmes.

J'ai oublié quelle punition nous fut infligée. Je suppose qu'à cette époque, j'étais trop préoccupé par le contenu du coffre pour me soucier d'avoir à exécuter quelques tâches supplémentaires ou d'aller au lit sans dîner. Toutefois, j'étais certain que mon père s'était radouci parce que, outre l'histoire de l'étang à poissons rouges, j'avais déclaré que s'il ne me punissait pas, j'entrerais au séminaire pour devenir pasteur. Or, c'était là son plus cher désir. C'est ainsi que le coffre et son contenu furent laissés en paix, dans le secret du cœur de quelques enfants inspirés qui avaient failli percer son mystère, cachés aux regards d'un monde qui avait oublié son existence.

Jusqu'à ce jour, aucun membre de l'équipe originale des chercheurs de trésor n'est retourné voir ce que contenait le coffre. Non pas parce qu'on nous l'avait défendu — devenus adultes, nous aurions pu y retourner —, mais tout simplement parce qu'aucun de nous ne l'a fait. Rebecca a grandi et elle a élevé une famille, Carole écrit des romans et Gérard est mort. Quant à moi, je ne suis pas allé au séminaire, mon père ayant, comme je l'espérais, oublié ma promesse le jour où l'incident s'effaça de sa mémoire.

Tous les chercheurs de trésor ont quitté leur village natal depuis longtemps. Ceux d'entre nous qui ont presque vu leur rêve se réaliser racontent l'histoire du trésor à leurs enfants et petits-enfants.

Il n'y a pas si longtemps, je me suis rendu dans le village où le mystérieux coffre de bois est enfoui dans l'espace au centre des trois grands arbres. Ayant loué une voiture à l'aéroport, par un après-midi ensoleillé, j'ai retrouvé mon chemin depuis les autoroutes de la ville jusqu'aux pavages de pierres de la campagne. Cette journée ressemblait beaucoup à celle où, bien des années auparavant, mes amis et moi avions vécu notre aventure inoubliable. À mon arrivée dans la paisible petite ville, je me promenai dans la rue que j'avais tant de fois parcourue à pied pour me

17

rendre à l'école et trouvai l'endroit où se dressait autrefois la maison de mon enfance. Elle avait été démolie et remplacée par une autre. Le chemin cendré avait été asphalté. Le verger de pruniers avait disparu, remplacé par des immeubles.

Il ne subsistait aucun vestige de la vieille maison hantée. Elle aussi avait cédé la place à une grande maison moderne. Son terrain avait été dégagé et un jardin bien entretenu, entouré d'une belle clôture de bois, avait remplacé les remises et les grands arbres noirs.

Cependant, je remarquai qu'à l'avant de la pelouse soigneusement entretenue se dressaient trois grands arbres. Je stationnai ma voiture et en sortis pour saluer l'homme qui tondait le gazon sous ces arbres. Les cinq grosses pierres avaient disparu, remplacées par une pergola en treillis blanc. Sans doute l'homme et sa femme venaient-ils s'y asseoir afin de jouir de l'air doux du soir. Je me gardai bien de révéler à l'homme qu'à environ un mètre et demi sous ses pieds gisait un vieux coffre muni d'une serrure rouillée à trois trous.

Ayant échangé quelques mots avec lui, je le remerciai et sautai dans ma voiture. Quelques heures plus tard, j'étais de retour dans une grande ville populeuse; j'empruntai les autoroutes encombrées, rendis la voiture louée à l'aéroport, parcourus la passerelle d'embarquement et m'envolai en laissant encore une fois le trésor derrière moi.

Nous possédons tous des trésors dans nos vies. Certains d'entre nous les acceptent et les exploitent, mais la plupart laissent le meilleur d'eux-mêmes enfoui quelque part, dans l'attente d'être découvert. *Qui sait ce que contenait le coffre?*

Je regrette encore de ne pas avoir brisé la serrure du coffre au trésor lorsque j'étais enfant. Peut-être le ferai-je un jour. Ce que nous avons fait alors, nombre d'entre nous le font pendant toute leur vie. Nous entrapercevons nos richesses intérieures, mais à l'instant où nous pourrions briser la serrure, quelque chose nous pousse à les recouvrir et à abandonner ce qui aurait pu se concrétiser. Parfois, nous partons très loin, nous nous laissons emporter par le brouhaha quotidien et nous oublions jusqu'à l'existence de notre trésor.

Je vous invite à participer à une chasse au trésor. Le plus difficile, ce n'est pas de trouver le trésor. Il nous sera révélé quand viendra le temps. Nous apprendrons aussi comment nous débarrasser de certaines pierres et racines du passé qui masquent la vérité. Cette fois, nous briserons la serrure, nous ouvrirons le coffre et nous mettrons au jour nos richesses intérieures.

Chapitre deux

UN NOUVEAU REGARD SUR NOTRE MOI

Nous possédons tous, dans nos «moi», des trésors intérieurs dont les plus beaux attendent encore de voir le jour. Un seul moi peut réaliser un nombre surprenant de choses dans une vie. Il peut être utile, malveillant, pratique, absurde, sérieux, inutile, exceptionnel, médiocre, merveilleux ou banal. Certains moi sont courageux à certains moments et peu sûrs d'eux à d'autres; forts à certains moments et faibles à d'autres. Presque tous les moi possèdent une gamme d'expressions presque illimitée ainsi qu'un nombre étonnant de possibilités; il n'existe encore aucune liste de tout ce qu'un seul moi *peut* faire.

Une petite merveille, ce moi. Le jour de notre naissance, notre moi est relativement en forme et dégagé des principes sur ce qui va et ne va pas dans la vie. Il est libre de croyances, de mauvaises habitudes, de préférences, d'opinions politiques, de préjugés, d'attitudes, de conditionnements, de doutes et de limitations.

Dès que notre moi nous est donné, et tant qu'il demeure avec nous, nous devons l'aimer, en prendre soin et le *diriger*. Son bon fonctionnement dépend de ces deux conditions: le *degré* d'affection que nous lui portons et notre *aptitude* à le diriger. Il faut une bonne dose de ces deux éléments pour mener une vie satisfaisante et avoir un moi plein de santé.

À la naissance, ce sont les autres qui s'occupent de notre moi et le dirigent. Puis, à mesure qu'il se développe, cette charge retombe peu à peu sur nous. Enfin, vers la fin de notre adolescence, la formation de notre moi est terminée, et c'est avec soulagement que nos gardiens nous passent les commandes.

En principe, les personnes qui étaient chargées de notre moi peuvent désormais se détendre et s'effacer: elles ont fait leur possible pour le nourrir et le préparer à grandir. À nous, ensuite, de prendre la relève. Des années après notre naissance, notre *moi* nous est donc rendu, et *nous* en devenons responsable.

Toutefois, la théorie n'est pas toujours conforme à la pratique. Si nous suivions ce qui semble être l'ordre préétabli des choses, nous serions capable, le moment venu, de diriger notre moi, donc notre vie, d'une manière efficace. Nous devrions posséder une bonne formation dans le domaine de l'autogestion ou gestion du moi.

Or, dans quelle mesure croyez-vous qu'une personne moyenne réalise ses aptitudes en matière d'autogestion? Qu'en est-il de vous-même à l'heure actuelle? Exploitez-vous vos talents au maximum? Dirigez-vous votre moi de la bonne manière, à l'aide de méthodes adéquates et en obtenant les résultats escomptés? Le questionnaire sur l'autogestion que renferme le chapitre cinq vous permettra de répondre à ces questions.

L'approche du passé

La plupart d'entre nous ne sont pas très doués pour l'autogestion. Nous atteignons l'âge adulte sans être véritablement préparé à ce qui nous attend. Puis les réalités de la vie nous entraînent sans nous laisser le temps de retourner à l'école de l'autogestion pour recommencer à zéro. De toute façon, même si nous y retournions, nos professeurs seraient-ils mieux préparés que la première fois à nous aider?

Ce problème placerait sans doute bon nombre d'entre nous devant un dilemme constant: Faut-il s'accommoder du moi qu'on a reçu ou faire de son *mieux* avec un moi qui n'a jamais vraiment été préparé à fonctionner de *son mieux*? Doit-on plutôt changer son moi une fois l'école terminée, lorsqu'on est seul face aux problèmes et aux réalités de la vie?

Si nous laissons la direction de notre moi au hasard, comme nous l'avons fait dans le passé, il est certain que notre situation ne s'améliorera pas. À moins de faire quelque chose pour notre moi dès maintenant, même si cela peut nous paraître trop tard, nous ne pourrons pas prendre nos vies en main et nous épanouir.

C'est ce qui fait de l'autogestion un outil très puissant, peut-être même le plus puissant, pour réussir dans *toutes* nos entreprises, et il serait sage d'en savoir un peu plus sur lui. Qu'est-ce que l'autogestion au juste? Cette technique est-elle vraiment efficace, et si c'est le cas, de quelle manière? Qu'en était-il quand nous avons appris à affronter la vie dans notre jeune âge? Pourquoi ne l'enseigne-t-on pas dans les écoles et les familles? Est-elle accessible à tout le monde? Êtes-*vous* prêt à l'apprendre?

Lorsque vous aurez fini de lire ce livre, non seulement pourrez-vous répondre à ces questions, mais vous utiliserez consciemment et *inconsciemment* les outils d'autogestion qui peuvent rendre votre vie plus *vivante* et votre *moi* plus présent. Vous serez peut-être étonné de vos progrès ou encore votre *moi,* s'il bénéficie d'une formation adéquate, commencera peut-être à vous surprendre.

Vous partagez sans doute le sentiment d'un de mes amis qui avait décidé de prendre sa vie en main. Il m'affirma: «C'est ma seule vie. Aussi bien la vivre comme il faut.» Si vous pensez comme lui, alors allons-y. Je pense que le voyage vous plaira.

Chapitre trois

LE FONDEMENT
DE NOS ACTES

L'une des plus importantes découvertes de ces dernières années a trait au rôle que jouent nos *pensées* dans la conduite de notre vie.

Nous avons toujours cru que la plupart des pensées n'avaient aucune signification. Nous les croyions d'innocentes et informes parcelles de conscience dénuées de substance et de vie propre. Mais nous avions tort.

Chacune de nos pensées est beaucoup plus importante que nous ne le croyons, et il a fallu attendre aujourd'hui, l'ère de l'ordinateur, pour commencer à le comprendre.

Les neurologues ont en effet découvert que les pensées, loin d'être de vagues «riens», inutiles et sans but, sont des impulsions électriques qui déclenchent des commutateurs électriques et chimiques situés dans le cerveau. Les pensées n'ont pas seulement une nature psychologique, elles sont aussi *physiologiques*; ce sont des gâchettes électrochimiques qui dirigent et influencent l'activité chimique du cerveau.

Sous l'impulsion électrique de la pensée, le cerveau réagit immédiatement de plusieurs façons: il libère les agents chimiques de contrôle dans le corps et alerte le système nerveux central pour qu'il réagisse de manière adéquate.

Simultanément, en réaction à cette même pensée, le cerveau cherche dans sa banque mnémonique l'endroit où enregistrer l'information contenue dans la pensée, il déclenche une réaction mentale ou physiologique interne fondée sur les données déjà emmagasinées et sauvegarde toute nouvelle donnée susceptible d'être utile dans le futur.

Lorsqu'une pensée surgit dans notre esprit, nous ne sommes pas conscients de la réaction qu'elle provoque dans le cerveau. L'endroit où il emmagasine la nouvelle information et ce qu'il en fera dépendent de notre programme génétique, des *données emmagasinées précédemment* et de la *façon dont nous dirigeons la nouvelle pensée au moment où elle surgit dans notre esprit.*

L'émission de signaux

Pour simplifier le processus, imaginons la pensée comme une petite impulsion électrique qui transmet un signal au cerveau. Le centre de contrôle principal du cerveau reçoit le signal comme une directive; il alerte les centres chimiques du cerveau pour qu'ils déclenchent les réactions chimiques, électriques et physiques nécessaires pour faire face à la réaction provoquée par la pensée et au signal transmis au cerveau.

La pensée renferme également des impressions que le cerveau voudra peut-être sauvegarder; ce dernier analyse donc sur-le-champ ces impressions et les emmagasine dans un ou plusieurs compartiments de sauvegarde. Plus tard, bien après la fin de la réaction chimique déclenchée par la pensée, le cerveau conserve les impressions reçues sous forme de sentiments ou d'images en vue d'un usage futur.

Quoi qu'il en soit, le cerveau enregistre simplement les signaux reçus. Peu importe que l'information soit vraie ou fausse, bonne ou mauvaise, importante ou banale. Comme le cerveau est un organe au même titre que le cœur, il remplit une fonction précise. S'il est en bon état, il fonctionne de la même façon chaque seconde, pendant toute une vie, recevant, traitant et sauvegardant les renseignements, puis déclenchant les réactions adéquates.

Rien de magique

Le cerveau, et cette facette du cerveau qu'on appelle l'*esprit,* n'ont rien de magique. Le cerveau est peut-être un organe complexe mais, que nous le voulions ou non, il joue le rôle qui lui est dévolu. Si nous le traitons correctement, il fera des choses étonnantes. Il nous maintiendra en vie et en santé; il travaillera inlassablement pour nous aider à éviter les problèmes, à atteindre nos objectifs et à mener une vie pleine de sens et de réalisations. Il emmagasinera une multitude de renseignements utiles destinés à nous garder sur la bonne voie et en harmonie avec notre univers. Mais si nous le *mal*traitons, il travaillera contre nous.

Peu importe au cerveau que nous le comprenions ou non, que nous y croyions ou non. Sa fonction essentielle et son activité n'ont plus rien d'hypothétique. Nous savons que le cerveau est un outil incroyablement génial, créé pour exécuter certaines fonctions précises.

Il est important que nous en soyons conscients, puisque le fonctionnement du cerveau est étroitement lié à celui du *moi*. En effet, c'est par l'intermédiaire du cerveau que nous prenons soin de notre ego, le contrôlons et communiquons avec lui. Si nous essayons de le faire d'une manière contraire à son fonctionnement chimique et électrique, le moi ne recevra pas notre message et nous n'obtiendrons pas les résultats escomptés.

La comparaison entre le cerveau humain et l'ordinateur personnel est judicieuse: le cerveau reçoit, traite et emmagasine les signaux transmis par les sens, et y réagit de la même façon qu'un ordinateur lorsqu'il reçoit un programme, le traite, l'emmagasine et l'exécute. Notre subconscient est programmé un peu comme un ordinateur et, comme lui, n'exécute que les programmes qu'il reçoit.

Le microsillon

Imaginez que notre subconscient fonctionne comme un disque microsillon. Chacun de nous vient au monde avec un disque propre et brillant sans aucun sillon.

Dès le premier jour, et tout au long de notre croissance, chaque mot entendu et chaque pensée creusent une rainure sur ce disque. Certaines idées, qui nous ont été répétées maintes et maintes fois, y creusent des rainures profondes et permanentes. Avec le temps, nos propres directives intérieures (images et idées que nous nous faisons de nous-même) se sont gravées de manière indélébile sur notre disque et font désormais partie du programme transmis à notre subconscient.

Pendant notre croissance, peu importe à notre subconscient que ce que nous disons ou acceptons de nous-même soit vrai ou faux, tel un ordinateur, il accepte simplement les données, exactes ou inexactes, salutaires ou malsaines, utiles ou inutiles que les autres et nous-même programmons en lui.

C'est précisément en raison de la nature même du cerveau que nous devenons des routiniers. Notre programmation contribue à former des schémas — actions, pensées et styles répétitifs — dans notre subconscient. Nous avons tendance à reproduire les modèles de comportement qui sont le plus fortement programmés dans notre subconscient. Si vous avez lu mon livre intitulé *What To Say When You Talk to YourSelf*, vous connaissez déjà le fonctionnement et l'efficacité de la programmation. Comme soixante-quinze pour cent ou plus de notre première programmation étaient de nature négative, nous avons automatiquement continué avec nos propres programmes négatifs.

Certes, il nous arrive de recevoir des programmes positifs, mais pas assez. Résultat: lorsque nous parvenons à l'âge adulte, les programmes les plus inadéquats et les plus inhibitifs sont imprimés de manière permanente dans notre subconscient, où ils influencent chacune de nos actions et de nos pensées pour le restant de nos jours.

Notre façon de vivre est le résultat de la somme de ces programmes, de ces pensées et de ces directives qui nous ont été transmis inconsciemment par tout un chacun et par nous-même en particulier.

Il s'ensuit que chacun de nous vit avec une batterie incessante de programmes internes que le cerveau, en ce moment même, essaie de manifester dans nos comportements. Voilà ce pour quoi il est programmé. *Il n'a pas le choix* puisque son rôle est de se conformer à nos instructions. Et aussi longtemps qu'il fonctionnera bien, c'est exactement ce qu'il continuera de faire. *Peu importe à votre cerveau que les programmes que vous lui avez transmis soient bons ou mauvais.* Grâce à son étonnant pouvoir, votre cerveau veille à ce que vous exécutiez les seuls programmes imprimés dans votre subconscient.

Un choix des plus importants

Nous sommes entièrement responsable, dès notre plus jeune âge, de ce que nous programmons dans notre subconscient; mais nous l'ignorons alors. Dès que nous prenons conscience du fonctionnement neutre et méthodique du cerveau, nous sommes encore plus responsable de ce que nous programmons *par la suite* dans notre subconscient.

Ni l'origine de la programmation ni la manière dont un programme

26

lui est transmis n'importent au subconscient. Il se contente d'accepter les données qu'il reçoit, bonnes ou mauvaises, pour le meilleur ou pour le pire. Les programmes que vous acceptez des autres et les directives, images, pensées et sentiments conscients et inconscients que vous transmettez à votre moi s'inscriront dans votre propre centre de contrôle interne.

Ensemble, *ces directives, pensées et images continueront de déterminer, d'avance ou sur le coup, chaque réaction, attitude et action qui feront partie de vous et de votre avenir.*

En fait, *en ce moment même,* vos programmes personnels déterminent tout ce que vous êtes, exception faite de votre structure génétique et de vos traits héréditaires. À votre naissance, une autre personne a pris soin du bagage avec lequel vous êtes venu au monde. Ce que vous en avez fait dans le passé dépendait des programmes emmagasinés dans votre subconscient. Ce que vous faites de votre ego à partir de maintenant dépendra de ce que vous déciderez de faire et de chaque nouvelle directive que vous lui donnerez.

Nous voilà donc placés devant un choix primordial. Voilà pourquoi ceux qui disent que l'«avenir leur appartient» ne font pas preuve de futilité ou d'humanisme. Ils reconnaissent plutôt joyeusement le fait qu'ils peuvent choisir la direction que prendra leur avenir.

Ceux qui apprennent à contrôler leur *moi* en dirigeant consciemment leurs directives intérieures sont les seuls qui aient vraiment en main leur destinée.

L'autre solution consiste à vous effacer pour laisser l'univers manipuler à sa guise la seule chose dans la vie qui dépende entièrement de vous: votre *moi.* Si vous ne prenez pas en main la programmation de votre subconscient, si vous ne dirigez pas votre moi, les fantaisies du monde qui vous entoure s'en chargeront. *La voie que vous choisissez importe peu à votre cerveau.* Celui-ci travaillera aussi dur pour plaire à son maître, quel qu'il soit.

Nos connaissances peuvent être utiles

L'ignorance peut faire plus que nous blesser. Notre ignorance du fonctionnement de notre cerveau dans le passé est à l'origine de beaucoup de nos problèmes. On peut dire, en quelque sorte, que nous avons littéralement créé ces problèmes.

Heureusement, les neurologues, chercheurs médicaux et psychologues ne nous ont pas laissés tomber. En effet, non contents de mettre le problème au jour, ils nous en ont fourni la solution. Les mêmes processus mentaux qui nous ont nui autrefois peuvent désormais nous faire progresser.

Chapitre quatre

NOS AUTOSUGGESTIONS PASSÉES

Afin de découvrir quels programmes vous conviennent le mieux, et lesquels vous voulez changer ou remplacer, il vous suffit d'examiner les autosuggestions qui ont nourri votre moi dans le passé. Quelles qu'elles soient, soyez certain que vous en contemplez les résultats chaque jour.

Depuis la naissance, chacun de nous a recueilli un nombre impressionnant de programmes d'autosuggestions dont certains sont valables, tandis que d'autres sont plutôt néfastes.

Hélène assista à une conférence que je donnais sur l'autosuggestion. C'était une femme dans la cinquantaine et grand-maman pour la première fois: quand je priai les membres de l'auditoire de partager avec le reste du groupe quelques-unes de leurs vieilles autosuggestions, Hélène fut la première à lever la main. «Depuis que je suis toute petite, déclara-t-elle, ma mère me répétait que lorsque je deviendrais grand-mère, je serais obèse, comme ma grand-mère.»

La prédiction de la mère d'Hélène s'était réalisée. Quelques mois avant la naissance de sa petite-fille, Hélène avait grossi et éprouvait de la difficulté à retrouver le poids plus sain qu'elle avait conservé pendant des années. «Ce n'est pas uniquement l'âge ou mon style de vie qui en est responsable, affirma Hélène. J'ai grossi parce que je croyais que je grossirais et je me suis répété pendant des années que c'est ce qui se passerait.»

Donald téléphona pendant une émission de radio à laquelle j'étais invité. «Je me suis toujours dit que je ne pouvais gérer mon argent, me dit-il. Chaque fois qu'il était question d'argent, je me disais que je ne valais rien en matière de finances. J'ai réussi à m'en convaincre, et c'est exactement ce qui se passe.»

Lors d'une autre émission radiophonique, une femme appela pour dire que notre discussion concernant la «programmation» des enfants l'avait fait réfléchir sur les propos qu'elle avait tenus à ses quatre enfants lorsqu'ils étaient petits. Le benjamin n'avait pas aussi bien réussi que les autres à l'école. «J'avais l'habitude de lui dire qu'il n'était pas fait pour étudier et qu'il devrait toujours travailler plus fort que les autres, affirma la mère. Je lui ai même dit qu'il n'étudierait jamais à l'université et il a fini par me croire. Je me suis rendu compte qu'il était aussi doué que ses frères, mais c'est le seul de mes quatre enfants qui ne soit pas allé à l'université.»

Une secrétaire m'écrivit pour me dire qu'elle se répétait continuellement qu'elle n'était pas belle, que sa personnalité n'était pas aussi brillante que celle de ses collègues, et qu'on ne l'aimait pas. «Je passe mon temps à me dire que je ne vaux rien ou que je ne suis pas aussi douée qu'une autre, écrivit-elle. Lorsqu'une occasion d'avancement se présente, je suis la première à me dire que je ne peux pas l'obtenir.»

Sur les centaines de lettres que je reçois, je suis toujours étonné de voir le nombre de personnes sensées qui s'embarrassent de ce type d'autosuggestions négatives. L'une d'elles exprimait une pensée courante en écrivant: «Je ne peux vous dire la quantité d'énoncés négatifs (et faux, pour la plupart) que je me suis répétés en grandissant : je ne peux pas faire d'exercice; je remets toujours à demain; je n'arrive jamais à temps nulle part, je ne peux jamais parler à ma femme sans commencer une querelle.»

Je reçois même des lettres d'écoliers qui me racontent des histoires semblables concernant leurs directives intérieures. Un élève du secondaire m'écrivit ce qui suit: «Je n'ai jamais pensé pouvoir réussir quoi que ce soit. Je n'arrête pas de me dire que je ne suis bon qu'à me créer des problèmes.»

Une autre lettre, provenant d'un prêtre âgé, qui avait consacré la plus grande partie de sa vie à l'enseignement, était si touchante que je lui ai téléphoné. Comme il le disait dans sa lettre, le vieil homme était triste de voir toutes les «années perdues» en programmes négatifs. «Pourquoi ne nous a-t-on pas montré à nous parler d'une manière positive lorsque nous étions jeunes et que nous pouvions encore faire quelque chose? Pendant soixante ans, j'aurais pu apprendre et montrer aux autres à se parler d'une manière différente, affirma-t-il. Mais jusqu'à ce jour, j'ignorais le pouvoir de l'autosuggestion. Tous les problèmes que je me suis créés! Quand je pense à tout ce que j'aurais *pu* faire!»

Lorsque ces gens se répétaient des phrases négatives, ils ignoraient tout à fait qu'ils se programmaient littéralement à y croire.

En parcourant ma correspondance et en conversant avec les gens au cours de mes voyages, je me suis souvent rappelé certaines autosuggestions que j'avais *moi-même* utilisées autrefois. Je prends alors parfois conscience de certains problèmes passés que j'avais littéralement *créés*. Chaque fois que je demande à un auditoire de partager des exemples de leurs autosuggestions, j'entends ces mêmes phrases *négatives* que je me suis répétées à moi-même.

Peu d'entre nous échappent à l'habitude de s'autosuggestionner d'une manière négative. Et les hétérosuggestions que nous commençons aussitôt à utiliser peuvent être aussi bénignes que des doutes ou des peurs inexprimés ou aussi importantes que des idées fausses concernant ce que nous ne *pouvons* ni faire ni réaliser, ce qui ne marchera pas, et la raison pour laquelle nous ne sommes pas plus heureux.

Une liste interminable d'autosuggestions inutiles

Bon nombre d'entre nous utilisent *inconsciemment* un nombre incalculable d'autosuggestions très puissantes pour se programmer.

Comment pouvons-nous espérer donner le meilleur de nous-même lorsque nous nous parlons ainsi: *Mon travail ne me mène à rien. Tout va de travers aujourd'hui. Je ne peux pas faire cela. Chaque fois que j'essaie de lui parler, nous nous querellons. J'ai un problème de poids. Je sais qu'elle(il) ne m'aimera pas. Pourquoi essayer? Cela ne marchera probablement pas de toute façon. Je n'arrive pas à me mettre à jour dans mon travail. Je n'ai aucune mémoire. Je n'ai aucun talent pour.... Je n'ai jamais le temps de m'arrêter. Cela ne fera de mal à personne, pour une fois. Je suis incapable de résister aux soldes. Je me demande ce qui cloche chez moi aujourd'hui. J'ai essayé, mais en vain!*

Voici des exemples d'autosuggestions qui contribuent à programmer notre subconscient et qui nous guident notre vie durant. Ils nous décrivent à nos yeux d'une façon négative, et nous les exécutons d'une manière qui nous nuit ou nous empêche d'agir.

Cette programmation serait tellement plus profitable si nous nous formulions chaque phrase d'une manière constructive plutôt que destructive. Chacune des «vieilles» autosuggestions ci-dessus se transformerait alors en «nouvelle» autosuggestion du type suivant:

Je fais des progrès dans mon travail. C'est mon jour de chance aujourd'hui! J'y arriverai. Chaque fois que je lui parle, nous nous comprenons mieux. Je commence à maîtriser mon poids. Je sais que je lui plairai. Je suis prêt(e) à essayer, car je crois que cela va marcher. Je me rattrape sur tous les plans. J'ai une excellente mémoire. J'ai du talent pour.... Tout va comme sur des roulettes. Cette fois-ci, je m'abstiendrai. Même si je trouve un article en solde, je ne suis plus tenté(e) par une dépense inutile. Je suis particulièrement content(e) de moi aujourd'hui. Je n'abandonnerai pas et j'y parviendrai!

Il appartient à chacun de nous personnellement de décider si nous voulons programmer notre moi à l'aide de phrases-catastrophes ou, au contraire, de paroles aptes à renforcer notre confiance en nous. *Ce sont nos propres autosuggestions, et elles reflètent la façon dont nous dirigeons notre moi.*

Je tire une grande inspiration des lettres que je reçois des hôpitaux, universités, commissions de santé publique, prisons, centres de toxicomanie, groupes de chercheurs médicaux et autres organismes qui étudient et enseignent l'autosuggestion. Ainsi, à l'heure actuelle, des chercheurs californiens étudient scientifiquement les effets de l'autosuggestion constructive sur le système immunitaire. À l'instar d'autres groupes de recherche aux États-Unis, ils ont découvert un lien profond entre l'autosuggestion positive et la santé. En effet, il semblerait que la première contribue à renforcer le système immunitaire, dont la fonction est de combattre la maladie.

On nous a toujours dit que nos pensées et nos paroles étaient des facteurs de santé. Il a cependant fallu que la médecine moderne en établisse scientifiquement la preuve. Je me souviens d'une camarade de classe au secondaire à qui sa mère répétait sans cesse: «Sarah, tu as mauvaise mine aujourd'hui. Tu es certaine que tu te sens bien?» Pas étonnant que Sarah fût malade plus souvent que le reste de la classe. Elle était programmée pour l'être!

Réfléchissez à ce que vous dites de vous-même. Quelles erreurs avez-vous appris à croire à votre sujet? Quels programmes avez-vous inconsciemment acceptés des autres et de vous-même? Ceux-ci étaient-ils de nature à vous donner confiance en vous ou à semer le doute sur vos aptitudes? Vous critiquez-vous ou vous dites-vous que vous pouvez faire mieux et que vous y arriverez sous peu?

Nous ne saurons jamais combien de fois une personne a échoué ou s'est sentie vaincue parce qu'elle n'a jamais appris à modifier ses autosuggestions. Nous ne saurons jamais quelles guerres auraient pu être évitées, quels enfants auraient pu tourner autrement, quelles vies pleines de frustrations auraient pu déborder de créativité et de joie.

Il est impossible de calculer ce que la simple transformation de «je ne peux pas» en «je peux» aurait pu signifier pour les millions de personnes ignorantes et pleines d'espoir qui ont vécu avant nous.

L'autosuggestion constructive est la forme la plus simple et la plus naturelle de maîtrise de soi, d'autodétermination et de responsabilité personnelle. Combien de personnes, parmi vos connaissances, seraient plus heureuses, plus efficaces et plus confiantes si elles apprenaient l'autodétermination et l'autogestion?

Dans le monde entier, combien de milliers de phrases défaitistes sont serinées chaque jour à des milliers d'esprits ignorants et réceptifs? Des *milliers,* certes, et peut-être même des milliards. Peu ont appris à se programmer avec le meilleur d'eux-même. Et la plupart n'ont même jamais réfléchi à la nature de leurs autosuggestions.

J'ai souvent pensé que nous aurions été plus heureux si nous avions assimilé, dès la plus tendre enfance, quelques «vérités» supplémentaires sur nous-même. Elles n'auraient en rien nui à notre éducation religieuse, familiale ou autre et elles nous auraient donné un petit coup de pouce dans la vie.

Elles auraient pu être formulées ainsi:

Je m'aime et je suis heureux(se) d'être ce que je suis.

Je suis heureux(se) d'être en vie et j'ai décidé de me réaliser pleinement.

C'est un jour merveilleux aujourd'hui. J'ai décidé de faire valoir le meilleur de moi-même et d'agir au mieux. Il y aura d'autres jours merveilleux, mais celui-ci est spécial — tout comme moi!

J'ai décidé d'être un(e) gagnant(e). Je suis maître(sse) de ma vie, je suis en harmonie avec elle et avec moi-même, et rien ne peut m'empêcher d'atteindre les objectifs que je me suis fixés.

Je peux le faire. Regarde-moi et tu vas voir!

Ce ne sont pas là les paroles d'un visionnaire ou d'un rêveur. Au contraire. Ce sont des exemples d'instructions simples et directes qui peuvent nous aider chaque jour à nous percevoir et à envisager la vie d'une manière plus positive.

Ayant étudié l'autosuggestion et la programmation pendant de nombreuses années, je crois que ces quelques paroles, si elles étaient répétées assez souvent, finiraient par se graver définitivement dans notre esprit et par nous influencer. Mais comme nous le verrons bientôt, l'autosuggestion dépasse la répétition de quelques phrases simples.

Pour la plupart d'entre nous, les vieilles autosuggestions n'ont pas toujours fait des miracles. Si c'était le cas, nous ne serions pas à la recherche d'une nouvelle technique. Peu d'entre nous ont échappé aux hétérosuggestions reçues depuis l'enfance; la plupart ne possédaient aucune solution de rechange. En lisant *Le Pouvoir de la motivation intérieure,* vous faites un pas dans la bonne direction. Ce livre vous fera réfléchir sur les autosuggestions que vous avez utilisées dans le passé et vous indiquera comment les modifier de façon significative.

Chapitre cinq

FAITES L'INVENTAIRE
DE VOTRE MOI

Il était une fois un vieil homme nommé Sartebus et un jeune garçon du nom de Kim. Orphelin, Kim vivait seul et parcourait les villages, quêtant le gîte et le couvert. Mais il y avait pour Kim quelque chose de plus important encore que de bien manger et de dormir au sec. Car Kim cherchait un sens à sa vie. «Pourquoi, se demandait-il, passons-nous notre vie à chercher une chose introuvable? Pourquoi la vie est-elle si difficile? Sommes-nous responsables de nos problèmes ou est-ce normal que nous luttions comme nous le faisons?»

C'étaient là des pensées bien sages pour un garçon de son âge, mais c'est justement cette sorte de pensées qui placèrent sur son chemin un vieil homme capable sans doute de répondre à ses questions.

Le vieillard transportait sur son dos un grand panier couvert qui semblait très lourd pour quelqu'un d'aussi vieux et fatigué que lui. Près d'un petit ruisseau qui coulait le long du chemin, le vieil homme fit halte et déposa d'un geste las son panier sur le sol. Il semblait à Kim que le vieillard y transportait tous ses biens; même un homme plus jeune et plus fort n'aurait pu le porter très loin.

«Que contient ce panier pour être si lourd? demanda Kim. Je serais heureux de le porter pour vous, car je suis jeune et fort, et vous êtes fatigué.» «Tu ne pourrais pas le porter à ma place, répondit le vieillard. Je dois le porter moi-même.» Et il ajouta: «Un jour, tu suivras ton propre chemin en portant toi aussi un panier aussi lourd que le mien.»

Kim et le vieillard marchèrent ensemble pendant des jours et des jours. Et, bien que Kim demandât souvent à Sartebus pourquoi les hommes devaient travailler aussi dur, il n'en tira aucune réponse, pas plus qu'il n'apprit, malgré ses efforts, quel lourd trésor le vieil homme transportait dans son panier.

Parfois, tard le soir, au terme d'une longue journée de route, Kim demeurait étendu calmement, feignant de dormir, afin d'écouter le vieil homme qui triait, en murmurant, le contenu de son panier à la lumière tremblotante d'un petit feu. Le lendemain matin, comme d'habitude, il ne disait rien.

Ce n'est que lorsque Sartebus, incapable d'aller plus loin, s'étendit pour la dernière fois qu'il révéla son secret à Kim. Au cours des dernières heures passées ensemble, il dévoila à Kim non seulement l'énigme du panier, mais également la raison pour laquelle les hommes travaillent si dur.

«Ce panier contient toutes les faussetés auxquelles j'ai crues à propos de moi-même. Ce sont ces pierres qui m'ont accablé durant mon voyage. Je porte sur mon dos le poids de chaque caillou de doute, chaque grain d'incertitude et chaque boulet de pensée négative que j'ai recueillis en chemin. Sans eux, j'aurais pu aller beaucoup plus loin et réaliser mes rêves. À cause d'eux, c'est ici que se termine mon voyage.» Puis, sans même détacher les cordons tressés qui retenaient le panier à son dos, le vieillard ferma les yeux et sombra doucement dans son dernier sommeil.

Avant de s'endormir ce soir-là, Kim défit les cordons qui retenaient le panier au vieil homme et le déposa sur le sol. Puis, il dénoua avec précaution les courroies de cuir qui maintenaient le couvercle et le souleva. Peut-être parce qu'il cherchait une réponse à sa propre question, ce qu'il vit ne l'étonna point. Le panier, qui avait si longtemps pesé sur les épaules de Sartebus, était vide.

Que transportez-vous sur votre dos?

Nous avons tous recueilli des idées et des croyances qui nous accablent et empêchent que se réalisent les nombreuses possibilités présentes en nous.

Comment découvrir ce que contient notre panier? Quel poids *nous* retient? Quelles limites *imaginaires* nous sommes-nous imposées?

Malheureusement, Sartebus ignorait qu'il pouvait se débarrasser de ses boulets fictifs. Au lieu de cela, il s'asseyait la nuit pour inventorier ses limites et geindre sur son sort.

L'inventaire de vos limites imaginaires

Afin de connaître les croyances inconscientes que vous nourrissez à votre égard, il serait utile que vous vous posiez quelques questions et que vous y répondiez honnêtement. Si vous désirez savoir ce que vous vous dites *inconsciemment,* il faut chercher les réponses dans ce que vous vous dites *consciemment.*

Ce que vous vous entendez dire à vous-même à haute voix ne constitue que la pointe de l'iceberg. À chacune de vos pensées conscientes correspond un grand nombre de pensées inconscientes. Celles-ci forment un chœur de mille voix qui se répètent à l'infini dans les replis de votre subconscient.

Vos pensées (et vos paroles) *conscientes* reflètent les programmes *in*conscients qui les créent. Si elles sont constructives, vos pensées *in*conscientes le seront aussi. Par contre, si elles sont empreintes d'incertitude ou vous diminuent à vos yeux, alors soyez certains qu'elles se refléteront plusieurs milliers de fois dans les pensées inconscientes de votre subconscient.

Essayez d'être à l'écoute de vos directives intérieures afin d'en découvrir la nature. En répondant à certaines questions, vous verrez se dessiner assez clairement l'image inconsciente que vous avez de vous-même.

À l'heure actuelle, quels types de directives intérieures dirigent inconsciemment votre vie? Si vous répondez avec précision et honnêteté au questionnaire ci-dessous, vous en aurez un aperçu. Ce questionnaire ne vous révélera pas tout ce que vous transportez avec vous, mais il vous permettra de jeter un regard honnête sur vos limites, pour que vous puissiez vous en débarrasser.

Si vous ne voulez pas écrire dans ce livre, photocopiez les pages du questionnaire. Si vous ne pouvez ni ne voulez écrire vos réponses, lisez les énoncés à haute voix et remplissez les espaces vides à haute voix également. Ces énoncés visent à vous aider à mieux comprendre quelques-uns de vos styles d'autogestion. Prenez votre temps, soyez honnête et complétez toutes les phrases.

QUESTIONNAIRE SUR L'AUTOGESTION

1re partie — Votre style général d'autogestion

Complétez chacune des phrases ci-dessous au moyen d'un des termes suivants:

toujours, habituellement, à l'occasion, rarement ou jamais.

1. J'ai (je n'ai) _____ l'impression d'être maître(sse) des secteurs les plus importants de ma vie.

2. Je suis (je ne suis) _____ une personne «positive».

3. Je me sens (je ne me sens) _____ déprimé(e).

4. J'ai (je n'ai) _____ l'impression qu'une grande partie de ce qui m'arrive est due au hasard.

5. Je crois que ma vie est (n'est) _____ entièrement déterminée par les circonstances extérieures et que je la (ne la) dirige _____.

6. Je crois (je ne crois) _____ que les événements de ma vie dépendent de moi.

7. Je suis (je ne suis) _____ conscient(e) de mes autosuggestions et je suis (je ne suis) _____ conscient(e) de l'orientation de mes pensées.

8. J'éprouve _____ de la frustration ou de la colère (je n'éprouve _____ ni frustration ni colère) face aux choses que je ne peux pas changer.

9. J'ai (je n'ai) _____ une bonne opinion de moi-même. J'aime (je n'aime) _____ ce que je suis tout le temps.

10. Je me réveille (je ne me réveille) _____ de bonne humeur et impatient(e) d'entamer ma journée.

11. Je me fâche (je ne me fâche) _____ lorsque la circulation me retarde.

12. Les autres me décriraient (ne me décriraient) _____ comme une personne qui réussit ce qu'elle entreprend.

13. J'ai _____ de la facilité (je n'ai _____ de facilité) à affronter et à régler mes problèmes.

14. Je me fixe _____ des objectifs (je ne me fixe _____ d'objectifs) et j'essaie de les atteindre.

15. J'ai (je n'ai)_____ le sens de l'organisation et je respecte (je ne respecte)_____ mes échéances.

16. Je sais (je ne sais) _____ qui je suis et où je vais dans la vie.

17. Je me sens (je ne me sens) _____ spécial(e), unique et entièrement maître(esse) de moi-même et de ma vie.

18. Je prends (je ne prends) _____ l'entière responsabilité de moi-même, de mes actes et de mon avenir.

19. Je dirige (ne dirige) _____ mes pensées et je ne laisse (je laisse) _____ l'inquiétude m'envahir.

20. Je pense que je suis (je ne suis)_____ doué(e) pour l'autogestion.

Vous pourriez vous poser des centaines de questions concernant la manière dont vous dirigez votre moi. Les questions ci-dessus vous donnent un aperçu du succès que vous avez obtenu, du moins jusqu'à présent, en ce qui concerne l'autogestion en *général*.

En complétant les phrases du questionnaire, recherchez une tendance dans vos réponses. Si, par exemple, vous complétez automatiquement la phrase «Je sais (je ne sais) _____ qui je suis et où je vais dans la vie» par «toujours», il est probable que vous possédez une grande confiance en vous et de bonnes aptitudes d'autogestion.

Par contre, si vous complétez les phrases comme «Je suis (je ne suis) _____ conscient(e) de mes autosuggestions et je suis (je ne suis) _____ conscient(e) de l'orientation de mes pensées» avec la moindre hésitation ou avec les mots «occasionnellement», «rarement», ou «jamais», vous avez encore beaucoup à faire dans le domaine de l'autogestion.

Examinons maintenant un autre aspect de l'autogestion. Les énoncés de la première partie du questionnaire étaient plutôt généraux et touchaient le degré de maîtrise que vous pensez posséder sur de vastes secteurs ou sur les circonstances générales de votre vie. Maintenant soyons plus précis. Dans la section ci-dessous du questionnaire, chaque énoncé porte sur la façon dont vous appliquez l'autogestion dans le cadre de votre travail ou de vos activités extérieures.

QUESTIONNAIRE SUR L'AUTOGESTION

2e partie — Travail et carrière

Complétez les phrases ci-dessous de la même manière que celles de la première partie, c'est-à-dire avec précision et honnêteté. Complétez chaque énoncé directement dans le livre, sur une photocopie ou à haute voix, par l'un des termes suivants:
toujours, habituellement, occasionnellement, rarement ou jamais.

1. J'aime (je n'aime) _____ réussir ce que j'entreprends. Je fais (je ne fais) _____ de mon mieux.

2. J'ai (je n'ai) _____ l'intention d'atteindre mes objectifs.

3. L'échec me fait (ne me fait) _____ reculer ou il m'empêche (ne m'empêche)_____ d'obtenir l'emploi visé et de réaliser mes objectifs.

4. Je suis (je ne suis) _____ certain(e) de posséder les aptitudes et la confiance nécessaires pour exceller dans mon travail.

5. J'ai (je n'ai) _____ une attitude optimiste face à moi-même et à mon rôle dans la vie.

6. J'ai (je n'ai) _____ l'impression d'avoir de bonnes idées et je crois que les autres s'intéressent (ne s'intéressent) _____ à ce que j'ai à dire.

7. Je sens que je m'exprime (je ne m'exprime) _____ bien.

8. Je ne perds (je perds)_____ mon temps et j'organise (je n'organise) _____ mon emploi du temps de manière à l'employer du mieux possible.

9. Je fais (je ne fais) _____ de mon mieux dans toutes les tâches que j'accepte d'accomplir.

10. Je fais (je ne fais) _____ chaque chose en son temps.

11. Je connais (je ne connais) _____ ma valeur au travail et dans toutes mes entreprises.

12. J'ai l'impression d'être (de n'être) _____ obligé(e) de mener ma vie en fonction des ordres, des exigences ou des attentes d'autrui.

13. J'évalue (je n'évalue) _____ les possibilités qui s'offrent à moi et je ne regarde (je regarde) _____ en arrière pour voir ce que j'ai laissé de côté.

14. Je suis (je ne suis) _____ alerte, bien éveillé(e), conscient(e), en harmonie avec moi et les autres, et maître(sse) de la situation.

15. Je sais (je ne sais) _____ que je suis intelligent(e) et capable, et que je peux accomplir tout ce que je veux.

16. Je sens (je ne sens) _____ que les autres m'aiment et apprécient ma compagnie.

17. Je consacre (je ne consacre) _____ certains moments à perfectionner mes aptitudes ou à me préparer à de nouvelles possibilités.

18. J'ai (je n'ai) _____ la conviction que rien ne peut m'empêcher d'atteindre mes buts ou de réussir.

19. Je considère (je ne considère) _____ les risques comme une partie nécessaire de mon épanouissement et j'ai (je n'ai) _____ confiance en mon aptitude à y faire face et à les surmonter.

20. J'ai l'impression que je suis (je ne suis) _____ maître(sse) de ce qui se passe au travail, et de ma réussite ou de mon échec.

Vos réponses constituent la meilleure indication du type d'autogestion qui vous guide à l'heure actuelle

Vos réponses aux énoncés ci-dessus indiquent les programmes d'autogestion qui dirigent actuellement divers secteurs de votre vie. Si vos réponses indiquent que vous êtes heureux au travail ou dans votre routine quotidienne, écoutez votre monologue intérieur et accentuez les autosuggestions qui vous orientent dans la bonne direction. Si vous n'êtes pas aussi satisfait que vous pourriez l'être, vos réponses vous donneront certains exemples du type d'autosuggestions qui vous empêchent d'avancer.

Ainsi, si vous complétez la phrase 18 de la manière suivante: «Je n'ai *jamais* la conviction que rien ne peut m'empêcher d'atteindre mes buts ni

41

de réussir», voilà un exemple parfait d'autosuggestion qui vous empêche d'atteindre votre but.

De même, si vous complétez l'énoncé 12 ainsi: «J'ai l'impression d'être *habituellement* obligé(e) de mener ma vie en fonction des ordres, des exigences et des attentes d'autrui», voilà exactement le type d'autosuggestion qui crée un problème.

La façon précise dont vous complétez chaque énoncé du questionnaire reflète votre type d'autosuggestion.

Si vous voulez connaître vos autosuggestions *inconscientes*, écrivez les énoncés complétés sur une feuille de papier: si vos réponses sont plutôt négatives, la liste reflètera précisément l'autosuggestion négative qui *a créé le problème en tout premier lieu.*

En prenant conscience des *vieilles* autosuggestions qui vous guident à l'heure actuelle, vous apprenez les *nouvelles* autosuggestions susceptibles de les remplacer. Les énoncés que vous avez complétés révèlent la sorte d'autosuggestions que vous employez et celle que vous devriez utiliser à la place.

Abordons maintenant une autre partie de votre réserve d'autosuggestions, touchant cette fois votre famille, votre foyer et votre vie personnelle.

QUESTIONNAIRE SUR L'AUTOGESTION

3e partie — Famille, foyer et vie personnelle
Complétez chaque énoncé par l'un des termes suivants:
toujours, habituellement, occasionnellement, rarement ou jamais.

1. Mes relations personnelles sont (ne sont) _____ chaleureuses, significatives et satisfaisantes.

2. Je suis (je ne suis) _____ capable d'exprimer mes sentiments aux autres et je me montre (je ne me montre) _____ patien(te) et compréhensif(ve) envers eux lorsqu'ils expriment les leurs.

3. J'ai (je n'ai) _____ de la facilité à me faire des amis et j'éprouve un grand respect pour eux.

4. On peut (on ne peut) _____ compter sur moi dans n'importe quelle relation.

5. J'exprime (je n'exprime) _____ mes pensées et mes opinions d'une manière sincère, honnête et ouverte.

6. Je me sens (je ne me sens) _____ bien dans ma peau et je me sens (je ne me sens) _____ comblé(e) dans tous les aspects de ma vie.

7. Je suis (je ne suis) _____ conscient(e) de mes sentiments et je prends (je ne prends) _____ en considération ceux des autres.

8. J'ai (je n'ai) _____ beaucoup d'énergie.

9. Je suis (je ne suis) _____ très ambitieux(se) et je fais face à toute possibilité avec énergie et ambition.

10. Je conserve (je ne conserve) _____ une excellente forme physique.

11. Je programme (je ne programme) _____ mon esprit au moyen de pensées positives afin de conserver ma forme, mon énergie et mon enthousiasme.

12. Je suis (je ne suis) _____ naturellement en bonne santé.

13. Je mange et bois (je ne mange ni ne bois) _____ les seuls aliments qui sont bénéfiques à ma santé physique et mentale.

14. Je suis (je ne suis) _____ calme et assuré(e). Je suis (je ne suis) _____ convaincu(e) que je vais réussir dans la vie.

15. Je maîtrise (je ne maîtrise) _____ le stress dans ma vie.

16. Je sais (je ne sais) _____ écouter.

17. Je sens que je réussis (je ne réussis) _____ à créer l'avenir que je désire vraiment.

18. Je sens (je ne sens) _____ que je donne le meilleur de moi-même.

19. J'ai l'impression d'être (de n'être) _____ maître(sse) de ma vie.

20. L'orientation de ma vie me rend (ne me rend) _____ heureux(se) et je crois (je ne crois) _____ que j'emploie mon temps de la meilleure façon possible.

Ce que vous transportez sur
votre dos ne dépend que de vous

Comme vous l'apprendrez bientôt, il vous appartient, non seulement de transporter ou de *ne pas* transporter un lourd bagage de pensées négatives et d'entraves, mais également, de vous en débarrasser. Ne vous contentez pas d'y penser avant de vous coucher, à l'instar de Sartebus, et d'en dresser l'inventaire.

Si vous voulez changer, vous le pouvez, en suivant une voie naturelle qui vous conduira des programmes inconscients du passé vers l'auto-gestion de l'avenir, gage de réussite.

Chapitre six

LA NOUVELLE TECHNOLOGIE ET LE SUBCONSCIENT

Au cours des quelques dernières années, les chercheurs ont découvert de nouvelles données surprenantes à propos du cerveau et du fonctionnement interne de cette facette du cerveau appelée le *mental*. Ils ont également énormément appris sur le processus synergique qui se déroule dans le cerveau et qui relève du *subconscient*.

L'une des plus importantes caractéristiques du subconscient, selon ces chercheurs, a trait au fait qu'il suit des *règles* bien précises. Le cerveau humain est un organe physiologique, un mécanisme physique et biologique qui obéit à des lois physiques. Le subconscient, facette du cerveau, suit les mêmes règles.

Lorsque nous apprenons les règles qui régissent le subconscient, nous comprenons une grande partie des raisons qui motivent nos comportements. Le subconscient représente peut-être le centre de contrôle qui nous guide, mais il le fait avec des règles physiologiques et universelles qui lui sont propres.

Ce sont ces règles qui vous éclairent sur le fonctionnement de vos conditionnements et de votre programmation ainsi que sur les raisons de vos comportements. Elles représentent une partie des caractéristiques les plus reconnues du subconscient et du fondement de la théorie moderne de l'autogestion.

Les règles de l'autogestion

1. *Le cerveau humain est un organe physiologique qui, par le biais d'un processus électrochimique précis, recueille, traite et emmagasine les renseignements qu'il reçoit et réagit en conséquence.*

2. *Les données transmises au subconscient déclenchent une réaction tant physiologique que psychologique.*

3. *Toute donnée transmise au subconscient est reliée aux données déjà emmagasinées et subit leur influence.*

4. *Le subconscient est un mécanisme neutre qui réagit à l'information sans tenir compte ni de sa précision ni de sa valeur.*

5. *Le subconscient ne nourrit ni croyances ni préjugés autres que ceux qu'il a reçus à la suite de sa programmation.*

6. *En présence de deux programmes contradictoires ou plus, le subconscient tentera d'exécuter le plus puissant.*

7. *La puissance d'un programme dépend du nombre de fois où le subconscient reçoit des données identiques ou similaires.*

8. *La puissance d'un programme dépend de l'importance de la source du programme telle que le subconscient la perçoit.*

9. *La puissance d'un programme dépend de l'intensité de l'émotion qui y est associée.*

10. *Le subconscient essaie toujours d'exécuter le programme dominant.*

Afin de vous aider à découvrir de meilleures façons de diriger votre moi, examinons de plus près chacune des règles qui régissent le subconscient.

1. Le cerveau humain est un organe physiologique qui, par le biais d'un processus électrochimique précis, recueille, traite

et emmagasine les renseignements qu'il reçoit et réagit en conséquence.

La clé de ce principe réside dans le fait que le cerveau est un organe programmé pour remplir des fonctions *précises* d'une manière très *spécifique*. Certains thérapeutes qui travaillent sur la motivation et certains auteurs sur le sujet ont laissé entendre que le cerveau était en quelque sorte un organe magique et mystique qui pouvait faire n'importe quoi.

Je suis d'accord pour dire que le cerveau est un organe miraculeux qui effectue son travail d'une manière merveilleuse; il représente sans contredit la plus incroyable merveille scientifique. Ce qui ne l'empêche pas d'obéir à certaines règles. Il permet certes à nos systèmes vitaux de fonctionner, mais en outre le cerveau recueille sans arrêt des renseignements et y réagit d'une manière prévisible.

Voilà la clé de l'autogestion. Il est très rassurant de se rendre compte que si l'on éduque son cerveau, si on lui transmet des directives adéquates et si on le maintient en santé, il jouera son rôle de manière appropriée.

2. Les données transmises au subconscient déclenchent une réaction tant physiologique que psychologique.

La personne humaine se compose de deux parties: le «corps» et l'«esprit». Elle comprend des parties physiques (chimiques) et des parties mentales (psychologiques). Toute information transmise au cerveau nous influence d'une manière *à la fois* physique et mentale. Chacune de nos pensées se répercute sur notre être *tout entier*, que nous en soyons conscients ou non (la plupart du temps, nous ne le sommes pas).

Tandis que notre cerveau réagit à l'information ou à la pensée, d'une manière *physique*, notre mental traite également cette pensée conformément à un programme nouveau ou déjà existant.

Par exemple, si un jeune garçon est frappé par une balle molle au moment où il touche le marbre, son *cerveau* fonctionne automatiquement et très rapidement pour le protéger en l'incitant à s'écarter du chemin. Il l'empêche ainsi de se blesser et envoie un supplément d'oxygène au point de contact avec la balle.

Au moment même où le cerveau du garçon reconnaît inconsciemment qu'il a été frappé, il cherche dans sa banque de programmes mnémoniques chaque donnée précédemment emmagasinée, concernant le fait d'être frappé par un objet rond et assez dur se déplaçant à une vitesse élevée.

L'enfant, en supposant qu'il n'est pas blessé et selon les programmes que son subconscient aura récupérés, sautera sur ses pieds en signe de triomphe, engueulera l'auteur du méfait ou grimacera de douleur en versant quelques larmes. C'est son subconscient qui lui dicte cette conduite.

En fait, à partir de la fraction de seconde où la balle le frappe, le petit garçon réagit *pysiquement* et *psychologiquement*, chaque partie de son cerveau et de son subconscient travaillant de concert pour atteindre le résultat prévu.

Imaginons maintenant qu'il est très tôt le matin du jour où vous partez en vacances et que votre réveil vient de sonner.

À partir du moment où votre cerveau perçoit la sonnerie du réveil, votre subconscient passe rapidement en revue tous ses programmes touchant divers sujets tels que *ces* vacances-*ci*, vos vacances *passées*, le réveil, les tâches à exécuter, le temps qu'il fait, votre état physique, votre sentiment face à l'obligation de vous lever à cette heure inhabituelle.

Chaque notion préprogrammée dans votre subconscient à l'égard de chacun de ces éléments vous influencera, même dans ces premiers brefs moments. Vous en ressentirez les effets tant physiologiques que psychologiques. Les événements du moment, de même que la constitution chimique de votre cerveau et vos programmes précédents détermineront si vous sauterez du lit avec enthousiasme ou rabattrez vos couvertures sur votre tête.

Votre corps recevra de votre cerveau des instructions précises qui déclencheront la libération d'une dose précise d'agents chimiques dotés chacun d'une fonction spécifique. À l'intérieur du cerveau, des dizaines de milliers d'impulsions électriques transmettront l'information entre les différents centres de contrôle, faisant bouger des millions de cellules à la vitesse de la lumière.

Si tout va bien, que vos programmes précédents le permettent et que votre cerveau fonctionne particulièrement bien ce jour-là, vous finirez par vous lever pour affronter la journée.

L'organe *physique* du cerveau n'a pas accompli cela tout seul. Pas plus que les programmes de votre *subconscient* ne vous ont, à eux seuls, incité à vous lever.

Chaque information, chaque pensée influe à la fois sur les facettes du cerveau et sur celles de l'esprit. L'action *combinée* de ces facettes vous incite à agir pour atteindre le résultat voulu.

3. Toute donnée transmise au subconscient est toujours reliée aux données emmagasinées précédemment et subit leur influence.

Votre subconscient *compare*, *analyse* et *situe* chacune de vos pensées par rapport aux programmes déjà enregistrés dans votre cerveau, dès le moment où il reçoit une information. Lorsque la sonnerie du téléphone retentit à minuit, la pensée «Qui cela peut-il être?» s'accompagne immédiatement d'une recherche intensive dans la banque des programmes du subconscient. Même le ton de votre voix au moment où vous répondez au téléphone peut trahir de la peur, de l'espoir, de l'exaltation ou de l'appréhension, selon la manière dont vous avez déjà été programmé pour réagir face à un appel reçu à cette heure de la nuit.

Lorsque vous faites la connaissance de quelqu'un, au moment même où vous dites «Heureux de vous connaître», vous êtes inconsciemment en train de recueillir, de trier et de comparer des milliers de notes mentales directement ou indirectement reliées à cette personne. Chacune de ces notes est fondée sur des croyances, des attitudes et des sentiments enregistrés *précédemment* dans votre subconscient.

Certes, il en résulte que votre opinion sur cette personne, dès la première rencontre, s'inspire davantage de vos programmes *précédents* que de données réelles, bien qu'encore inconnues, la concernant.

Cela ne signifie pas que vous ne devez pas vous fier à vos premières impressions, mais que celles-ci sont, en grande partie, des *impressions anciennes* appliquées à une situation nouvelle. Dans votre subconscient, aucune pensée ou donnée n'est indépendante des autres.

Tout nouveau programme est toujours comparé avec chaque programme déjà enregistré et modifié en conséquence.

4. Le subconscient est un mécanisme neutre qui réagit à l'information sans tenir compte ni de sa précision ni de sa valeur.

En soi, le subconscient est *indifférent* à ce que vous lui dites. Il ne cherche pas à faire la part de ce qui est bien ou mal. Si vous le programmez d'une manière adéquate, il vous signalera les choses que vous lui avez *indiquées* comme étant bonnes ou mauvaises. Cependant, de lui-même, votre subconscient ne porte jamais de jugements de valeur. Il se contente de réagir aux renseignements que vous lui donnez.

Le subconscient ne différencie pas les données *factuelles* des données *imaginaires*. Voilà pourquoi vous pouvez penser que vous êtes malade même si vous ne l'êtes pas, ou encore vous *convaincre* de l'être. Voilà aussi pourquoi vous pouvez vous croire infortuné, borné, incompétent, condamné à l'obésité, à la pauvreté ou à la médiocrité, alors qu'aucun de ces programmes n'est vrai, jusqu'à ce que vous commenciez à y croire.

Cela explique aussi pourquoi vous pouvez *échanger* vos programmes «négatifs» contre des programmes «positifs». Comme votre subconscient accepte l'information qui lui est présentée *telle quelle*, vous pouvez lui offrir de nouveaux programmes qui remplaceront ses vieux programmes destructeurs.

5. Le subconscient ne nourrit ni croyances ni préjugés autres que ceux qu'il a reçus à la suite de sa programmation.

À votre naissance, vous n'entreteniez ni préjugé ni croyance. Mais comme vous en avez fait du chemin depuis ce moment-là! Vous êtes né avec un esprit net et clair, prêt à acquérir toutes sortes de connaissances sur votre merveilleux univers. Mais voilà qu'à l'âge de trois ou quatre ans, vous avez déjà adopté des croyances déterminantes pour votre avenir. À six ans, vous aviez ancré dans votre esprit tellement d'idées sur vous-même que de nombreux psychologues diraient que vos directives intérieures étaient bien enracinées en vous.

Devenus adultes, nous avons emmagasiné un bagage de préjugés, de concepts et de croyances, faux pour la plupart, qui ne nous appartenaient pas au départ et qui dictent en partie nos comportements actuels.

6. En présence de deux programmes contradictoires ou plus, le subconscient tentera d'exécuter le programme le plus puissant.

Voilà la caractéristique de votre subconscient qui agit en votre faveur lorsque vous voulez remplacer un programme destructeur par un programme positif. Votre subconscient accepte vos vieux programmes, qu'ils soient vrais ou faux, sains ou malsains, bons ou mauvais pour vous et il les exécute parce qu'ils sont dominants.

Or, si vous donnez à votre subconscient un programme *plus puissant*, il l'exécutera à la place de l'ancien.

Votre subconscient ne choisit pas. Il se contente d'exécuter le programme *le plus puissant*, soit le plus intensif, le plus chargé d'émotions et le plus clair.

Peu importe la puissance ou l'importance du programme précédent

La plupart d'entre nous seraient étonnés d'apprendre qu'un grand nombre de leurs décisions sont régies au moment où ils les prennent par les programmes les plus puissants. Ceux-ci l'emportent sur les plus faibles et influencent fortement nos opinions et nos comportements.

Qu'il s'agisse de prendre une décision banale comme celle de choisir vos céréales du petit déjeuner ou importante comme celle de quitter votre emploi ou non, votre décision finale dépendra des influences internes qui sont les plus fortes en vous.

Ces influences sont régies par les sentiments, les attitudes et les croyances associés à des milliers de programmes enregistrés dans votre subconscient.

Le programme le plus puissant l'emporte. Voilà la règle dans sa forme la plus simple. Donc, si vous voulez tirer le meilleur parti d'une chose qui a tiré le meilleur parti de vous — intérieurement — vous pouvez remplacer le programme indésirable par un programme plus puissant.

Si votre ancien programme est faible, votre nouveau programme n'aura pas besoin d'être très puissant. Si vous faites face à d'insurmontables conditionnements passés, alors vos nouveaux programmes devront être assez forts pour *les* supplanter. Le subconscient suivra indifféremment la voie la plus claire. À vous de la créer grâce à l'autosuggestion constructive.

7. La puissance d'un programme dépend du nombre de fois où le subconscient reçoit des données identiques ou similaires.

Votre subconscient tentera de réaliser n'importe laquelle de vos pensées pourvu que vous la répétiez avec force et constance. Plus vous répétez la même information, plus il est probable que votre subconscient l'acceptera.

Voilà pourquoi nous faisons appel à la *répétition* lorsque nous voulons créer un nouveau programme d'autosuggestion permanent. Les experts en publicité utilisent ce principe depuis des années. En effet, certaines réclames publicitaires restent à jamais gravées dans notre esprit. Demandez, par exemple, à n'importe quel Québécois de terminer la phrase: «On est six millions...» et sans même réfléchir, il ajoutera «Faut s'parler», même si ce message n'est plus diffusé depuis plusieurs années.

N'importe quel enfant de trois ou quatre ans vous fera spontanément remarquer que «vous méritez un congé aujourd'hui»... et il saura vous indiquer où le passer. Que nous le *pensions* ou non, nous croyons qu'une marque de papier-mouchoir est meilleure que les autres. Et notre subconscient est le véritable champ de bataille où la guerre des tests de goût est engagée.

Que vos programmes externes proviennent de la publicité, de vos amis, de votre famille ou de vos collègues de travail, s'ils ne vous conviennent pas, vous pouvez les refuser et les remplacer par de meilleurs programmes de votre cru. Avec un peu de pratique, et les autosuggestions adéquates, vous pouvez faire des choix et les appliquer grâce à des programmes constructifs.

Vous possédez beaucoup plus d'influence sur votre pensée que vous ne le croyez. Vous pouvez utiliser l'autosuggestion itérative dans n'importe quel secteur de votre vie et, dès que vous comprendrez le fonctionnement du subconscient, le choix n'appartiendra cette fois qu'à *vous*.

8. La puissance d'un programme dépend de l'importance de la source du programme telle que le subconscient la perçoit.

Nous disons souvent: «Mon père me disait toujours...», «Ma mère me répétait souvent...» Nous étayons nos préjugés d'expressions comme «D'après Untel...», ou «J'ai lu dans...»

En matière d'autogestion, la source du programme est très importante. La force avec laquelle vous acceptez une information influe sur le contenu émotif de la programmation. Résultat: meilleure est la *source*, meilleur est le programme.

Cela est vrai pour n'importe quel programme et n'importe quelle information, quelle qu'en soit la source. Cependant, cela est particulièrement vrai dans le cas de la programmation de votre subconscient puisque *vous êtes vous-même* la source de vos autosuggestions.

Plus vous accorderez d'importance à vos autosuggestions, plus votre programme sera efficace.

Chacun d'entre nous, particulièrement lorsqu'il est jeune et impressionnable, reçoit de temps à autre des programmes d'un tiers, qui demeurent gravés dans son subconscient et parfois pour la vie.

L'histoire de ce jeune garçon que ses parents présentèrent au chef de leur église illustre bien ce fait. Peu après qu'ils eurent fait connaissance, le chef dit au garçon: «Jeune homme, vous possédez en vous l'esprit nécessaire pour devenir un grand chef ecclésiastique. Si vous continuez ainsi, vous le deviendrez.»

Cette prédiction finit par se réaliser. Le jeune homme devint le chef de l'une des plus grandes églises des États-Unis. Il avait peut-être été guidé par l'«esprit» dont le chef avait parlé, mais un autre élément l'avait influencé: un programme conscient et inconscient présenté à son subconscient par une personne pour laquelle il éprouvait beaucoup d'admiration et de respect.

Dans ce cas-ci, la *source* du programme — le chef ecclésiastique — accrût l'importance du programme et, en conséquence, sa *puissance*. Si l'enfant avait entendu la même remarque de la bouche d'une personne qu'il n'aimait pas ou en qui il n'avait pas confiance, le résultat aurait pu être différent.

Les programmes fortuits, passifs et accessoires jouent un rôle dans le conditionnement de votre subconscient. Toutefois, les programmes précis, conscients et directs émanant d'une source en laquelle vous croyez restent les plus puissants que vous recevrez jamais.

9. La puissance d'un programme dépend de l'intensité de l'émotion qui y est associée.

Vos émotions accentuent la puissance d'un programme en *intensifiant l'activité électrochimique du cerveau!*

Les événements qui suscitent des émotions en vous attirent votre attention, particulièrement si vous n'avez pas abusé de celles-ci. Ainsi, vous vous rappellerez le film qui vous a fait pleurer, surtout si vous n'avez pas l'habitude de pleurer chaque fois que vous regardez un film. Vous revoyez, comme si c'était hier, les occasions où la peur vous a paralysé, où vous avez ri aux larmes, où la nervosité vous a fait craindre de ne pouvoir parler sans bégayer.

Lorsque vous faites une chose ordinaire d'une manière *extraordinaire*, elle demeure gravée plus longtemps dans votre mémoire. Elle devient inhabituelle, et votre subconscient la remarque plus particulièrement parce qu'elle fait davantage appel à vos sens.

Par exemple, imaginez que vous êtes chez vous et que vous vous efforcez d'être plus énergique et plus enthousiaste grâce à l'autosuggestion. Comme vous l'apprendrez, le recours à une autosuggestion appropriée dans presque chaque circonstance, même lorsque vous êtes tranquillement assis à la maison, crée un programme subconscient qui stimule votre cerveau.

Toutefois, imaginez que vous courez sur la plage, vêtu(e) d'un maillot jaune vif, puis que vous plongez tête première dans l'eau, après avoir crié des énoncés de votre programme d'autosuggestion!

Votre programme d'autosuggestion restera probablement gravé dans votre subconscient toute votre vie. (Et dans celui de quiconque vous observait à ce moment-là!)

Certes, je ne vous dis pas que vous devriez aller jusque-là pour créer des conditions uniques de programmation, mais il est facile de voir qu'en intensifiant le processus, on insuffle de la *vitalité* et de l'*émotion* dans le programme lui-même. Voilà aussi pourquoi certaines des techniques d'autosuggestion les plus efficaces sont aussi les plus intéressantes.

10. Le subconscient essaie toujours d'exécuter le programme dominant.

Comme dans le cas des caractéristiques de la règle 6, touchant les programmes contradictoires, ce principe pousse l'activité prévisible du subconscient un pas plus loin. Quoi que vous fassiez, pour quelque raison que ce soit, vous suivez les programmes *les plus puissants* de votre subconscient.

Chacun de vos comportements est influencé par les programmes les plus *puissants* de la banque de votre cerveau.

Vos programmes sont-ils constructifs?

Ce que vous faites aujourd'hui, demain et chaque jour de votre vie dépend, du moins en partie, de ces programmes. Vous pouvez nier ce fait, ne pas y croire ou le combattre, la réalité psychologique de ce que vous êtes n'en demeure pas moins la même.

Les règles qui régissent le cerveau et le subconscient existent pour votre profit. Elles travaillent pour vous et vous aident à survivre et même à faire *mieux* que cela. Grâce à elles, vous pouvez, à l'instar de tant d'autres personnes, réaliser une partie de vos possibilités.

Guidé de cette manière, votre cerveau vous aidera à vous créer une vie plus riche et plus heureuse, celle à laquelle aspirent la plupart des gens. Si le fait d'atteindre le but de toute une vie compte à vos yeux, alors la première étape consiste à apprendre à se servir d'un outil qui peut vous y aider.

Chapitre sept

CE QUE NOUS AIMERIONS CHANGER

La plupart d'entre nous aimeraient changer quelques aspects d'eux-mêmes. Et beaucoup savent par expérience qu'il est parfois plus difficile de changer qu'on ne le croit. Peu d'entre nous connaissent les éléments essentiels à tout changement *permanent*.

On ne peut modifier sa personnalité en criant lapin pour la simple raison que le cerveau n'est pas *conçu* pour effectuer des changements brusques et permanents.

En effet, avec ses milliards de neurones et ses milliers de voies, de circuits et de cellules mnémoniques, le cerveau ne peut, en un seul jour, démanteler son immense réseau de vieux programmes pour le remplacer par une vaste gamme de programmes différents. Il ne peut, en un tournemain, vous donner une meilleure silhouette, une attitude différente au travail, une grande confiance en vous ou une meilleure relation avec votre famille.

Le cerveau est conçu de manière à suivre des modèles et non à passer frivolement d'un comportement à l'autre. Lorsque nous essayons de modifier nos comportements d'une manière soudaine, nous demandons à notre cerveau d'exécuter une fonction pour laquelle il n'est pas programmé. En fait, si nous n'acquérions pas de modèles de comportement rigides, notre espèce serait vouée à la disparition, et le cerveau ne remplirait pas sa fonction principale.

Notre cerveau résiste donc au changement dans la plupart des cas, car ses anciens programmes pèsent trop lourd pour être écartés d'un seul coup. Voilà pourquoi les changements *réels* touchant notre personnalité, nos attitudes et nos comportements ne sont ni fréquents ni rapides.

Cependant, ce n'est pas parce que la plupart d'entre nous n'ont pas utilisé la bonne méthode pour changer que toute amélioration est impossible. Nous savons tous qu'il est possible de changer de façon permanente. Or, comme ceux qui le font, consciemment ou non, respectent *l'activité normale du cerveau*, nous pouvons apprendre à travailler *en collaboration* avec celle-ci.

Il est naturel pour notre espèce d'essayer de s'améliorer. Au moins, on peut dire que nous *essayons*. Mais dans l'ensemble, nos antécédents dans ce domaine ne sont pas fameux. Une étude de notre histoire a révélé que nous pensons, agissons, réussissons ou échouons aujourd'hui à peu près de la même manière que nos ancêtres tailleurs de pierre qui gravèrent sur celle-ci leurs premiers messages à notre intention.

Depuis que l'être humain existe, il rêve, travaille, planifie, s'élève, tombe, aime, se bat, s'interroge et survit, mais il n'a pas beaucoup changé. Il se lève encore le matin pour affronter la journée à peu près de la même manière que ses premiers ancêtres. Il n'a pas les mêmes problèmes qu'eux, certes, mais à peu de choses près le scénario est toujours le même.

Bien que l'on puisse prouver que notre stature physique a changé, je doute qu'on puisse en dire autant de notre esprit. Nous sommes, à beaucoup d'égards, aussi belliqueux, combatifs et hésitants que les premiers hommes. Nous ne vivons pas très loin des feux de camp du passé.

Il suffit de lire les quotidiens pour se rendre compte que nous n'avons pas beaucoup évolué. Si nous avons réalisé des progrès dans le domaine de la science et du bien-être matériel, on ne peut pas en dire autant de notre bien-être mental et psychique.

Quelques-uns des écrits les plus respectés concernant le comportement humain proviennent de personnes qui ont vécu il y a deux ou trois mille ans. Certains de ces ouvrages pourraient bien sûr être améliorés.

Outre les œuvres religieuses, les écrits d'auteurs et de philosophes anciens comme Socrate, Aristote, Confucius, Mencius et Sénèque sont encore des outils aptes à mieux nous faire comprendre la nature humaine.

L'aube de l'autogestion

L'étude du comportement humain, à travers l'histoire, nous prouve que l'homme change peu. En effet, rien ne prouve, du moins en ce qui concerne l'homme moderne, que nous ayons évolué; alors, comment pourrions-nous y parvenir maintenant?

Si nous examinons de près notre passé et notre présent, nous voyons qu'un événement actuel inédit pourrait modifier considérablement notre vie: *l'homme a créé la technologie qui lui permettra de comprendre le fonctionnement de son cerveau.*

Cette nouvelle technologie nous éclaire sur *le processus mental* qui a permis de créer cette technologie! Le cerveau humain est en effet le seul mécanisme connu capable de comprendre son propre fonctionnement. Nous en avons mis du temps pour en arriver là, mais ça y est.

Plus nous pénétrons le fonctionnement du cerveau, plus nous connaissons les règles auxquelles il obéit et la manière de les utiliser pour changer d'une façon pratique et *permanente.*

Dans mon livre *What To Say When You Talk To YourSelf,* j'ai décrit en détail la «séquence de l'autogestion», qui explique comment notre programmation détermine nos succès ou nos échecs. La séquence s'établit comme suit: 1. Nous sommes *programmés.* 2. Notre «programmation» est à l'origine de nos *croyances.* 3. Nos «croyances» déterminent nos *attitudes.* 4. Nos «attitudes» créent nos *sentiments.* 5. Nos «sentiments» déterminent nos *comportements.* Au bout du compte, nos succès ou nos échecs dépendent de nos «comportements».

Nos comportements dépendent de notre programmation; si nous voulons changer la suite des événements, nous devons d'abord modifier notre programmation.

Nous savons désormais comment fonctionne notre processus de programmation *naturel.* Il s'agit non pas de *décider* simplement de changer, mais plutôt de *créer, au moyen de nos autosuggestions, une suite d'événements susceptibles d'entraîner les changements désirés.*

Ces changements se produisent parce que notre cerveau suit naturellement les mêmes voies mentales lorsqu'il adopte des idées et s'adapte au changement *même si nous ne sommes même pas conscient que nous sommes en train de changer.*

Les trois étapes de l'autogestion

Les trois étapes de l'autogestion suivent l'évolution naturelle de tout *changement.* À moins de les aborder d'une manière consciente, vous traverserez ces étapes sans prendre le temps de décider de votre sort. Par conséquent, vous finirez par pratiquer alors une vieille forme d'auto-gestion tout à fait *aléatoire.*

Nous passons automatiquement par les étapes du changement puisqu'elles sont nécessaires pour progresser dans la vie. La première étape marque l'origine de chaque pensée ou autosuggestion. La deuxième vous permet de remettre en question ce que vous faites, d'évaluer vos progrès et de vérifier votre orientation. L'arrivée à destination marque l'accomplissement de la troisième étape.

Si vous commencez par vous donner les bonnes instructions et que vous vérifiez soigneusement votre trajectoire en cours de route, vous augmentez grandement vos chances de parvenir à votre but.

Il n'est jamais trop tard

Si vous vous attendez toujours à changer de but en blanc sans reconnaître que le cerveau ne fonctionne pas de cette façon, vous serez frustré et en colère sans savoir pourquoi.

En tant qu'individu, c'est notre propre programmation qui est responsable de notre façon d'être et qui influence notre vie quotidienne. C'est notre conditionnement qui détermine la véritable *nature* de notre société.

La majorité de notre programmation actuelle ne vaut rien. Les trois quarts de nos autosuggestions jouent contre nous et, à moins que nous mettions la main à la pâte, la situation ne s'améliorera pas.

En voici les résultats: les behavioristes rapportent que soixante pour cent des travailleurs américains voudraient changer d'emploi; les deux tiers des mariages aboutissent au divorce; la moitié des étudiants de niveau collégial ont déjà pris de la drogue; l'alcoolisme n'a jamais été aussi répandu; et trente pour cent ou plus d'adultes souffrent d'une forme quelconque de dépression fréquente ou chronique.

Et la liste pourrait s'allonger... Elle serait beaucoup plus courte si nous apprenions à prendre notre vie en main afin de nous réaliser pleinement au lieu de laisser notre programmation douteuse *nous* mener vers des objectifs beaucoup moins élevés. Les programmes destructeurs gravés dans notre subconscient jouent un rôle constant dans nos réussites et nos échecs.

Notre programmation nous trahit. Grâce à elle, nous sommes devenus très habiles à tout gâcher. Il est temps que nous apprenions à bien faire les choses.

Chapitre huit

PREMIÈRE ÉTAPE: L'AUTOSUGGESTION

La première étape de l'autogestion

Lorsqu'on apprend une technique aussi importante que l'autogestion, il peut nous sembler exagérément facile de modifier nos autosuggestions; il est vrai que c'est encore là la meilleure façon de redresser la situation.

Vos débuts, c'est-à-dire vos autosuggestions de départ, influeront sur vos méthodes subséquentes d'autogestion. Elles détermineront votre orientation, vous révéleront votre destination et vous encourageront chemin faisant.

Puisque l'autosuggestion est l'étape la plus importante de l'autogestion, il est bon d'en connaître précisément la nature. Voici quelques-unes des questions les plus fréquentes concernant l'autosuggestion et leurs réponses.

Qu'est-ce que l'autosuggestion?

L'autosuggestion est une façon de reprogrammer consciemment son subconscient grâce à l'utilisation de *directives* intérieures formulées d'une manière spécifique.

D'où viennent nos autosuggestions naturelles?

Aucune de nos autosuggestions n'est vraiment *naturelle*; la plupart nous viennent de l'extérieur. Malheureusement, comme nous entendons souvent les mots «non», «incapable» et d'autres formes de programmes négatifs chez les autres, nous reproduisons ces mêmes programmes dans nos autosuggestions dont soixante-quinze pour cent sont négatives ou stériles, et presque entièrement inconscientes. En conséquence, les trois quarts de notre programmation soi-disant *naturelle* sont *inconscients*; ils proviennent de l'*extérieur* de nous et jouent *contre* nous.

En fait, il existe deux sortes d'autosuggestions. La première est celle que nous créons par habitude, tandis que la seconde est l'autosuggestion «inconsciente» qui nous passe par l'esprit et résulte de la première sorte. Cette seconde forme d'autosuggestion est une réflexion, une répétition inconsciente, des autosuggestions que nous avons appris à nous répéter inconsciemment ou tout haut.

La nouvelle forme d'autosuggestion règle-t-elle tous les problèmes?

Non. S'il existait un remède miracle à tous nos problèmes, on le connaîtrait déjà. Toutefois, l'autosuggestion est une méthode psychologiquement sensée et apte à modifier les programmes inconscients qui déterminent notre comportement et, par conséquent, nos changements, nos échecs et nos succès. *L'autosuggestion est un moyen de parvenir à ses fins et non une fin en soi.*

Quelle est la différence entre la nouvelle forme d'autosuggestion et la forme avec laquelle nous avons été élevé(e) et que nous utilisons inconsciemment?

Tout d'abord, la nouvelle forme d'autosuggestion s'emploie d'une manière consciente, ce qui nous redonne la maîtrise de la plus grande partie de notre programmation. Avec le temps, la nouvelle forme d'autosuggestion devient aussi inconsciente ou naturelle que l'ancienne.

Est-ce que chacun utilise une forme ou l'autre d'autosuggestion?

Nous nous parlons tous intérieurement sans arrêt, du moins à l'état de veille. En effet, nous poursuivons tous un monologue intérieur en grande partie inconscient.

Nos autosuggestions sont-elles toujours formulées d'une manière spécifique?

Certaines autosuggestions forment des phrases, mais ce n'est pas le cas de la plupart d'entre elles qui nous viennent sous forme de pensées incomplètes, de sentiments, d'intuitions et de bribes de phrases simples qui reflètent des pensées antérieures.

N'importe qui peut-il apprendre l'autosuggestion?

Quiconque communique avec des mots peut apprendre l'autosuggestion. Même les très jeunes enfants modèlent une grande partie de leurs premiers programmes sur les propos des adultes. Le recours à l'autosuggestion est universel; en effet, comme nous utilisons tous une forme inconsciente d'autosuggestion dès la plus tendre enfance, nous pouvons tous apprendre à *modifier* nos autosuggestions afin de nous créer des programmes mentaux plus sains.

L'utilisation de l'autosuggestion ne dépend en rien des antécédents d'une personne, de son éducation, de son sexe, de ses expériences passées ou des circonstances du moment. Le cerveau accepte les autosuggestions parce qu'elles sont *toutes* compatibles avec son processus normal de programmation.

Doit-on mémoriser des autosuggestions ou les apprendre mot à mot?

C'est surtout lorsqu'on est *présent* que l'autosuggestion devient une habitude, c'est-à-dire lorsqu'on est conscient de son monologue intérieur quel qu'en soit l'objet. Toutefois, il est utile de répéter certaines autosuggestions assez souvent pour qu'elles deviennent des modèles automatiques pour les autres autosuggestions.

Recommandez-vous l'autosuggestion pour n'importe quel problème quelle que soit son importance ou sa gravité?

L'autosuggestion positive peut aider à résoudre la plupart des problèmes ou agir directement sur notre efficacité à y *faire face*.

Toutefois, il est important de comprendre que l'autosuggestion ne sert pas uniquement à résoudre des problèmes; elle est aussi très utile pour atteindre ses objectifs, modifier ses attitudes ou opérer tout autre changement. Lorsqu'on utilise l'autosuggestion de la manière la plus efficace, soit à titre *préventif*, on a moins besoin d'y recourir pour régler ses problèmes.

L'autosuggestion est-elle l'équivalent de la pensée positive?

Non. L'autosuggestion n'est en grande partie ni positive, ni négative: elle est tout bonnement *autodirigée*. Ainsi, votre nouvelle forme d'autosuggestion peut-elle vous inciter à soigner davantage l'organisation d'un élément précis, la paperasse qui jonche votre bureau par exemple.

Bien que l'accomplissement de cette tâche puisse comporter des éléments «positifs», l'autosuggestion comme telle n'est jamais ni positive ni négative, mais elle constitue plutôt un ordre précis que vous donnez à votre subconscient.

On ne doit pas confondre l'autosuggestion avec le simple maintien d'une «attitude positive». Il s'agit, en fait, de l'application d'instructions précises formulées de manière à permettre à une personne d'atteindre un résultat prédéterminé grâce aux réactions naturelles du cerveau.

Tandis que la notion de pensée positive repose surtout sur des *attitudes*, l'autosuggestion touche la programmation inconsciente qui influe sur un ensemble beaucoup *plus vaste* de modificateurs de comportement, incluant les *croyances*, les *attitudes*, les *sentiments* et les *actes*.

L'autosuggestion a-t-elle quelque chose à voir avec le soi-disant lavage du cerveau?

Non, ces deux techniques n'ont rien en commun, ni dans la méthode, ni dans le but. Les techniques de lavage de cerveau ne sont rien de plus qu'une forme manipulatrice de *programmation du stress*. Elles sont associées à l'emploi de privations et de récompenses extrêmes visant à créer un déséquilibre psychologique, un besoin d'équilibre et une volonté de collaborer avec les responsables de ce déséquilibre.

L'autosuggestion fait précisément le contraire puisqu'elle apporte équilibre et maîtrise de *soi*. C'est une méthode saine, bénéfique, auto-dirigée; un moyen, en fait, de *neutraliser* ses conditionnements et toutes sortes de contrôles externes.

La technique de l'autosuggestion est-elle récente?

Une sorte d'«affirmation» spirituelle a précédé la forme actuelle d'autosuggestion dont le concept en soi est très ancien. Toutefois, l'utilisation d'une nouvelle forme d'autosuggestions précises, répétées d'une façon prescrite dans le cadre d'un *programme* de croissance personnelle, constitue une découverte récente qui résulte de deux décennies de recherche médicale, neurologique et comportementale.

La nouvelle forme d'autosuggestion est-elle désormais utilisée presque partout?

La technique de l'autosuggestion a été suffisamment étudiée et éprouvée dans les secteurs de l'éducation, des sports, de la santé, etc. pour que nous comprenions comment l'appliquer au jour le jour.

Depuis plusieurs années, l'autosuggestion se pratique dans les cliniques médicales, centres de thérapie, de désintoxication et de traitement de l'obésité, centres sportifs, et chez un grand nombre de gens qui en font des applications multiples.

Est-il difficile de devenir un adepte de l'autosuggestion?

Non, heureusement. Le recours à l'autosuggestion suit un processus qui correspond à la fonction naturelle de programmation du cerveau. Lorsque nous employons l'autosuggestion, nous suivons le même processus de programmation utilisé depuis l'enfance. Nous nous sommes toujours donné des instructions intérieures, mais lorsque nous utilisons consciemment les nouvelles formes d'autosuggestion, nous améliorons la *qualité*, et par conséquent, le *résultat* de ces instructions.

L'autosuggestion exige un certain degré de concentration, surtout au début, mais elle est à la portée de tout le monde ou presque. N'importe quel enfant en âge de parler, même s'il en est à ses premières phrases, peut apprendre à l'utiliser.

La répétition occasionnelle d'autosuggestions peut-elle entraîner des changements permanents?

Certainement pas. Même si le recours à l'autosuggestion positive est toujours bénéfique, cette technique n'est pas un remède miracle, du moins lorsqu'on veut obtenir des changements à long terme. Il faut plus que quelques tentatives accidentelles d'autosuggestion pour créer l'habitude de l'utiliser. Par ailleurs, soyez certain que si vous continuez de répéter les mêmes instructions négatives qui forment vos *vieilles* autosuggestions, vous *n*'obtiendrez *pas* les changements désirés.

Est-il nécessaire de répéter ces autosuggestions à haute voix?

À l'occasion, la répétition à haute voix peut être très bénéfique. La plupart du temps, toutefois, l'autosuggestion se fait en silence. Au début, on l'apprend en écoutant des cassettes, en lisant, en répétant des phrases tout haut ou tout bas. Après une courte période, on pratique l'autosuggestion surtout en silence et sans même s'en rendre compte.

Existe-t-il un type d'autosuggestion pour chaque situation?

Il existe quatre catégories générales d'autosuggestion:

1. *Les autosuggestions qui visent à* modifier des attitudes.

2. *Celles qui visent à* créer une motivation interne.

3. *Celles qui servent à* régler ses problèmes ou à réaliser ses objectifs.

4. *Celles qui permettent d'*affronter des situations désagréables mais inévitables.

Bien que toutes les nouvelles formes d'autosuggestion soient formulées d'une manière similaire, celles de chaque catégorie adoptent une forme précise.

Faut-il croire à l'autosuggestion pour obtenir des résultats positifs?

Nous avons appelé «autosuggestion» le processus naturel par lequel le cerveau recueille des renseignements et prend les mesures nécessaires. Or, ce processus se poursuit, que vous le compreniez et l'acceptiez ou non. Toutefois, vous pouvez le renforcer en y mettant du vôtre; si vous le comprenez, vous serez mieux à même de l'appuyer sans réserve.

Créer la voie de la moindre résistance

Nous avons naturellement tendance à suivre la voie de la moindre résistance. Cela non seulement est humain, mais c'est un fait neurologique; même l'électricité du cerveau, à l'instar de l'éclair, trouve le chemin le plus direct.

Si vous songez au fait que la *programmation* sert à créer des chemins au travers des circuits informatiques du cerveau, vous comprendrez pourquoi les programmes les plus puissants ont le dessus et pourquoi l'autosuggestion, forme très puissante de programmation, est si efficace en ce qui concerne la création des chemins les plus directs.

En utilisant la bonne forme d'autosuggestion, *vous créez littéralement un nouveau trajet de moindre résistance.* Mais cette fois, puisque vous donnez l'ordre vous-même, le chemin *le plus direct* est également *le meilleur.*

Voilà pourquoi vos propres autosuggestions sont si cruciales en tant que première étape du processus d'autogestion. Les chemins que vous créez sont ceux que vous suivez; les résultats dépendent de vos débuts.

Au-delà des premiers résultats, les avantages annexes ou imprévus

Si la pratique régulière de l'autosuggestion n'a rien fait de plus que de vous mettre en train, de modifier votre façon de penser un certain jour ou à un moment donné, de contribuer à votre bien-être, de vous encourager dans les moments de dépression, de vous aider à croire en vous-même, de modifier votre façon d'affronter les problèmes, de vous inciter à vous fixer de nouveaux objectifs ou à être moins exigeant envers vous-même, voilà une raison plus que suffisante d'en devenir un adepte.

Toutefois, les avantages les plus importants et les plus durables de l'autosuggestion sont ceux qui surviennent en chemin, comme des cadeaux de vous-même qui vous tombent du ciel lorsque vous vous y attendez le moins.

Lorsque nous avons commencé à étudier le recours à l'autosuggestion dans des situations courantes, nous ignorions quels en seraient les résultats finals. Certains athlètes ou d'autres personnes qui œuvrent dans des domaines exigeant une forte concentration et une tête froide en situation de stress extrême ont utilisé avec succès une forme plus ancienne d'autosuggestion.

Pendant les Jeux olympiques, par exemple, on voit souvent les athlètes pratiquer l'«autosuggestion sportive», parfois à haute voix, juste avant la compétition. J'ai souvent vu, à la télévision, les meilleurs athlètes olympiques intégrer l'autosuggestion à leurs exercices d'échauffement. En effet, les caméras les ont maintes fois surpris au moment où ils répétaient *mentalement* leur future performance en faisant bouger chacun de leurs muscles avec une parfaite coordination et en se donnant intérieurement des instructions en vue de battre un record.

Tandis que les athlètes cherchent à établir de nouveaux records grâce à l'autosuggestion, les gens ordinaires commencent aussi à s'y intéresser dans des situations quotidiennes.

Nous avons étudié son efficacité dans le travail, les relations familiales et autres, le développement spirituel, le secours aux personnes qui font face à de graves problèmes comme la dépression ou la toxicomanie, qui essaient de maîtriser une habitude ou de perdre du poids. Nous avons recherché des résultats à court terme, susceptibles, une fois renforcés, de devenir plus permanents.

L'autosuggestion est plus qu'un outil efficace de motivation et de changement, et ses résultats à court terme ont dépassé nos attentes. En outre, cette technique a entraîné des résultats positifs dans diverses circonstances. Son efficacité s'est révélée universelle non seulement en raison du grand nombre de secteurs où elle pouvait être utilisée, mais également de la grande variété de ceux qui pouvaient en tirer parti.

Cependant, ce n'est que plus tard, lorsque des gens ordinaires ont commencé à l'employer, que nous avons pu évaluer ses résultats à *plus long* terme. Nos découvertes ont été non seulement encourageantes, mais aussi exaltantes. L'autosuggestion entraînait des avantages *secondaires,* même après avoir aidé les personnes à surmonter les problèmes ou les situations initiales auxquelles elles faisaient face.

Les résultats qu'elles obtenaient des semaines et des mois après avoir commencé à pratiquer l'autosuggestion étaient directement reliés aux nouvelles directives précises qu'elles avaient commencé à utiliser. Dans bien des cas, une personne employait l'autosuggestion pendant un certain temps, puis arrêtait dès qu'elle était convaincue d'avoir réglé son problème initial. Or, même si elle n'utilisait plus l'autosuggestion, il semblait que son subconscient continuât de l'employer *de lui-même.*

C'était donc une preuve irréfutable que ces gens-là créaient de nouveaux programmes dans leur cerveau et qu'ils se retiraient ensuite, sans même connaître l'étape suivante du processus, pour laisser le cerveau prendre la relève et *suivre à leur insu la même forme d'instructions utilisées pour formuler leurs autosuggestions!*

À vous de faire le premier pas

Une fois amorcé, le processus qui va de l'autosuggestion à l'autogestion se poursuit de lui-même. Si vous partez du bon pied, vous passerez à la deuxième, puis à la troisième étape automatiquement. La première étape est donc la plus importante, mais si vous prenez le temps de bien commencer, le reste viendra tout seul. Vous franchirez de nouvelles étapes au hasard de votre cheminement.

Comme vous le verrez dans les chapitres suivants, une fois que vous vous êtes mis à l'œuvre, le reste vient tout seul, presque malgré vous.

La première étape est destinée à vous aider à prendre une nouvelle orientation puis à vous effacer et à cesser d'intervenir dans votre propre cheminement. C'est à l'étape *suivante,* soit la deuxième étape de l'autogestion, que vous verrez si vous êtes parti *du bon pied.*

Chapitre neuf

COMMENT SAVOIR SI L'ON EST SUR LA BONNE VOIE

La deuxième étape de l'autogestion

Si vous pratiquez l'autosuggestion pendant trois à quatre semaines environ, vous entrerez dans la deuxième étape de l'autogestion, qui est l'une des plus intéressantes du voyage.

En effet, c'est à ce moment que votre subconscient commence à *assimiler* sa nouvelle programmation. Supposons que vous ayez appris à remplacer certaines autosuggestions négatives par des pensées positives visant à rehausser votre confiance en vous.

Voici un exemple : «*Je suis toujours en retard*» ou «*Je ne réussis jamais rien*» ou «*La perspective de passer cette entrevue me donne la chair de poule*».

Plutôt que de continuer à passer vos vieux programmes, vous vous donnez de nouvelles instructions du type : «*Je suis toujours ponctuel(le)*»; «*Je réussis tout ce que je fais. Je maîtrise la situation et je n'ai jamais eu autant de succès*»; ou «*Je suis impatient(e) de passer cette entrevue car je sais que je vais bien m'en tirer*».

C'est seulement après avoir commencé activement à employer une nouvelle forme d'autosuggestion que vous passez à la deuxième étape, celle qui marque le début d'une lutte silencieuse entre vos nouvelles directives et les anciennes. C'est aussi à cette étape que vous commencez à éprouver les premiers avantages à long terme de l'autosuggestion constructive.

Débuts typiques

Un de mes amis décida d'essayer l'autosuggestion afin d'atteindre un objectif simple : celui de faire davantage d'exercice. David se mit donc à écouter des autosuggestions sur cassette deux ou trois fois par jour pendant deux semaines.

Les premiers jours, il ne remarqua aucun changement notable dans ses habitudes ni dans sa façon de penser. Le troisième ou le quatrième jour, toutefois, alors qu'il conversait avec un ami, David se surprit à dire *«J'ai hâte de faire de l'exercice aujourd'hui»* plutôt que «Je commence mes exercices, mais je ne les finis jamais.» Aussi simple fut-il, ce commentaire surprit David.

À la fin de la deuxième semaine, David faisait régulièrement ses exercices et il remarqua un changement dans son attitude: Il se surprit à attendre le moment de faire des exercices avec impatience! Il entendait des paroles positives, se donnait les encouragements voulus et il remarqua que les propos qu'il se tenait, à lui et aux autres, ressemblaient de plus en plus aux autosuggestions qu'il se répétait. Il nota aussi que ses autosuggestions devenaient de plus en plus *naturelles* comme si elles correspondaient vraiment à la *nouvelle* image mentale qu'il se faisait chaque jour de lui-même.

J'ai déjà mentionné que l'autosuggestion est un moyen et non une fin en soi. Si David avait cessé de pratiquer l'autosuggestion au bout de deux semaines, c'est sans doute parce qu'il n'en aurait pas compris le but réel, le *résultat final* beaucoup plus global et digne d'intérêt, lui.

En prenant l'*habitude* de s'autosuggestionner, David a réussi à faire de l'exercice, mais il y a gagné bien davantage.

Un moyen de parvenir à ses fins

En soi, les bienfaits immédiats qui découlent de l'autosuggestion sont fantastiques. En fait, bien des gens commencent à la pratiquer pour cette raison sans rien en attendre de plus ni se rendre compte que les avantages réels sont encore à venir.

Si c'est votre cas, vous apprécierez la motivation qu'elle vous procure au tout début. Profitez du formidable entraîneur qui se trouve en vous et qui vous encourage. Laissez l'autosuggestion vous détendre ou vous faire progresser. Utilisez-la pour vous concentrer, pour envisager vos problèmes et vos possibilités sous un autre angle et pour modifier votre opinion de *vous-même.*

N'oubliez pas toutefois qu'il s'agit là uniquement de la première étape dans l'édification d'une nouvelle équipe intérieure d'autogestion. Ces avantages sont habituellement les premiers à se faire sentir et à vous convaincre que la pratique de l'autodétermination n'est peut-être pas si bête après tout. Mais vous ne faites que commencer et vous n'êtes pas au bout de vos surprises!

Lorsque vos autosuggestions produisent des résultats

Comment savoir que tout va bien? Quels indices vous révèlent que vous êtes sur la bonne voie?

Au cours de la deuxième étape de l'autogestion, il est bon de savoir à quoi s'attendre afin de pouvoir juger de ses progrès. *Si vos autosuggestions sont efficaces,* voici à quoi vous devez vous attendre:

1. Vos vieux programmes insistent pour conserver leur place dans votre esprit.

Un certain temps après avoir commencé à utiliser l'autosuggestion, vous mettrez en doute les nouveaux renseignements que vous vous donnez. Vous remarquerez peut-être que vous vous tenez au beau milieu d'une sorte de *querelle interne* entre vos vieux programmes et les nouveaux.

Vous commencez alors à voir émerger un «nouveau moi» qui n'est pas uniquement un souhait, mais bien une partie réelle de vous-même. Cette partie de vous défie votre vieux moi en lui disant : «Je suis vraiment décidé(e) à changer ma vie. Tu ferais mieux d'écouter ce que j'ai à dire.» Le «vieux moi» — vos vieux programmes — ne veut rien savoir de tout cela. Or, si vos nouvelles autosuggestions sont adéquates et qu'elles s'impriment dans votre subconscient, vos vieux programmes feront tout pour reprendre le dessus. Lorsque cela se produit, réjouissez-vous! Cela signifie que votre technique est efficace.

Il est exaltant de se rendre compte que chacun de nous, chaque jour, a le droit et la possibilité de se créer un nouveau moi et de repousser l'ancien.

Lorsque vous commencez à employer un nouveau type d'autosuggestion, vous vous décrivez d'une manière tout à fait nouvelle. Vous donnez à votre subconscient une nouvelle image d'une partie de vous en lui disant: «Voilà ce que je suis. Je ne suis pas cette autre personne que je *croyais* être tout ce temps-là.»

Supposons que vous ayez commencé à pratiquer l'autosuggestion afin d'apprendre à ne plus temporiser. Donc, vous répétez une autosuggestion qui vous dit, au présent, comme si vous aviez déjà atteint votre but, que vous êtes complètement maître de votre temps. Vous vous tenez des propos du type «*Je fais tout ce que j'ai à faire au moment opportun*»: un bon exemple d'autosuggestion efficace.

Certes, lorsque nous donnons à notre cerveau un nouveau programme, nous ne sommes pas encore devenus ce que nous *avons choisi de devenir.* Nous savons cependant que nous sommes *capables* de changer et que nous avons amorcé le processus de changement.

En agissant ainsi, nous redéfinissons, pour notre subconscient, ce que nous sommes *vraiment,* d'abord à l'intérieur de nous, puis, avec le temps, à l'extérieur. *Or, notre vieux programme n'est pas d'accord* et nous dit : «*Non, tu ne peux pas changer. Tu n'arrêteras pas de temporiser. Alors à quoi bon essayer?*» Notre subconscient a travaillé dur pour nous faire croire à nos limites, les responsables du problème, celles qui nous incitent en premier lieu à remettre nos tâches à plus tard.

Comme, en utilisant l'autosuggestion positive, vous respectez un processus fondamental du cerveau, *vous possédez clairement les possibilités nécessaires pour effectuer un changement.* Donc, si vous continuez d'utiliser un nouveau programme destiné à supplanter l'autre, vous finirez par réussir!

Plus nous nous donnerons la bonne sorte de directives intérieures, plus nous créerons des voies nouvelles et claires dans notre esprit et plus grandes seront nos chances de commencer à suivre ces voies automatiquement. Dans l'exemple précédent, cela signifie que nous commencerons à nous percevoir comme des personnes capables d'accomplir leurs tâches à temps plutôt que le contraire. *Notre opinion de nous-même détermine en grande partie ce que nous sommes.*

Votre vieux programme ne *veut* pas que vous changiez et il fera tout ce qu'il peut pour vous *arrêter.* Il opposera les meilleurs arguments possibles à vos instructions et vous incitera à conserver vos vieilles habitudes confortables.

Lorsque vous commencez à vous autosuggestionner et que vos vieux programmes essaient de vous convaincre de l'*inefficacité* des nouveaux, souriez et encouragez-vous. Voilà un indice certain que votre subconscient écoute et que vos pensées constructives commencent à donner des résultats.

2. Vous remarquez que de nouvelles autosuggestions positives surgissent dans votre esprit dans d'autres circonstances.

Tandis que vos vieux programmes tentent de prendre le dessus, vous commencez à entendre une autre sorte de monologue intérieur dans des situations sans rapport avec le problème ou le but visé par vos autosuggestions conscientes. Par exemple, vous pratiquez l'autosuggestion afin de perdre du poids et il vous vient soudain des pensées similaires qui vous incitent à devenir un meilleur parent, à mieux écouter, à vous affirmer davantage ou à viser un nouvel objectif.

Au cours de la deuxième étape de l'autogestion, la notion de l'autosuggestion commence à se ramifier *à l'intérieur de vous*. Comme vous employez une nouvelle forme de directive intérieure afin de réveiller le centre de contrôle de votre subconscient, celui-ci commence par se redresser. Puis, il se met à appliquer vos nouveaux programmes à d'*autres* secteurs de votre vie. Pourquoi? Parce que vous êtes en train de dégager certains circuits mentaux plus faciles à suivre. Le système directif du cerveau est conçu de manière à donner son plein rendement lorsqu'il se *répète*, c'est-à-dire qu'il refait ce qui a donné les meilleurs résultats — et applique ce qu'il a appris à la tâche *suivante*.

Il en résulte un des bénéfices les plus durables de l'autosuggestion. Lorsque vous remarquez que vous employez une nouvelle forme de directive qui n'a rien à voir avec vos autosuggestions initiales, voilà un signe que vous êtes sur la bonne voie. Avec le temps, ces dernières deviendront beaucoup moins importantes que les avantages secondaires qu'elles vous procurent.

3. Vous remarquez une différence dans la façon dont vous vous adressez aux autres.

Les parents m'affirment souvent que le *premier* changement qu'ils remarquent touche la façon dont ils s'adressent à leurs enfants. Vous verrez que ce principe reste vrai dans le cas de n'importe quel interlocuteur, même d'une personne que vous n'aimiez *pas* particulièrement dans le passé.

Ce changement est en partie attribuable au fait que les nouvelles formes d'autosuggestion nous font prendre conscience de notre programmation et, du même coup, de l'effet de *nos* paroles sur les autres. Mais ce n'est pas la seule raison de ce changement.

Plus nous apprenons à connaître notre subconscient et à comprendre *la raison de nos agissements,* plus nous comprenons pourquoi les autres se comportent comme *ils* le font, pourquoi leur attitude est parfois négative, pourquoi ils ont des problèmes ou commettent des erreurs, manquent parfois de tact ou de gentillesse, ont des habitudes qui leur font du tort ou des personnalités difficiles. *Eux aussi ont été programmés!*

Cette découverte donne un nouveau sens au mot «pardon». Comment pouvons-nous juger les autres quand leur conditionnement et les autosuggestions qu'on a gravées de force dans leur subconscient les ont brouillés avec eux-mêmes?

L'autosuggestion vous permet de mieux comprendre les *autres.* Lorsque cela se produit, ceux-ci remarquent que vous avez changé et sont même prêts à vous accorder le bénéfice du doute.

Certaines personnes m'ont avoué que ce petit changement en soi, mieux comprendre les autres, vaut l'effort qu'elles ont fait pour modifier leur forme d'autosuggestion.

4. Vous devenez de plus en plus conscient de la vieille forme d'autosuggestion utilisée par votre entourage.

L'un des indices les plus sûrs que votre technique d'autosuggestion est efficace survient lorsque vous commencez à remarquer le degré de programmation négatif que reflètent les paroles des autres. Vous êtes peut-être tenté de les corriger. Toutefois, à moins d'avoir affaire à un membre de votre famille qui connaît l'autosuggestion constructive, je vous recommande d'être prudent; ils pourraient en effet ne pas comprendre ce dont vous parlez et n'apprécieraient sans doute pas votre intervention.

En règle générale, chaque fois que vous entendrez quelqu'un utiliser une autosuggestion particulièrement négative, cela renforcera votre propre détermination à continuer d'employer la *bonne* forme d'autosuggestion.

5. Vous constatez les premiers résultats positifs.

Même pendant les premières semaines, la plupart des gens remarquent, dans leur façon de penser et dans leurs comportements, des changements clairement attribuables à leur nouvelle forme d'autosuggestion. Dans certains domaines, ces indices de succès surviennent presque immédiatement, tandis que dans d'autres, ils sont plus lents à apparaître.

Lorsqu'on s'en sert pour apprendre à mieux écouter, à mieux se concentrer ou à être plus réveillé, l'autosuggestion produit des résultats rapides, parfois même pendant le premier ou le deuxième jour. Par contre, rehausser sa confiance en soi ou vaincre sa timidité peut prendre plus de temps.

Au cours de la deuxième étape, vous remarquerez suffisamment de changements en vous pour vouloir continuer le processus. Plus vous persisterez, plus vous reprogrammerez votre centre de contrôle de manière à ce qu'il réagisse à vos autosuggestions et *en redemande*. Voilà pourquoi on dit que le succès entraîne le succès.

6. De temps en temps, vous êtes tenté de revenir à une vieille façon de penser qui n'exige pas autant de vous.

Malgré les résultats positifs que nous obtenons, force nous est de reconnaître à l'occasion que nous avions visé trop haut. Après tout, moins nous attendons de nous, moins nous avons de chance d'échouer. Cela n'est pas *vrai,* mais c'est *certainement* logique. *Qui voudrait viser la perfection de toute façon?* Cette idée n'est pas réaliste puisque l'autosuggestion positive ne vise *jamais* la perfection, mais elle *semble* logique.

Parfois, vos vieux conditionnements, les tentatives d'autrui pour vous décourager, les circonstances qui vous entourent ou la taille de la montagne à franchir, tout cela peut vous dissuader de poursuivre vos efforts.

Dans ce cas, lorsque vous vous trouvez au bord du gouffre et que vous êtes indécis quant à la direction à prendre, prenez courage! Si vous ne progressiez pas, vos nouvelles directives intérieures ne s'efforceraient pas de prendre le dessus!

Vous êtes peut-être conscient des changements superficiels qui se produisent au cours de la deuxième étape, mais ils sont encore plus importants au niveau de votre subconscient. En effet, ce dernier est occupé à *s'adapter* aux nouveaux programmes. Quand vous montrerez à votre subconscient que vous ne blaguez pas, il commencera à les exécuter.

Les dessous de l'affaire

Tout d'abord, votre cerveau commence à trier ses vieux fichiers pour déterminer ce qu'il doit faire de toute cette nouvelle information. Ensuite, il recherche un plus grand nombre de données susceptibles d'*appuyer* vos autosuggestions constructives et il évalue comment influencer vos comportements subséquents ou les modifier. En même temps, il déclenche des réactions physiologiques suite aux nouvelles instructions que vous lui donnez, réglant vos contrôles électrochimiques en conséquence et surveillant les résultats.

Rappelez-vous que notre cerveau a pour fonction de nous aider à donner notre plein rendement. Si ce n'était pas le cas, nous ne posséderions pas une inclination innée à «faire mieux» au départ. Nos efforts constants en vue de nous améliorer font partie de notre bagage biologique naturel. Même lorsque tout va de travers, la plupart d'entre nous savent au fond qu'ils sont «programmés» pour réussir et non le contraire.

Heureusement, lorsque le cerveau commence à démêler les nouvelles instructions que nous lui donnons, toute cette activité profonde et complexe ne nous concerne pas puisqu'elle est entièrement inconsciente et automatique. En outre, si nous employons les bonnes directives intérieures, tout ira *pour le mieux*. Notre cerveau et notre esprit font leur possible pour exécuter à la lettre nos nouvelles instructions.

Défis et récompenses

Lorsqu'on commence à s'assumer pleinement, le jeu en vaut toujours la chandelle. Mais cela ne se fait pas sans effort. Des récompenses nous attendent, mais aussi des difficultés.

En effet, au cours de la deuxième étape, le doute nous envahit; nous nous demandons si cela vaut la peine de changer ou si nous en sommes capable. C'est à ce moment qu'on doit vraiment se demander si on veut réellement se prendre en main soi-même, ses pensées, ses actes et son avenir.

C'est aussi au cours de la deuxième étape qu'on se sent indécis quant à l'orientation à prendre. On peut vouloir effectuer le changement tout en manquant d'assurance, en ne se sentant pas à la hauteur ni prêt à s'engager, face à soi-même, à aller jusqu'au bout.

Mais il y a aussi les récompenses. C'est pendant la deuxième étape qu'on éprouve un nouveau sentiment du *moi,* qu'on voit ses rêves se concrétiser autour de soi et en soi. C'est une *confirmation,* une bénédiction émanant de son moi plus *conscient,* une reconnaissance que le meilleur de soi-même est en train de grandir. On commence à se libérer de ses vieilles chaînes et on passe du scepticisme à l'acceptation de soi.

Au nombre de ces récompenses initiales se trouve une volonté de se voir d'une façon tout à fait nouvelle: on est moins découragé par les obstacles et plus attiré par les récompenses.

Pour cela, il faut, bien sûr, qu'on fasse le premier pas et qu'on persiste jusqu'au début de la deuxième étape. C'est alors que l'on prend les commandes pour la première fois. On se fie moins au hasard ou à la chance, et on ne prend pas ses désirs pour des réalités.

Si vous recherchez le succès instantané, vous ne le trouverez pas. Si vous pensez vous transformer miraculeusement en vous regardant dans un miroir, vous serez déçu(e). L'autosuggestion représente plutôt une solution raisonnable et réaliste. Une solution naturelle et fiable.

Deuxième étape:
L'aboutissement normal de la première

Au cours de la première étape (modification de votre vieille forme d'autosuggestion), vous commencez à vous reprogrammer en modifiant vos directives intérieures. En pratiquant l'autosuggestion, vous obtenez des résultats directs et pour la plupart temporaires, mais vous mettez la roue en marche.

À la deuxième étape, ces nouvelles instructions commencent à créer des réactions en chaîne.

À mesure que vous assimilez vos nouvelles autosuggestions, votre subconscient les révise, les traite, les éprouve, puis commence à les appliquer à des secteurs autres que ceux que vous visiez au départ. Comme il commence à reconnaître les nouvelles formes d'instructions reçues, il les reproduit sans que vous ayez à les lui indiquer consciemment.

Finalement, le modèle prend de l'expansion. La petite collection d'autosuggestions que vous écoutiez, lisiez ou vous répétiez à l'origine crée maintenant un modèle à suivre pour vos autres pensées. Le processus que *vous* avez lancé *commence à faire boule de neige.*

Plus vous vous donnerez de nouvelles instructions, plus le processus prendra de l'ampleur et se solidifiera; lentement mais sûrement, il supplantera vos vieux programmes. *Votre idée de vous prendre en main s'est concrétisée pour devenir une façon de vivre.*

Chapitre dix

LES RÉSULTATS DÉFINITIFS DE L'AUTODÉTERMINATION

L'objectif final:
Troisième étape de l'autogestion

La première étape de l'autogestion ne prend que quelques jours. La deuxième se mesure en termes de semaines et de mois, tandis que les *avantages* inhérents à la troisième étape durent des années. Voyons ce qui vous attend une fois arrivés à destination.

Les avantages réels de l'autogestion figurent rarement au nombre de nos objectifs, bien qu'ils soient des plus dignes d'intérêt. Ils prennent la forme de *libertés,* d'une libération face aux limites qui ont régi notre vie dans le passé. Les voici:

1. Liberté liée à la responsabilité personnelle

Au fond, vous êtes la seule personne vraiment responsable de vous-même et l'autogestion représente le seul moyen de vous prendre vraiment en main.

Votre degré de responsabilité personnelle influe sur chacune de vos actions. Vous pouvez toujours attendre que l'Univers vous prenne en charge (ce qu'il *ne fera pas)* ou vous pouvez le faire vous-même d'une manière efficace et naturelle.

Nous avons de la chance, car nous savons désormais que la responsabilité de soi-même est un sous-produit naturel de l'autogestion. C'est ainsi, que nous le voulions ou non.

Après le respect de soi, le fait de prendre la responsabilité de ses pensées et de ses actes réside au cœur même de la réussite d'une personne. Même lorsqu'un enfant décide de finir ses devoirs avant d'aller jouer ou de regarder la télévision, il se prend en main car il sait que son succès à l'école dépend de lui-même et non d'un tiers.

La femme qui s'assure de l'image qu'elle donne d'elle lors d'une présentation commerciale prend la responsabilité non seulement de sa tenue, mais d'une dimension importante de sa carrière.

Le père qui, plutôt que de faire des heures supplémentaires au bureau, décide de rentrer à la maison afin d'aider son fils scout à réaliser un projet, prend la responsabilité de *ses* choix dans la vie.

La responsabilité personnelle est essentielle à toutes les réussites valables, à toutes les réalisations d'une valeur durable dans la vie. La liberté de se prendre en main découle de l'autogestion.

2. La liberté liée à l'indépendance

En règle générale, nous ne faisons rien de bon — pour ou avec un tiers — à moins d'être vraiment autonomes.

Lorsque nous étions enfants, nous avons appris à nous appuyer sur les autres. Nous avions besoin d'eux pour nous soutenir dans les moments critiques. À mesure que nous vieillissons et que nous subvenons de plus en plus à nos besoins, nous perdons nos soutiens les uns après les autres.

Si nous laissons les autres intervenir, nous donner de nouvelles béquilles et diriger nos vies *à notre place,* nous mènerons une vie de dépendance. Nous ne serons jamais autonome et les autres ne pourront jamais compter sur nous. Se prendre en main, c'est apprendre à voler de ses propres ailes, non pas dans la froideur ou l'indifférence, mais bien avec compétence et autonomie.

L'*indépendance constructive,* qui résulte de la stabilité d'un moi bien dirigé, crée en nous un fond d'assurance et de confiance en soi. C'est la force de notre indépendance qui nous permet de partager avec les autres, de les appuyer, d'avoir des besoins et de les satisfaire. Loin de nous tenir à l'écart de la vie, notre *indépendance* nous donne justement la liberté de la goûter pleinement.

3. La liberté liée à la maîtrise de soi

Imaginez que vous dominez si bien la situation que vous faites toujours votre devoir sans jamais être tenté de vous en écarter. Voilà un avantage de l'autogestion. La *maîtrise* de soi est la qualité qui nous permet de conserver notre équilibre, d'exercer notre jugement et de nous sentir bien dans notre peau.

C'est cet attribut qui nous confère les qualités *humaines* que nous apprécions tant. La liberté qui découle de la maîtrise de soi nous permet de dominer les habitudes et les peurs qui nous asservissaient autrefois. Elle nous permet aussi d'être responsable de nos pensées, de nos émotions et de nos actes sans *nous* laisser dominer par des tiers.

Un cadre m'a déjà avoué que sa décision d'apprendre à se maîtriser lui avait donné la liberté de cesser de fumer, d'équilibrer son budget familial pour la première fois depuis des années et d'apporter des changements positifs à ses relations avec sa femme et ses enfants. Il avait «réussi» sa vie dans le passé, mais avant de découvrir la liberté inhérente à la maîtrise de soi, il n'avait pas vraiment trouvé le bonheur.

La liberté qui découle de la maîtrise de soi est un sous-produit de l'autogestion *essentiel* à une vie riche et heureuse.

4. La liberté de choix

Lorsque nous dirigeons nos pensées, nous dirigeons aussi notre esprit, ce qui nous donne la liberté de choix.

Nous sommes souvent confrontés à des «choix» qui n'en sont pas vraiment. Sur le chemin de la vie, nous avons parfois l'impression de participer à un voyage organisé dont toutes les destinations ont été déterminées à l'avance. Par contre, lorsque nous pratiquons l'autogestion, nous avons notre mot à dire au sujet de notre destination et même des décisions mineures qui s'imposent en cours de route.

Ainsi, la liberté de choix dépasse la décision pour un jeune d'accepter ou de refuser de prendre la drogue que lui offrent ses camarades ou de commettre un acte répréhensible. La femme qui choisit de prendre une journée de liberté, loin des exigences de son travail et de sa famille, exerce son choix de trouver équilibre et bien-être dans sa vie. La plupart des gens qui ont appris à faire des choix dans leur vie et à les respecter me disent qu'ils avaient toujours voulu prendre ces décisions, mais qu'ils ne croyaient pas en avoir le droit dans le passé!

Vous avez le droit de dire oui aux choix qui rendent votre vie plus agréable et plus productive, et non à ceux qui vous rendent malheureux ou malades.

L'autogestion vous confère le jugement et la liberté nécessaires pour effectuer des choix judicieux et affirmer ainsi un esprit sain, actif et bien dirigé.

5. La liberté de changer

Nous avons souvent l'occasion et le désir d'effectuer des changements dans notre vie, mais nous nous heurtons à l'opposition de nos vieux conditionnements. Un peu comme s'il s'agissait de s'arrêter au bord d'une voie ferrée, de regarder et d'écouter sans jamais avoir le courage de traverser.

Tant de gens m'ont avoué se trouver dans une impasse, incapables de changer d'emploi, de modifier leurs relations, leur poids ou leur apparence, ou encore d'adopter le «niveau» de vie qu'ils croyaient mériter.

La liberté de changer est la permission de dépasser ses limites, de faire le nécessaire pour rendre sa vie plus conforme à ses désirs, ce qui implique apporter des changements même à certains petits détails de sa vie quotidienne.

La liberté de changer, c'est la liberté de grandir, c'est une *approbation* que *vous* vous donnez à *vous-même,* la plus importante que vous recevrez jamais.

6. La liberté d'échouer

Je me rappelle l'histoire de chercheurs en électronique qui voulaient perfectionner les mouvements d'un robot en le laissant se frapper sur les murs et corriger sa position jusqu'à ce qu'il finisse par *apprendre* comment avancer tout seul dans le corridor.

Nous, les humains, avons tendance à considérer comme une *erreur* le fait de «se frapper la tête contre les murs», même si c'est ainsi que nous apprenons, comme le robot. Les chercheurs ne voyaient pas ces heurts comme des erreurs, mais plutôt comme une nécessité qui permettait au robot de corriger sa course.

Je crois bien que toutes les personnes qui ont réussi leur vie ont aussi connu plusieurs échecs. D'ailleurs, sans le récit de ces *échecs,* la plupart des biographies tiendraient dans des opuscules.

Il n'y a aucune honte à échouer lorsqu'on cherche à s'améliorer. La liberté d'échouer est aussi celle d'*apprendre,* celle de chanceler sans perdre son objectif de vue.

En pratiquant l'autogestion, vous vous donnez la liberté d'échouer en toute confiance. C'est votre *droit* et un élément essentiel de votre succès.

7. La liberté de réussir

Au cours d'une entrevue professionnelle, un de mes amis dut répondre à la question: «Souhaitez-vous réussir?» Voilà une question apparemment simple qui appelle une réponse en apparence évidente. Toutefois, je soupçonne que la réponse des candidats à cette question est plus révélatrice que la plupart ne le croient. En effet, nous *ne* sommes *pas* très souvent ouvert au succès.

Nous sommes souvent enclin à douter de nos aptitudes, à croire qu'un rival nous surpassera ou que nous ne méritons pas vraiment de réussir. Il nous arrive aussi d'accepter un autre programme tout aussi erroné selon lequel nous ne sommes pas faits pour réussir.

Ceci est un *vieux* programme qui nous guidait *avant* d'apprendre l'autogestion. Pour connaître le succès, quel qu'il soit, il faut d'abord se donner la liberté de réussir.

Il existe un certain nombre d'ouvrages qui portent sur la façon dont certaines personnes sabotent toutes leurs chances de réussite. Bien des femmes qui cherchaient à maigrir m'ont révélé que chaque fois qu'elles approchaient du but, un événement venait les bouleverser et elles reprenaient les kilos perdus.

Connaissez-vous quelqu'un ayant subi un échec professionnel parce qu'il s'est arrêté *au moment même où il allait atteindre son objectif?*

Lorsque je demande à ces personnes quelles sortes de pensées leur traversaient l'esprit dans ces moments-là, j'entends habituellement des énoncés clairement destinés à les *forcer* à échouer.

Pourquoi agissent-elles ainsi? Parce qu'elles ignorent qu'en dépit de leurs anciens programmes, elles doivent d'abord *re*programmer leur subconscient pour qu'il accepte naturellement le succès, si elles veulent dépasser la «barrière du succès» et réussir.

Or, cette acceptation est malheureusement souvent absente des programmes avec lesquels nous atteignons l'âge adulte. Avez-vous déjà entendu une personne dire d'une autre qu'elle est sa pire ennemie? Pourtant, la plupart d'entre nous pourraient en dire autant d'eux-même.

Lorsque vous apprenez l'autogestion, vous apprenez à accepter vos succès, et non à les éviter ou à les saboter. Le succès devient alors le produit naturel de l'autodétermination.

8. La liberté de mériter

Nos vieux conditionnements comptent quelques avertissements puissants concernant ce que nous méritons et ce que nous *ne* méritons *pas* dans la vie. Dans le passé, lorsque venait le temps de croire que nous méritions ce qu'il y a de mieux, nos forces de dissuasion l'emportaient trop souvent.

J'ai reçu une lettre d'une femme qui caressait depuis un grand nombre d'années le désir d'exploiter sa petite entreprise. Elle se heurtait à l'opposition de tous, y compris des membres de sa famille et de ses parents. Pendant ces années, elle avait souvent eu l'occasion de se lancer en affaires, mais elle n'avait jamais fait le saut.

«J'étais convaincue que je ne méritais pas de prendre cette sorte de décision, m'écrivit-elle. Je ne croyais mériter aucun des avantages liés à l'indépendance et à l'exploitation de ma propre entreprise.»

Ce n'est qu'après avoir reprogrammé ses attitudes subconscientes à son égard que cette femme se rendit compte qu'elle *méritait* ce qu'elle voulait créer dans sa vie et qu'elle finit par réaliser son désir. Elle quitta son emploi de représentante commerciale dans une importante compagnie nationale d'électronique et fonda une manufacture de pièces destinées à cette même compagnie. En modifiant sa façon de voir elle comprit qu'elle avait le *droit* de réussir en affaires, et son succès prouve qu'elle était digne de son projet. Avant de modifier son opinion sur elle-même en reprogrammant son subconscient de manière à croire qu'elle *méritait* ce qu'elle voulait, elle s'était inconsciemment empêchée d'atteindre un succès bien mérité.

Vous ne pouvez pas atteindre un sommet que vous ne *croyez* pas *mériter*. En dirigeant votre subconscient, vous vous permettez d'accepter ce que vous méritez librement et de plein droit. Votre succès vous apparaît comme l'aboutissement naturel de vos efforts.

L'autogestion vous donne la liberté de vous percevoir comme une personne digne de mérite, prête à accepter ses responsabilités, à exploiter ses possibilités et à apprécier les récompenses qu'elle vous apporte.

9. La liberté liée à la vérité

Lorsqu'il s'agit d'évaluer notre vraie nature ou nos aptitudes réelles, nous ne choisissons pas souvent les options les plus vraies. *En vertu de nos vieux programmes, la «vérité» est souvent tout à fait déguisée.* Comment pouvez-vous distinguer la vérité lorsque vos vieux programmes s'emploient à vous la cacher et que vous n'avez pas été programmé pour connaître votre vraie nature?

Comment un jeune garçon peut-il croire qu'il *pourrait* participer aux tournois mondiaux de base-ball si on lui fait croire qu'il ne pourra jamais se distinguer même au sein de son équipe régionale? Imaginez les autosuggestions qu'il utilisera contre lui-même si on s'emploie à le décourager. L'enfant ignorera toujours que la «vérité» qu'il a crue sur lui-même n'est peut-être pas «vraie» du tout.

Les vérités les plus importantes que vous pourrez jamais espérer découvrir dans votre vie sont celles qui concernent votre nature profonde. Or, à moins d'apprendre à accepter la vérité à ce sujet, vous ne pouvez pas vous attendre à vous épanouir pleinement.

Lorsque vous apprenez l'autogestion, la vérité sur vous-même et sur les autres devient la *réalité* que vous choisissez d'accepter. L'autogestion vous permet de reconnaître votre *vraie* nature, vos possibilités et la façon de vous réaliser pleinement et en harmonie avec votre univers.

10. La liberté liée au respect de soi

Un respect de soi bien ancré n'est pas seulement un résultat de l'autogestion, c'est aussi un cadeau exceptionnel que l'on se fait. Même si l'autogestion ne comportait aucun autre avantage, le respect de soi à lui seul en vaudrait la peine.

Une fois encore, vous stimulez votre bonne étoile grâce à l'autogestion. Le respect de soi est un cadeau qui surpasse à lui seul toute autre richesse mentale souhaitable.

S'aimer, c'est mener la vie la plus heureuse possible

Aucune autre facette de vous-même ne joue un rôle aussi grand dans votre vie que votre *estime personnelle*. C'est l'*absence* de cette qualité qui est à l'origine de la plupart de nos problèmes, de ceux que nous créons aux autres et de notre échec à nous réaliser pleinement.

Un amour-propre *sain,* par ailleurs, nous donne confiance en nous, de la considération pour autrui et nous permet de mener une vie créatrice et équilibrée.

Le respect de soi est si essentiel à notre bien-être global qu'il se distingue de tous les autres éléments qui composent la nature humaine, exception faite de son essence divine, et les surpasse.

La liberté qui découle du respect de soi est un résultat naturel de l'autogestion. Lorsque vous saisissez son influence sur votre santé et son rôle dans votre vie, vous comprenez qu'on ne peut pécher par excès d'amour-propre. L'amour-propre est et sera toujours la part la plus utile de vous-même.

Lorsque vous vous donnez les libertés associées à l'autogestion, vous faites des découvertes sur vous-même. Est-il possible d'aller trop loin? Pouvez-vous vraiment *croire* en cette nouvelle personne que vous créez grâce à vos directives intérieures? C'est ce que nous verrons sous peu.

Chapitre onze

VOUS FAITES-VOUS
DES ILLUSIONS?

Si vous vous êtes donné une sorte de directive intérieure pendant de nombreuses années et que vous passez soudain à des instructions parfaitement contradictoires, est-ce que vous vous bernez?

Par exemple, si vous croyez, en vertu de vos vieux programmes, que vous êtes une personne désorganisée, le fait de reprogrammer votre subconscient de manière à lui faire croire que vous êtes maintenant une «personne organisée» signifie-t-il que vous vous racontez des histoires?

Ou bien peut-être avez-vous cru impossible, pendant des années, de parler devant un groupe sans trembler: Votre vieux moi vous disait: «*Je suis nerveux(se) chaque fois que je m'adresse à un groupe.*» Cependant, vous apprenez à dire: «*J'aime parler aux gens. Lorsque je m'adresse à un groupe, j'ai confiance en moi et je suis détendu(e).*» Qui a raison? Votre vieux programme ou le *nouveau*?

Une de mes amies s'est répété pendant douze ans qu'elle voulait cesser de fumer mais qu'elle en était incapable. Elle commença un programme d'autosuggestions spécialement formulées pour lui faire croire qu'elle ne fumait pas. Se contait-elle des histoires? (Non, puisqu'elle a effectivement cessé de fumer.)

Le subconscient accepte ce qu'on lui dit, si on le fait assez souvent et avec assez de force. Mais au début, lui dit-on la vérité? Comment être honnête tout en lui fournissant de *nouveaux* programmes clairement opposés aux vieux?

Le passage vers une nouvelle vérité

Lorsque vous vous donnez de nouvelles instructions, vous créez une nouvelle vérité sur vous-même. Toutefois, au moment où vous commencez à pratiquer l'autosuggestion positive, vous n'avez *pas encore* atteint votre but. Vous n'êtes *pas encore* la nouvelle personne que vous vous décrivez à vous-même.

Cependant, vous ne vous faites pas d'illusions, car ce que vous dites vraiment, c'est : «*Voici ce que je SOUHAITE être.*» Consciemment, vous *savez* que vous n'en êtes pas encore là, mais vous y travaillez. Patience! Le subconscient finira par accepter vos nouvelles instructions et par faire de son mieux pour les exécuter.

Vos nouvelles autosuggestions remplacent un vieux programme *qui était faux de toute façon.* Vous ne vous faites pas d'illusions sur vous-même, au contraire. *C'est lorsque vous acceptiez le vieux programme au départ que vous vous dupiez.*

Comme nous l'avons vu, nous ne sommes pas *né* avec nos croyances et nos préjugés; nous les avons acquis. Nous avons appris à croire que nous étions timides, désorganisés, peu créatifs, incapables de gagner assez d'argent, enclins à éviter les problèmes, toutes ces innombrables «*vérités*» qui étaient loin d'en être.

Changez les mots au besoin

Si cela vous ennuie de vous dire des vérités futures au temps présent (par exemple : «*J'ai de la facilité à organiser mes finances.*» «*Les opinions négatives des autres ne me touchent pas.*» «*Je n'ai aucune difficulté à conserver le poids que je désire.*» «*Je n'ai aucune habitude malsaine.*»), modifiez-en la formulation, tout en conservant le temps présent.

Les exemples ci-dessus peuvent très bien prendre la forme suivante : «Je choisis d'avoir de la facilité à organiser mes finances.» «Les opinions négatives des autres ne touchent pas la personne que je suis en train de devenir.» «Je préfère n'avoir aucune difficulté à conserver le poids que je désire.» «J'ai pris la décision de n'avoir aucune habitude malsaine.»

Vos autosuggestions forment une nouvelle image de vous-même que vous présentez à votre subconscient

Lorsqu'un architecte soumet le plan final d'un nouvel édifice, il évite de présenter un croquis incomplet et remet à l'entrepreneur un plan précis et détaillé de la construction. Voilà ce que nous faisons lorsque nous donnons à notre subconscient de nouvelles directives au temps présent. Si nous formulons de vagues descriptions d'événements souhaités, notre subconscient ne réagira pas, faute de recevoir une image claire de ce que nous voulons.

Or, comme notre subconscient exécute les programmes les plus puissants, nous mettons les chances de notre côté en lui donnant des directives simples, directes et *complètes*.

Décidez quelles améliorations vous voulez apporter à votre propre architecture — l'image de vous tel que vous voudriez être — et transmettez cette description aussi complètement que possible à votre subconscient.

On nous recommande sans cesse de *visualiser* clairement nos objectifs. Nous connaissons maintenant une façon efficace de le faire même si nous avons échoué dans le passé à créer ces schémas visuels.

Les mots de nos autosuggestions font image. Il ne nous reste donc qu'à trouver les mots appropriés afin que l'image de notre objectif se forme naturellement dans notre esprit.

Possibilités pratiques

Comme nos limites nous ont paralysé dans le passé, notre ardeur à changer peut nous inciter à enfoncer la barrière qu'elles forment avec un bulldozer plutôt que de la franchir calmement.

Lorsque nous commençons à pratiquer l'autosuggestion positive, nous visons parfois trop *haut* et souhaitons des changements irréalistes et peu pratiques. Ou encore, par une soumission excessive à nos vieux programmes, nous finissons par ne pas vraiment changer, faute d'avoir visé trop haut.

Voilà pourquoi je vous recommande d'attaquer un problème ou un but à la fois. Soyez patient; essayez d'abord de prendre l'*habitude* de vous parler d'une façon nouvelle. Remportez quelques petits succès, puis fixez-vous de nouveaux buts.

Même si vous lisez ce livre dans le but de régler une situation *majeure* de votre vie, commencez d'abord par régler un problème mineur ou par atteindre un seul objectif. *Si vous exigez trop de vous-même, vous obtiendrez trop peu.* Formulez des autosuggestions réalistes. La plupart d'entre nous savent bien lorsqu'ils exigent trop ou trop peu d'eux-mêmes.

Cette méthode peut-elle flatter démesurément notre amour-propre?

En donnant à votre subconscient une meilleure image de vous-même, ne risquez-vous pas d'avoir de vous une idée trop flatteuse? Votre estime personnelle peut-elle devenir excessive?

En effet, en remplaçant vos vieux programmes et en remodelant votre propre image, vous *pourriez* avoir l'air de faire votre propre éloge. On m'a déjà posé la question suivante: «Et la vantardise? *Ma nouvelle forme d'autosuggestion n'est-elle pas une incitation à la vantardise?*» Une jeune mère me demandait: «Si mon fils entend tous ces éloges à son sujet, ne risque-t-il pas de se prendre trop au sérieux?»

Une forme *négative* d'autosuggestion pourrait peut-être susciter cette croyance, mais *sûrement pas* celle dont il est question ici.

Certaines personnes, lorsqu'elles commencent à pratiquer l'autosuggestion, entendent pour la première fois des commentaires élogieux à leur sujet. Plutôt que de flatter leur amour-propre ou de leur conférer un sentiment de supériorité, ceux-ci leur permettent d'apprécier davantage les *autres* à mesure que grandit leur estime personnelle.

La nouvelle forme d'autosuggestion ne vise pas à vous placer au-dessus des autres ni à flatter votre vanité. Au contraire, elle vous aide à vous hisser au niveau que vous méritez, tout en suscitant en vous la tendresse et la compassion nécessaires pour aider les *autres* à atteindre les sommets qu'ils méritent, eux aussi.

Les personnes imbues d'elles-mêmes qui nous apparaissent comme prétentieuses et futiles souffrent en réalité d'un *manque* d'amour-propre. En effet, la suffisance, la vanité, la fausse fierté ou l'arrogance résultent le plus souvent d'une *absence* de respect de soi, plutôt que d'un *fort* sentiment de fierté personnelle.

Un respect de soi *insuffisant* nous incite à compenser ce dont nous avons l'impression de manquer.

La modération a bien meilleur goût

Rappelez-vous que l'autosuggestion n'est que la *première étape d'un cheminement* destiné à vous conduire vers une façon plus naturelle de penser et d'agir. Vous n'essayez pas d'édifier des monuments à votre personnalité, ni de modifier toutes vos attitudes du jour au lendemain. C'est impossible. La nature humaine ne le permet pas.

Votre succès dépend pour beaucoup de votre aptitude à conserver un certain équilibre, c'est-à-dire à vous fixer des objectifs réalistes et à pratiquer la forme d'autosuggestion qui vous aidera à les atteindre.

La plupart d'entre nous sont plus sages qu'ils ne le croient. Lorsque nous essayons de nous persuader que nous pouvons faire l'impossible, nous savons fort bien que nous ne sommes pas juste envers nous-même. Par ailleurs, lorsqu'une petite voix intérieure nous dit «*Je ne peux pas accomplir cette tâche*», nous soupçonnons que nous *pourrions* réussir.

Nous possédons tous une petite voix intérieure qui connaît nos limites. Nos vieux programmes militent habituellement en faveur de notre incapacité. Cependant, cette «petite voix» qui fait partie de l'esprit humain essaie aussi de nous convaincre que nous pouvons faire mieux. Écoutez la partie de vous-même qui vous dit : «*Cette tâche m'est destinée. Je peux la réaliser.*» Avec un peu de pratique, vous ferez la différence entre les *vérités potentielles* et les faussetés vous concernant.

Je connais des gens qui, grâce à l'utilisation d'autosuggestions adéquates, ont intégré à leur vie des modifications et des avantages qui leur semblaient inaccessibles au début. J'ai vu des adolescents modifier entièrement leur opinion à l'égard d'eux-mêmes et apprendre à s'aimer. Ils travaillaient mieux à l'école et évitaient les camarades qui voulaient les initier à la drogue.

Je reçois tous les jours des lettres de personnes qui ont appliqué leurs autosuggestions à leurs problèmes conjugaux ou appris à être plus responsables, qui ont apporté des changements à leur carrière, ou qui ont vaincu des obstacles apparemment insurmontables jusque-là.

Des gens comme vous et moi ont affronté des problèmes de toutes sortes et les ont réglés parce qu'ils ont compris l'incroyable efficacité d'intégrer de nouvelles *vérités* à leurs conditionnements. Lorsqu'ils ont modifié leurs directives intérieures, ils ne se faisaient pas d'illusions. Et ils l'ont prouvé.

Plus vous pratiquez l'autosuggestion, plus vous découvrez que lorsque vient le temps d'établir vos objectifs et de formuler les auto-suggestions qui vous aideront à les atteindre, vos buts s'élèveront lente-ment mais sûrement. Avec le temps, les *vérités* vraies à votre sujet pourraient coïncider exactement avec ces illusions que vous *croyiez* entretenir lorsque vous avez commencé à pratiquer l'autosuggestion constructive.

Votre nouvelle forme d'autosuggestion marque la renaissance de votre vraie nature

C'est lorsque nous continuons d'accepter les programmes négatifs du passé que nous sommes *le moins* réaliste. Pourtant, nous continuons d'alimenter nos vieilles croyances alors que nous aurions dû nous en dé-barrasser et les remplacer par des idées plus utiles et plus honnêtes.

Lorsque vous employez des autosuggestions justes et réalistes, qui vous font paraître sous un jour meilleur, plus sain et plus heureux, *vous ne vous faites pas d'illusions*. Vous réajustez simplement les compo-santes de votre personnalité.

Chapitre douze

RÉGLEZ LES PROBLÈMES DU PASSÉ

Au cours des années où j'ai exploré le domaine du comportement auto-dirigé, je me suis souvent posé les questions suivantes: «L'autosuggestion permet-elle de régler les problèmes du passé sans les dissimuler? Qu'advient-il des problèmes qui sont si cruciaux pour nous que nous ne pouvons pas y échapper?»

Et le passé? Pour modifier l'avenir, faut-il d'abord revenir en arrière et revivre ses problèmes passés afin de les régler une fois pour toutes? Peut-on, par ses actes *présents,* régler ses problèmes (ou modifier son avenir) sans *d'abord* modifier sa façon de les aborder?

Vos autosuggestions ne doivent pas remplacer toute autre forme de thérapie ou d'approche pratique susceptible de vous aider à résoudre vos problèmes ou à voir la vie d'une manière plus constructive. Si vous voyez un conseiller ou suivez une thérapie et que *vous obtenez des résultats positifs, ne vous arrêtez pas.*

L'autosuggestion touche un aspect différent de votre psychologie, soit celui qui vous encourage à vous prendre en main et à vous assumer.

Nous avons *tous* connu des problèmes dans le passé. Certains plus que d'autres. Certains d'entre nous ont traversé des difficultés psychologiques en apparence insurmontables. À un moment ou à un autre, *la plupart d'entre nous* ont même cru ne pas pouvoir s'en sortir.

C'est pourquoi nous luttons avec le passé en disant : «Mais j'ai vécu *ceci.*» Et le passé vient parfois troubler le présent parce que nous ne pouvons pas le laisser aller.

De nombreuses personnes m'ont affirmé que leurs problèmes actuels étaient reliés au passé, à un passé parfois lointain: une enfance malheureuse, un parent violent, la perte d'une mère ou d'un père, une erreur regrettable ou un mariage raté.

Lorsque vous n'êtes pas prêt à laisser aller vos souffrances passées, êtes-vous vraiment *juste* envers vous-même? La plupart d'entre nous ont vécu des expériences traumatisantes et celles-ci nous paralyseraient si nous leur en donnions la chance. Nous continuons même parfois de revivre ces traumatismes passés comme s'ils étaient présents.

En recréant les problèmes du passé nous leur insufflons une nouvelle énergie

Jusqu'à tout récemment, bon nombre d'entre nous ont accepté les souvenirs douloureux de leurs problèmes passés sans prendre garde à l'effet profond qu'a sur leur subconscient le fait de les *revivre*. Nous ne comprenions pas l'un des principes fondamentaux propres au subconscient: *le cerveau humain est incapable de différencier une expérience réelle d'une expérience créée ou recréée en imagination.*

Plutôt que de vous demander si vos nouvelles directives intérieures tiennent compte de vos problèmes passés, vous devriez vous poser la question suivante: «*Est-ce que je veux créer une énergie électrochimique (mentale) encore plus grande afin de revivre la même mauvaise expérience en pensée* et la reprogrammer encore une fois dans mon subconscient?»

Nous pouvons tous nous accrocher au passé ou aller de l'avant. Loin de moi l'idée qu'il est facile de dépasser le passé. Celui-ci renferme des leçons qui nous ont aidés à grandir, mais nous devons tous poursuivre notre route. On ne peut atteindre son but en regardant en arrière. Ce qui est passé est passé; notre avenir se trouve *clairement* devant nous et nous devons lui donner la chance de se manifester.

Si vous avez connu de graves problèmes dans le passé, vous n'êtes pas le seul. Nous pourrions, pour la plupart, écrire un livre sur nos échecs passés. Peu d'entre nous ont échappé aux pièges inhérents à toute forme d'apprentissage. Certaines personnes les dépassent et continuent d'avancer, tandis que d'autres s'y accrochent, leur donnent de l'énergie et se laissent entraver.

Vivre dans le passé

Je parlais dernièrement avec une femme très déprimée. Lorsque je lui demandai ce qui la rendait si malheureuse, elle m'énuméra une liste d'expériences passées: elle avait connu un divorce; son fils toxicomane avait tenté plusieurs fois de se suicider; elle avait dû trouver un emploi et commencer une nouvelle carrière tout à fait seule.

Chaque problème évoqué par cette femme avait une importance extrême à ses yeux et avait eu une grande influence sur sa vie. Cependant, bien que tous ces événements datassent de plusieurs années, elle les revivait comme s'ils étaient actuels!

Au cours d'une émission de télévision, on me demanda de répondre aux questions du public. Je me rappelle en particulier un jeune homme qui s'avouait incapable de trouver du travail. Il avait épuisé toutes ses ressources. Sa femme l'avait quitté plusieurs années auparavant et il s'était lié avec des personnes peu recommandables.

Il raconta sur les ondes que tous ses problèmes avaient commencé lorsqu'il avait été congédié de son travail pour avoir volé des rouleaux de fil électrique appartenant à son employeur. À cause de cet incident, qui remontait à sept ans, le jeune homme était convaincu qu'il ne ferait plus jamais rien de bon.

Au cours des ans, j'ai entendu un grand nombre d'histoires *négatives* véridiques et à caractère hautement émotif. Je les ai écoutées avec intérêt et avec cœur, mais j'ai aussi appris à comprendre les effets que peut avoir le *passé* sur l'*avenir*. Toutes ces histoires ne se sont pas mal terminées, au contraire.

Je connais une femme qui a passé trente ans de sa vie à affronter des problèmes qui découlaient d'une enfance émotivement perturbée. Elle avait toujours voulu devenir écrivaine, mais en raison de son passé et des incessantes difficultés qu'elle affrontait, elle était convaincue qu'elle ne pourrait jamais réaliser son rêve. Son enfance et son adolescence malheureuses avaient laissé en elle de profondes cicatrices émotionnelles qui l'incitaient souvent à *revivre* sa douleur comme si elle était encore présente.

Toutefois, cette femme a appris à accepter son passé et à le laisser derrière elle. J'ai observé sa vie changer du tout au tout à mesure que progressait sa carrière. Elle finit même par utiliser ses expériences passées pour écrire de belles histoires d'espoir et d'avenir qu'elle partageait avec le reste du monde.

Je me souviens aussi d'un jeune homme qui, en raison des expériences incroyablement négatives de son enfance, aurait dû beaucoup souffrir à l'âge adulte, mais qui devint un génie en informatique. J'ai un ami qui a grandi dans un foyer désuni, qui devait se battre chaque jour en revenant de l'école et se sentait *voué* à l'échec. Mais comme il a décidé d'oublier les aspects *négatifs* de sa vie pour ne s'occuper que des positifs, il a fait fortune en électronique.

Pour chaque personne qui reste accrochée au passé, il y en un grand nombre qui disent: «C'est assez!» et regardent en avant.

Lorsqu'on connaît mieux les mécanismes du cerveau humain, il n'est plus acceptable de continuer à croire que son avenir est condamné en raison de son passé. Il est sain d'exulter parce qu'on a triomphé des difficultés passées, mais *s'apesantir* sur ses échecs et ses erreurs ne peut qu'aggraver la situation.

Au lieu de revivre votre passé: anticipez votre avenir!

Nul n'est entièrement à l'abri des souffrances de son passé. Mais nous avons *tous* un avenir devant nous. Comment voulons-nous le vivre? Voulons-nous passer le reste de notre vie à remâcher les injustices du passé ou nous acheminer dès maintenant vers notre destination?

On vous a sans doute déjà fait la mise en garde suivante: «Fais attention à ce que tu veux dans la vie, car tu l'obtiendras sans doute!» Cet avertissement me paraissait sensé il y a plusieurs années, mais j'ignorais à l'époque qu'il serait prouvé scientifiquement un jour.

Vous avez le choix de regarder en arrière et de vivre avec les peurs et les problèmes du passé, ou de regarder en avant — avec la même énergie électrique du cerveau — et de créer votre avenir.

Ce qui nous arrive n'est pas le fait du hasard. Une inquiétante proportion de notre avenir dépend de notre aptitude à laisser aller nos erreurs passées et à exploiter les meilleures possibilités qui s'offrent à nous, dans *la mesure,* toutefois, où nous sommes prêt à foncer et à commencer à les créer pour nous-même, dès *maintenant*.

Hier n'existe plus — À vous de choisir votre avenir

L'avenir est un choix que la plupart des gens laissent au *hasard* parce qu'ils ne comprennent pas qu'ils *pourraient* le contrôler en grande partie. Pour eux, demain sera aussi ordinaire que d'habitude, aussi étonnant et confus qu'aujourd'hui et qu'hier. Ils n'ont aucune idée de ce qui les attend et se contentent de vivoter et d'affronter leurs lendemains du mieux possible. Ils ont toujours agi ainsi et ne sont pas près de changer. Pour ceux qui s'accrochent au passé, l'avenir ressemblera à un vieux film, inspiré d'un scénario banal et pétri de scènes prévisibles. Un vieux film aux couleurs fades présenté au même auditoire fatigué, avec le même dénouement usé.

À ceux qui vont de l'*avant* dans la vie, demain peut offrir toute une gamme de nouvelles possibilités exaltantes, de projets bien conçus et de nouveaux départs. Ces personnes sont heureuses de se lever le matin. C'est uniquement lorsqu'on surmonte son passé qu'on peut sentir la chaleur du soleil de demain. Tirez des leçons du passé, puis laissez-le derrière vous. Chaque jour naissent un homme nouveau et une femme nouvelle.

Vous *pouvez* surmonter les problèmes de votre passé. Il suffit pour cela, dans la mesure où ils ne sont pas trop accablants, de les considérer comme faisant partie du passé et d'aller vers l'avenir. La vie est très courte nous disent ceux qui ont vécu. Voilà pourquoi il faut en tirer le meilleur parti possible. Si certains problèmes du passé viennent vous hanter, laissez-les là où ils sont, à leur place, dans le passé.

Cela n'a aucun sens de recharger son cerveau de vieille électricité, de ranimer ses vieilles peurs et ses vieilles souffrances. Si vous sentez la nécessité de régler certaines choses du passé, faites-le, puis fermez le dossier et dirigez votre chimie mentale ailleurs.

Nul ne peut défaire ce qui est déjà fait. Mais ceux qui le veulent peuvent dépasser le passé, regarder vers l'avenir et apporter les changements nécessaires à leur vie dès maintenant.

Laissez le passé enterrer le passé. Nous avons amplement à faire pour nous préparer à demain.

Chapitre treize

LORSQUE LE PROBLÈME CE N'EST PAS VOUS

Supposons que vous avez créé vos propres autosuggestions et que vous faites des efforts pour améliorer votre vie. Que faire, cependant, lorsqu'on est satisfait de ses pensées et de sa vie, mais que son entourage continue d'employer de vieux schémas? Si vous modifiez vos directives intérieures, habituez-vous à ne plus penser comme la plupart des gens.

Avez-vous déjà eu affaire à une personne que vous ne pouviez accepter ni tolérer? Cela est arrivé à la plupart d'entre nous, et nous nous sommes sentis impuissants. Il s'agit parfois d'un colocataire, d'un collègue de travail, d'un professeur ou d'un ami dont l'attitude est telle que vous vous demandez parfois s'il est vraiment un ami.

En tant qu'adepte averti de l'autosuggestion, la meilleure façon de régler les problèmes que vous causent parfois les autres consiste à décider maintenant d'être *prêt* à affronter ces problèmes avant qu'ils ne se présentent.

Vous ne pouvez pas prendre la responsabilité des comportements d'autrui, mais vous *pouvez* être responsable du grain de sel que vous ajouterez à la situation. Vous savez déjà que vous ne changerez pas l'autre, pas plus que vous n'en avez le droit.

Comment reconnaître les problèmes
liés à l'autosuggestion chez les autres?

Lorsqu'une personne vous cause des ennuis, vous pouvez améliorer la situation en reconnaissant le *conditionnement* dont elle est l'esclave. Vous affrontez, en fait, les vieux programmes de cette personne et sa propre forme d'autosuggestion, constructive ou négative.

Lorsque vous vous mettez en colère, cela est-il vraiment relié à la personne elle-même ou réagissez-vous plutôt aux résultats de sa programmation? La prochaine fois que vous vous trouverez dans une situation où vous risquez de vous mettre en colère et de penser du mal de vous, posez-vous les trois questions ci-dessous:

Question 1: *Le problème résulte-t-il de la programmation de l'autre personne?*

Question 2: *Si c'est le cas, que puis-je y faire?*

Question 3: *Mon propre conditionnement contribue-t-il à accentuer le problème?*

La prochaine fois qu'une personne dira ou fera quelque chose qui vous aurait fâché ou embêté en temps normal, demandez-vous tout de suite si cela est dû à sa programmation, si vous pouvez faire quelque chose ou si vos vieux programmes sont en cause. En vous posant ces questions, vous prenez rapidement conscience du nombre de fois où vous avez laissé une personne vous mettre en colère, alors qu'en fait, votre réaction était due à son conditionnement et peut-être à votre réaction négative.

Cela ne signifie pas que si quelqu'un se conduit mal ou d'une manière clairement répréhensible, vous deviez immédiatement sourire et dire: «Je te pardonne d'être ce que tu es; après tout, ce n'est pas de ta faute.» (En agissant ainsi, vous risquez de perdre vos amis et de vous faire des ennemis très vite!) Toutefois, la capacité d'*accepter* précède toujours celle de pardonner.

Le fait de prendre conscience du conditionnement d'un tiers n'en fait pas immédiatement une «bonne» personne. Cela ne redresse aucun tort et ne change rien chez l'autre qui ne s'est peut-être même pas rendu compte que vous aviez décidé de l'accepter. Cependant, lorsque vous prendrez conscience du fait que cette personne possède sa propre banque de vieux programmes qui régissent sa vie, vous réagirez sûrement différemment à son égard.

En agissant ainsi, vous n'essayez pas soudainement de modifier votre comportement face à votre entourage, pas plus que vous ne visez la perfection dans chacune de vos relations. Vous apportez toutefois un changement, petit mais important, dans la façon dont vous traitez les autres. À la longue, ce changement peut grandement améliorer vos relations. Il vous incombe de maîtriser vos pensées et vos sentiments, y compris ceux que vous éprouvez face à une personne qui vous manque d'égards, se montre querelleuse, insensible, indifférente ou ne se conduit pas avec vous d'une manière adéquate.

Vous pouvez choisir d'adopter la même attitude négative afin de montrer à cette personne que vous savez mal vous conduire, vous aussi — ce qui ne vous sera d'aucun secours, ni à l'un ni à l'autre — ou vous pouvez reconnaître que *la situation résulte d'une énorme quantité de conditionnements auxquels cette personne et vous-même avez été soumis dans le passé.*

À l'origine, aucun de ces conditionnements n'est directement lié au problème qui vous occupe actuellement, mais beaucoup d'entre eux exercent certainement une très mauvaise influence sur lui.

Un de mes amis, qui pratique l'autosuggestion constructive depuis quelque temps, a appris à employer une directive «instantanée» très utile chaque fois qu'il affronte un problème causé par le conditionnement d'un tiers: «*Dans le doute, retire-toi, calme-toi, souris et reconsidère le problème.*» Si vous changiez de rôle et de conditionnements avec l'autre personne — qui a un problème selon vous — soyez assuré que votre façon de penser changerait et vite!

Depuis de nombreuses années, les thérapeutes invitent leurs clients à participer à des jeux de rôle, particulièrement dans le cas de relations intimes. Cette technique permet de mieux comprendre les sentiments et les points de vue de l'autre. Vous pouvez apprendre les bienfaits de cette technique très rapidement, dès que l'occasion s'en présentera. Posez-vous les trois questions précédentes, et arrêtez-vous un court instant pour écouter vos réponses.

Se protéger de la négativité d'autrui

Dans certains cas où la situation est plutôt difficile et où les forces sont déséquilibrées, la meilleure chose à faire consiste à protéger son attitude «positive» de manière à ne pas se laisser influencer par l'attitude «négative» de l'autre.

Vous avez parfois l'impression de vous tenir devant une personne munie d'un arc et d'un carquois rempli de flèches. Ce que vous vous direz à ce moment-là déterminera si les flèches, dans le cas où elles vous sont destinées, atteindront leur but ou non. En fait, elles sont destinées à votre *esprit,* et vos autosuggestions pourront soit les écarter soit les laisser vous toucher.

Il vous est sûrement déjà arrivé de subir les frustrations d'une personne qui a eu une journée difficile. Je me demande parfois combien de querelles familiales résultent vraiment d'une accumulation, pendant la journée, de blessures sans lien aucun avec les deux protagonistes.

La négativité qu'on reçoit des autres produit un effet saisissant parce qu'elle est chargée d'émotion et que les émotions créent des programmes très puissants. Ne les laissez pas atteindre leur but. Protégez-vous au moyen de l'autosuggestion.

Lorsque vous décidez de combattre le conditionnement négatif de l'autre, vous luttez contre des énergies négatives. En attaquant l'autre, en lui répondant à haute voix ou en pensée, vous ne faites qu'accentuer votre colère, votre anxiété, votre stress et votre malaise.

Armez-vous plutôt d'autosuggestions claires et simples, destinées à diriger votre esprit de manière à ne laisser aucune pensée destructive et irréfléchie vous pénétrer et prendre le dessus. Restez en contact avec ce que vous êtes *vraiment.* Donnez-vous les instructions propres à vous apporter la paix intérieure en dépit de l'agitation extérieure.

Agir ainsi, ce n'est pas feindre d'ignorer l'autre personne ou le problème. Dans le passé, lorsqu'on vous disait simplement de passer outre l'attitude ou les paroles de l'autre, on ne tenait pas compte du fait qu'à moins de remplacer l'énergie négative par quelque chose d'autre, cette énergie vous pénètre de toute façon. Elle doit être remplacée par une énergie plus élevée.

Dites-vous: «*Je suis le(la) seul(e) responsable de mes pensées. Les pensées négatives de l'autre ne font que me rappeler ma propre attitude positive; je me sens toujours bien dans ma peau.*» Ou encore: «*La tempête finira bien par passer et ses paroles ne peuvent pas me blesser de toute façon.*»

Il n'y a pas de mal à ajouter ceci: «*Je comprends que cette personne souffre de ses conditionnements. Ce ne sont peut-être pas les meilleurs, mais ce sont les seuls qu'elle possède.*» Il n'est question ici ni de rabaisser l'autre personne ni de la mépriser. Tout simplement, *vous* reconnaissez consciemment qu'elle est soumise aux programmes qui dirigent sa vie.

Plus vous prendrez l'habitude de recourir à l'autosuggestion positive dans les nombreuses situations de votre vie, plus cette forme d'autosuggestion vous viendra automatiquement à l'esprit en cas de besoin.

Affronter des attitudes dépressives

Tous les problèmes que vous affrontez ne sont pas nécessairement reliés à des personnes qui se conduisent mal avec vous ou s'expriment d'une manière «négative». Parfois c'est leur attitude elle-même qui est difficile à affronter.

Ainsi, il peut arriver qu'une personne proche de vous soit déprimée, ou ait une attitude généralement négative. Or, si vous n'y prenez pas garde, vous risquez de créer un *cycle négatif* à l'intérieur de vous-même.

Voici ce qu'il en est: vous essayez d'abord de modifier l'attitude de l'autre, mais sans succès. Vous éprouvez de la frustration qui se change en colère sourde et qui grandit. Plus vous êtes en colère, plus l'attitude de l'autre vous dérange. C'est le début du cycle négatif.

Il est très difficile de sortir de ce cycle. À moins que l'un de vous n'agisse en conséquence, la situation risque de s'aggraver jusqu'à la rupture de votre relation. Ou encore, le problème restera en vous comme une marmite qui mijote à feu doux et qu'une querelle occasionnelle porte aussitôt à ébullition.

Si l'attitude d'une personne vous dérange, mieux vaut prendre sur-le-champ la décision de briser le cycle. Si l'autre personne est vraiment négative, il est peu probable que son propre conditionnement, dans l'état actuel des choses, la pousse à faire quoi que ce soit pour régler le problème.

Cependant, *vous* pouvez changer *votre* attitude sans tarder. Vous possédez les aptitudes nécessaires pour vous protéger d'un cycle négatif en refusant d'y entrer. Inutile d'en parler à l'autre. Sortez du cycle et il perdra de son pouvoir.

Assurez-vous que le vrai problème, ce n'est pas *vous*

Il peut arriver que vous soyez brouillé avec une personne simplement parce qu'elle ne fait pas ce que *vous* voulez qu'elle fasse.

En apprenant comment diriger votre vie de la *bonne* manière, vous reconnaîtrez que vous n'avez pas le droit de vivre la vie des autres à leur place, ni celui de les changer uniquement pour votre bon *plaisir*. Pour des raisons personnelles, vous pourriez vouloir qu'une personne change. Il appartient cependant aux autres de faire leurs *propres* choix.

Certaines personnes sont toujours brouillées avec leur entourage pour la simple raison qu'elles essaient d'assumer la responsabilité du comportement de tout le monde, mais jamais du leur.

Examinez vos relations à court et à long terme. Si le vrai problème réside dans le fait que l'autre personne refuse d'agir ou de penser de la manière qui vous *convient,* alors vous savez quoi faire. Arrêtez-vous. Cessez d'essayer de changer les autres pour qu'ils se conforment à vos besoins. Laissez-les faire leurs propres choix dans la vie. *Cela ne signifie pas que vous devez abandonner votre devoir d'aider les autres.* Toutefois, c'est une chose que d'*aider* les autres et c'en est une autre que d'essayer de vivre leur vie à leur place.

La responsabilité personnelle constitue le fondement de l'autogestion. *Pourquoi voudrions-nous empêcher les autres d'exercer ce même droit?*

Plutôt que de tenter d'inciter un tiers à voir les choses à *votre* façon, consacrez cette énergie à prendre vos *propres* responsabilités. S'il vous est arrivé de vouloir voler la responsabilité d'une personne, vous voudrez peut-être vous en excuser auprès d'elle. Vous vous sentirez mieux tous les deux et vous saurez que vous êtes sur la bonne voie, celle de l'autogestion.

Une partie de votre succès personnel dépendra toujours de la façon dont vous établissez vos relations avec les autres. Dans ces relations, vos autosuggestions jouent un rôle exceptionnel. Quels que soient les circonstances ou le problème affronté, vos pensées *influenceront toujours l'état de cette relation.*

Comme c'est le cas pour bien des secteurs importants de notre vie, nous possédons un énorme pouvoir sur nos relations, *que le problème vienne de l'un ou de l'autre des partenaires.* La forme d'autosuggestion employée représente un facteur décisif dans ce qui fonctionne et ce qui ne fonctionne pas.

Chapitre quatorze

CE QUE
L'AUTOSUGGESTION
NOUS A APPRIS

Un grand nombre de personnes de tous âges et de tous milieux pratiquent l'autosuggestion. Nous avons vu que l'autosuggestion constructive est facile à apprendre. Des gens comme nous, qui ont essayé et pratiqué l'autosuggestion, nous en ont révélé les meilleures méthodes.

La première étape consiste à se fixer un but, à décider de changer *une seule* habitude. Au lieu de s'attaquer à un trop grand nombre d'objectifs à la fois, mieux vaut se fixer un seul objectif qu'on est certain de pouvoir atteindre. Dans ce cas, nous avons appris que le meilleur *premier* objectif qu'on puisse se fixer est celui d'acquérir l'*habitude* de pratiquer l'autosuggestion positive, d'abord consciemment, puis, avec le temps, inconsciemment.

Créer une nouvelle «habitude directrice»

L'une des plus importantes habitudes à acquérir en premier lieu s'appelle l'«*habitude directrice*», parce que son rôle consiste à régir vos *autres* habitudes. Les habitudes directrices ne sont pas celles dont on se sert pour diriger les autres, mais bien pour s'*auto*gérer. C'est l'acquisition de cette habitude — dans le cas présent, celle de pratiquer l'auto-suggestion positive — qui nous permettra de transformer de *mauvaises* habitudes en *bonnes* habitudes et d'en acquérir de nouvelles.

Les habitudes directrices sont des surveillantes internes qui dirigent et influencent toutes nos manières d'agir. Voilà pourquoi, même si nous travaillons dur parfois pour modifier un comportement, nous retombons aussitôt dans nos vieux schémas.

Le problème, dans ce cas, c'est que nous n'avons pas changé l'habitude directrice la plus puissante et la mieux apte à contrôler celle de moindre importance sur laquelle nous travaillons. C'est l'habitude directrice qui commande et, lorsqu'il est question d'habitudes, elle gagne toujours.

Nous subissons les conséquences de nos habitudes

Les buts que nous atteignons résultent des habitudes que nous avons acquises. Si vous n'avez pas réalisé vos objectifs dans le passé, c'est pour une des deux raisons suivantes: ou votre but était irréaliste, ou de *mauvaises* habitudes vous ont empêché de l'atteindre, et vous ne possédiez pas les *bonnes* habitudes nécessaires pour progresser.

Certaines personnes qui ont à peine entendu parler de l'autosuggestion veulent obtenir des *résultats* immédiats, régler illico presto tous leurs problèmes majeurs ou mineurs et réaliser tous leurs objectifs présents ou passés. Bien qu'elle comprennent la *raison* pour laquelle l'autosuggestion est efficace, elles ne réussissent pas à apporter les changements souhaités.

Premier objectif: prendre l'habitude de l'autosuggestion

Dans toute entreprise, il est bon de procéder étape par étape, mais cela est particulièrement vrai lorsqu'on commence à utiliser l'autosuggestion. Si vous lisez ce livre dans un but précis, vous connaissez déjà votre objectif. Or, celui-ci doit passer au *second* plan.

En effet, votre *premier* objectif consiste simplement à pratiquer l'autosuggestion assez longtemps pour qu'elle devienne une habitude, une des *habitudes directrices* aptes à créer d'autres habitudes qui influeront sur tous vos comportements. Si vous franchissez cette première étape primordiale, non seulement les objectifs suivants seront plus faciles à atteindre, mais ils s'avéreront en outre *possibles*.

La répétition consciente, clé de l'autosuggestion

On m'a déjà demandé s'il était nécessaire de *mémoriser* certaines auto-suggestions précises lorsqu'on apprend cette technique. En fait, cela n'est pas nécessaire. Certaines personnes, qui gardent des souvenirs pénibles de leurs années d'école, feraient tout plutôt que d'apprendre par cœur une ligne de texte.

Bien que *cela puisse faciliter les choses,* le fait de mémoriser des autosuggestions n'est pas essentiel au succès de la méthode. Si c'était le cas, je soupçonne que peu d'entre nous prendraient le temps d'acquérir quelque compétence dans ce domaine. Vous découvrirez cependant que certaines autosuggestions se graveront dans votre mémoire de toute façon, que vous fassiez l'effort de les apprendre ou non.

Outre la mémorisation de quelques autosuggestions bien choisies en vue de se reprogrammer, méthode qui, en soi, n'est pas efficace, il existe d'autres méthodes assez simples en apparence, bien qu'aussi inefficaces. Je suis étonné de voir le nombre de solutions miracles qu'on nous propose et qui n'exigent aucun travail personnel.

La programmation consciente, l'outil le plus efficace

Rares sont les tribunes radiophoniques où on ne me demande pas si nous pouvons modifier notre conditionnement par l'«apprentissage subliminal».

La programmation soi-disant subliminale, ou «reprogrammation inconsciente» et sans effort, au moyen de messages d'autodétermination susurrés sur une cassette, représente l'une des méthodes *les moins* efficaces pour changer, tant sur le plan psychologique que physiologique.

Peu importe ce que ses promoteurs veulent vous faire croire, sachez que le cerveau humain ne réagit pas aux chuchotements; il réagit *au programme le plus puissant, le plus catégorique et le plus énergique possible.* Si la programmation subliminale était efficace, ce serait la méthode la plus facile. *Mais le cerveau humain ne fonctionne pas de cette façon.*

La chimie du cerveau réagit aux programmes dominants, *et non* aux programmes silencieux ou aux chuchotements inaudibles. Donc, si vous voulez que vos *nouveaux* programmes prennent le dessus, vous devez y attirer l'attention *tant* de votre esprit conscient que de votre subconscient, *de la manière la plus énergique possible.*

La clé de la programmation de soi est la *répétition* consciente, non pas de programmes inconscients, vagues ou cachés, mais de nouvelles directives énergiques et conscientes. Si vous voulez modifier votre programmation, votre forme d'autosuggestion, vous devez vous *prendre en main.* Aucun message subliminal, quelle que soit sa fréquence, ne le fera *à votre place.*

Nul autre que vous ne peut modifier vos directives intérieures. Pour respecter le fonctionnement du cerveau, vous pouvez suivre certaines étapes pratiques.

Écoutez votre monologue intérieur *inconscient*

Au cours des prochains jours ou des prochaines semaines, chaque fois que vous vous entendrez prononcer une affirmation négative, *intérieurement* ou *à votre sujet,* prenez-en note mentalement ou par écrit.

À votre réveil, demain par exemple, si vous vous entendez dire, tout bas ou à voix haute, «Je n'ai vraiment pas envie de me lever aujourd'hui», écrivez vos paroles. Si, au beau milieu d'un bouchon, vous vous entendez prononcer des paroles comme «Je vais arriver en retard encore une fois», prenez-en conscience. Écoutez votre voix intérieure lorsqu'un problème survient; écoutez ses commentaires incessants à propos de tout et de rien. Quoi que vous vous disiez ou exprimiez à un tiers, s'il s'agit d'une directive négative, écoutez-en les paroles sans les juger et notez-les sur papier.

Après trois semaines, si vous avez fidèlement consigné vos monologues intérieurs négatifs, vous devriez posséder un petit recueil du type d'autosuggestions que vous avez employées dans le passé.

Cette écoute attentive de soi vise à vous aider à prendre conscience de ce que cache votre monologue intérieur *conscient.* Comme nous l'avons appris précédemment, toute forme négative d'autosuggestion que nous nous surprenons à formuler ne représente qu'une seule directive parmi des milliers d'autres semblables qui travaillent activement dans notre subsconscient.

Répétition d'autosuggestions

La meilleure façon de s'exercer à employer les paroles appropriées consiste à répéter un texte composé d'un ensemble d'autosuggestions — comme celles qui figurent dans la deuxième partie du présent ouvrage — se rapportant au but précis que vous désirez atteindre.

Si vous êtes débutant, choisissez un texte qui compte pour vous. Il s'agira de votre premier texte d'autosuggestions complet et il vous suivra pendant les quelques prochaines semaines; vous finirez par le connaître par cœur.

En utilisant ce premier texte, vous n'apprendrez pas seulement *comment* employer l'autosuggestion, mais vous permettrez à votre subconscient de s'exercer en même temps à exécuter vos nouvelles directives. L'une des techniques les plus courantes consiste à écrire ces autosuggestions, celles de ce livre ou de votre invention, sur des fiches.

Pendant les quelques prochaines semaines, ces fiches devraient compter parmi vos amis les plus intimes. Transportez-les dans votre poche ou dans votre sac à main et dans l'auto, et placez-les sur votre table de nuit.

Remplacez «Je suis...» par «Tu es...»

Toutes les autosuggestions énoncées dans la deuxième partie du présent ouvrage sont complètes en elles-mêmes ou font partie d'un groupe d'énoncés écrits à la première personne («*Je suis...*»). Lorsque vous répétez ces énoncés, je vous recommande à l'occasion de remplacer «*Je suis...*» par «*Tu es...*».

Ainsi, l'un des groupes d'énoncés de la deuxième partie se lit comme suit: «*J'ai les idées nettes. Je suis organisé(e). Je suis maître(sse) de moi-même et de ce qui m'entoure. Je ME prends en main!*»

Votre subconscient acceptera aussi ces paroles, mais d'une manière légèrement différente, si vous les répétez en remplaçant le «*Je*» par «*Tu*». Le même énoncé se lirait alors ainsi: «*Tu as les idées nettes. Tu es organisé(e). Tu es maître(sse) de toi-même et de ce qui t'entoure. Tu TE prends en main!*»

La répétition de cette autosuggestion comme si elle émanait de vous-même («*Je*») tout en étant dirigée vers vous («*Tu*») est justifiée par le fait que nous réagissons différemment à l'information qui nous est donnée par un tiers. Nous acceptons mieux les paroles d'encouragement d'une autre personne, parce que, entre autres, cela comble notre besoin d'approbation.

Lorsque vous vous parlez comme si un tiers s'adressait à vous, vous devenez littéralement cette autre personne, vous donnant l'approbation et l'encouragement qu'elle vous prodiguerait.

Les bandes magnétiques que j'ai enregistrées comportent les deux formes d'autosuggestions («*Je suis...*» et «*Tu es...*»). On répète les énoncés individuels trois fois de suite à la première personne, puis la quinzaine d'autosuggestions deux fois, d'abord avec le «*Je*» et ensuite avec le «*Tu*».

Voici comment les énoncés originaux sont formulés et répétés la première fois. À titre d'exemple, nous utiliserons les autosuggestions visant à stimuler son amour-propre, qui figurent aux pages 151 et 152 de la deuxième partie.

Renforcer son estime personnelle

Je suis vraiment unique. J'aime ce que je suis et je suis bien dans ma peau.

Bien que je cherche toujours à m'améliorer et que j'enregistre des progrès quotidiens, j'aime ce que je suis aujourd'hui. Et demain, lorsque je serai encore meilleur(e), je m'aimerai aussi.

Il n'existe nulle autre personne pareille à moi dans le monde entier. Il n'y a jamais eu quelqu'un comme moi avant et il n'y en aura jamais.

Je suis unique, de la tête aux pieds. Il peut m'arriver de ressembler à d'autres personnes, d'agir et de parler comme elles, mais je ne suis pas elles, je suis moi.

Je voulais être quelqu'un, et maintenant je sais que je le suis. Je préfère être moi que toute autre personne au monde.

J'aime ce que je ressens, j'aime ma façon de penser et d'agir. Je m'approuve et j'approuve ce que je suis.

Je possède de nombreuses qualités et de nombreux talents. Je pos-

sède même des aptitudes que j'ignore encore et j'en découvre sans cesse de nouvelles.

Je suis positif(ve), j'ai confiance en moi! J'émets de bonnes vibrations! En y regardant bien, on peut même voir un halo autour de moi.

Je suis plein(e) de vie. J'aime la vie et je suis heureux(se) d'être vivant(e). Je suis une personne très spéciale, qui vit à une époque extraordinaire.

Je suis intelligent(e) et j'ai l'esprit vif, alerte, brillant et amusant. Comme mes pensées sont positives, mon esprit crée des conditions harmonieuses dans ma vie.

Je déborde de vitalité et d'enthousiasme!

Je suis intéressant(e) et j'aime vraiment ce que je suis. J'aime la compagnie des autres et c'est réciproque. Les autres aiment connaître le fond de ma pensée.

Je souris beaucoup. Je suis heureux(se) au-dedans comme au-dehors.

J'apprécie tous les bienfaits que je reçois et tout ce que j'apprends aujourd'hui et que j'apprendrai demain et aussi longtemps que je vivrai.

Je suis chaleureux(se), sincère, honnête et authentique! Je suis tout cela et bien plus encore. Toutes ces qualités font partie de moi! J'aime ce que je suis et je suis heureux(se) d'être moi.

Voilà d'excellentes autosuggestions et elles sont toutes vraies ou peuvent être vraies pour quiconque les lit, les écoute et les intègre à son programme interne personnel. Choisissez-en quelques-unes, remplacez «je» par «tu» et lisez-les comme si vous écoutiez une autre personne.

Lisez-les tout haut, *avec force et rapidité,* tout en vous regardant dans un miroir, si possible. Voilà le nouveau «discours d'encouragement» que vous vous offrez!

Tu es vraiment unique. Il n'existe nulle autre personne pareille à toi dans le monde entier. Il n'y a jamais eu et il n'y aura jamais quelqu'un comme toi. Tu possèdes de nombreuses qualités et de nombreux talents. Tu possèdes même des aptitudes que tu ignores encore.

Tu es positif(ve), tu as confiance en toi! Tu émets de bonnes vibrations! Tu es une personne très spéciale, qui vit à une époque extraordinaire. Tu es intelligent(e) et tu as l'esprit vif, alerte, brillant et amusant. Comme tes pensées sont positives, ton esprit crée des conditions harmonieuses dans ta vie. Tu débordes de vitalité et d'enthousiasme!

Tu aimes la compagnie des autres et c'est réciproque. Les autres aiment connaître le fond de ta pensée. Tu es chaleureux(se), sincère, honnête et authentique! Tu es tout cela et bien plus encore. Toutes ces qualités font partie de toi!

Voilà une de mes formes préférées d'autosuggestions. Elles sont stimulantes et encourageantes, particulièrement lorsqu'on les lit à haute voix ou qu'on les écoute les jours où on a besoin d'une petite tape dans le dos. Et, bien que ces autosuggestions émanent de vous et s'adressent à vous, elles renferment exactement les paroles que certains de vos amis apprécieraient aussi.

Lisez ou écoutez vos autosuggestions

Lorsque vous commencez à pratiquer l'autosuggestion, ou même par la suite, vous pouvez utiliser un magnétophone pour vous aider.

Bien que tous les textes présentés dans le présent ouvrage soient offerts sur cassettes, vous pouvez enregistrer n'importe lesquels d'entre eux sur votre magnétophone, seul ou avec un ami.

Chaque cassette s'accompagne d'un jeu de fiches imprimées. Si vous décidez d'enregistrer vos propres bandes, écrivez chacune des autosuggestions sur une fiche (une par fiche), que vous utiliserez avec votre magnétophone ou que vous lirez si vous ne possédez pas de magnétophone.

Bien sûr, même s'il est facile de commencer à apprendre l'autosuggestion, cela ne se fera pas tout seul. Je me rappelle la fois où un homme m'a avoué que les cassettes qu'il voulait utiliser pour maigrir ne lui avaient été d'aucune utilité. Lorsque je lui demandai quel usage il en avait fait (moment de la journée, fréquence, etc.), il me répondit: «Eh bien! En réalité, je n'ai pas encore eu le temps de les écouter.»

Ni bande, ni livre ne vous sera utile sur une tablette, à part vous rappeler ce que vous auriez pu ou dû faire, si vous aviez simplement pris le temps de vous atteler à la tâche.

Un élément de votre routine

La façon la plus efficace de s'habituer à l'autosuggestion consiste à l'intégrer à son emploi du temps quotidien. Par exemple, tous les matins pendant les quelques premières semaines, et toutes les fois que vous avez besoin d'encouragement, lisez chaque autosuggestion trois fois de suite, à voix haute ou en silence, ou écoutez votre cassette une ou deux fois. Recommencez le soir, de préférence juste avant d'aller dormir.

Autant que possible, suivez ce «régime» quotidien *pendant au moins trois ou quatre semaines*, ou plus longtemps, si les autosuggestions ne vous viennent pas encore naturellement. En effet, nous avons découvert que le subconscient exige un délai *minimal* pour réviser son système de classement et nous réorienter en fonction de son nouveau programme.

La durée varie d'un programme à l'autre et d'une personne à l'autre. Le temps que cela vous prendra pour faire de l'autosuggestion une habitude dépend de vous et de votre situation. Vous saurez si vous vous accordez trop peu ou trop de temps pour accepter le nouveau programme et l'exécuter.

Ce délai est important. L'assiduité que vous mettrez à répéter vos autosuggestions au moins une fois le matin et le soir est également importante, surtout au début.

Certaines personnes apprécient tellement le programme «de démarrage» qu'elles s'empressent de choisir de nouvelles autosuggestions dès le premier programme terminé, afin d'en commencer un nouveau. Ce programme de démarrage peut être utilisé n'importe quand, pour n'importe quelle raison. Il permet à une énorme quantité de directives nouvelles d'atteindre le cerveau *conscient* et le *subconscient* en même temps.

Quand et où s'exercer

On peut pratiquer l'autosuggestion sous toutes ses formes presque n'importe où et n'importe quand. Toutefois, pour qu'elle devienne une habitude, vous devez créer l'occasion de la pratiquer. Si vous l'intégrez à votre routine quotidienne, vous avez de meilleures chances de la pratiquer assez longtemps pour qu'elle commence à produire des résultats. Voici les moments et les endroits où l'autosuggestion est le plus efficace:

1. En se levant le matin.

2. En voiture ou lorsqu'on se rend au travail.

3. En faisant de l'exercice.

4. En marchant, en faisant du jogging ou de la bicyclette.

5. En méditant.

6. En se reposant ou se détendant.

7. En groupe à la maison, au travail, à l'école ou à l'église.

8. Juste avant d'aller dormir.

Si la pratique quotidienne de l'autosuggestion vous paraît adéquate, reconnaissez l'importance de la répétition. Ne faites pas comme cet homme qui n'atteignait pas son but parce qu'il ne s'était pas encore mis à l'œuvre. Si vous voulez obtenir des résultats et atteindre votre premier objectif, qui est de prendre l'habitude de l'autosuggestion, vous devez faire des efforts.

L'une des plus importantes habitudes directrices que vous créerez

Chaque fois que vous pratiquez l'autosuggestion, vous créez une nouvelle habitude directrice qui prendra bientôt le dessus et poursuivra *d'elle-même* votre objectif. L'autosuggestion doit devenir une *habitude* et finir par s'intégrer tout naturellement à votre façon de penser et d'agir.

Comme l'autosuggestion créera l'une des habitudes directrices les plus puissantes en vous, *elle influencera chacune de vos habitudes, les dirigera ou en créera de nouvelles.*

Dans un chapitre précédent, nous avons déjà discuté de plusieurs principes qui régissent le subconscient, dont le suivant: la puissance du programme dépend du nombre de fois où le subconscient reçoit des données identiques ou similaires.

Voilà pourquoi nous pratiquons l'autosuggestion, pourquoi nous avons l'impression qu'elle est efficace pendant ces quelques premières semaines. Nous nous donnons un point de départ. Si nous voulons changer nos habitudes ou notre orientation, nous devons d'abord modifier notre *habitude* de nous programmer au moyen de nos vieilles autosuggestions négatives.

Une fois que nous avons pris l'habitude d'employer la bonne forme d'autosuggestion, nous commençons à changer les vieux programmes qui prévalaient dans notre subconscient et à maîtriser non seulement nos habitudes, mais également tous les aspects de nous-même.

L'objectif de toute une vie

Il faut plus que quelques semaines pour modifier les programmes de toute une vie. Mais si vous êtes décidé(e) à changer, la pratique constante de l'autosuggestion constructive vous lancera sur la bonne voie.

Écoutez votre monologue intérieur. Consignez-le par écrit ou rappelez-vous-en. Puis, changez-le du tout au tout. Choisissez des autosuggestions pertinentes et commencez à les employer. Procurez-vous une cassette sur l'autosuggestion ou enregistrez la vôtre. Inventez vos propres autosuggestions. Prenez conscience de toutes les paroles que vous vous dites dès maintenant et corrigez-les.

Pour bien des gens, la pratique de l'autodétermination deviendra l'objectif de toute une vie. L'idée de prendre en main l'orientation de ses pensées, chaque jour de sa vie, devient exaltante et le jeu en vaut la chandelle. Pour ceux qui veulent retirer le meilleur de la vie, le fait de consacrer quelques semaines à apprendre à se parler à soi-même constitue une étape bien peu exigeante.

Dès que vous aurez commencé à vous autosuggestionner, vous constaterez peut-être, à l'instar de bien d'autres personnes, que votre premier pas — les premières semaines ou les premiers mois de pratique — n'ont fait que vous ouvrir une porte. Si vous persévérez dans vos efforts, vous apercevrez, derrière la porte, des perspectives d'avenir exaltantes et les moyens d'y accéder.

Si vous me demandiez quelle est *la* chose à faire pour obtenir tout ce qu'on veut dans la vie, ma réponse serait simple. Avant de vous conseiller de vous fixer des objectifs, d'étudier les biograpies de gens qui ont réussi ou de lire les théories populaires sur l'amélioration de soi, je vous proposerais de *commencer* par l'*auto*gestion.

Je vous demanderais de lire les quelques pages précédentes traitant des diverses manières d'aborder l'autosuggestion et de mettre en pratique les conseils qu'elles renferment. Puis, une fois le travail terminé, au bout de trois ou quatre semaines, je vous proposerais de recommencer.

Chapitre quinze

L'AUTOSUGGESTION CHEZ SOI

Il est intéressant de constater que l'autosuggestion est souvent pratiquée d'abord par un seul membre de la famille, puis, après une courte période, par les autres. Comme l'attestent bon nombre de lettres que je reçois, le père ou la mère commencent à pratiquer l'autosuggestion, dans un but souvent éloigné de leur vie familiale, et la famille entière finit par leur emboîter le pas.

Fait intéressant, il ressort de la plupart de ces lettres que les autres membres de la famille tendent à adopter l'autosuggestion sans encouragement supplémentaire de la part de l'initiateur. En effet, lorsqu'on voit un proche parent maîtriser sa vie, on veut naturellement en savoir davantage sur la façon dont il s'y prend.

Je connais des familles qui organisent régulièrement des séances d'autosuggestion. Les membres s'assoient ensemble pour lire des autosuggestions à haute voix, écouter des cassettes, écrire leurs pensées, en discuter et partager leurs constatations. Ces séances permettent à la famille ou à chacun des membres d'établir des objectifs. Lorsque les membres d'une famille emploient l'autosuggestion et en discutent ensemble, ils apprennent à reconnaître les habitudes positives et la façon de renforcer son respect de soi.

La plupart d'entre nous pourraient profiter de ces séances d'autosuggestion pour remodeler leurs attitudes et resserrer l'unité de leur foyer. Le fait d'entendre des choses positives sur soi et sur les autres membres de la famille ne peut que nous faire du bien.

119

Des idées judicieuses

Dans certaines familles, les membres écoutent des autosuggestions sur cassettes tout en se préparant le matin, en prenant le petit déjeuner ou en vaquant à leurs occupations quotidiennes.

Dans ces familles, il n'est pas rare de voir même un enfant de quatre ou cinq ans relever une autosuggestion *négative* émise par l'un de ses membres.

Une mère me raconta cette histoire concernant son jeune fils, Éric, qui avait entendu les cassettes d'autosuggestions qu'elle et son mari écoutaient chaque matin depuis environ deux semaines. Éric avait souvent entendu ses parents discuter de l'autosuggestion, mais ceux-ci ne lui en avaient encore expliqué ni la nature ni le but. Un matin qu'elle se hâtait de partir travailler, la mère d'Éric dit: «J'ai l'impression que ça va être une de ces journées!». «Quelle sorte de journée?» demanda Éric. «Une *mauvaise* journée», rétorqua sa mère. La réaction profonde de son fils de cinq ans l'arrêta net: «Si tu dis cela, la journée sera certainement mauvaise.»

C'est un signe positif lorsqu'un enfant reconnaît une autosuggestion négative. Cela signifie qu'il a compris le message, qu'il commence à prendre conscience de ses *propres* autosuggestions et qu'il s'efforce d'en remplacer les termes négatifs par des termes positifs.

L'autosuggestion à la maison

Des personnes qui ont essayé différentes façons d'appliquer les techniques d'autosuggestion à la maison ont formulé d'excellentes suggestions.

Certaines d'entre elles ne sont peut-être pas pertinentes pour vous ou les membres de votre famille, mais d'autres devraient vous être utiles. En effet, elles contribuent à resserrer les liens familiaux et à créer l'unité au sein de la famille.

1. Réservez une heure par semaine à la discussion des objectifs des membres de la famille et voyez comment leurs autosuggestions positives peuvent avoir une influence mutuelle.

2. Passez un moment avec chaque membre de la famille pour discuter de ses problèmes du moment et des autosuggestions susceptibles de l'aider à les régler.

3. Passez un moment, chaque semaine, à écouter ensemble des autosuggestions provenant soit d'une cassette, soit des fiches individuelles rédigées par les membres de la famille pour leur usage personnel.

4. Discutez de vos vieux programmes et écrivez de nouvelles autosuggestions pour les remplacer.

5. Accordez une petite récompense pour la meilleure autosuggestion proposée par un membre de la famille. Assurez-vous que chacun, surtout les enfants, gagne un prix pour couronner ses efforts.

6. Fixez des objectifs familiaux et inventez des autosuggestions que peuvent employer tous les membres pour atteindre ces objectifs.

7. Jouez à un jeu intitulé «Que devrais-tu dire?», dans lequel les membres de la famille expliquent, à tour de rôle, comment convertir une autosuggestion destructrice en autosuggestion constructive.

8. Décrétez un jour de la semaine où personne n'a le droit de prononcer de paroles négatives. Celui qui enfreint le règlement doit exécuter des tâches supplémentaires.

9. Maman et papa, ou l'un des deux, si la famille est monoparentale, passe un jour par semaine à n'exprimer que des commentaires positifs sur chacun des enfants. (Je n'ai reçu aucune suggestion sur la marche à suivre lorque la famille compte plus de sept enfants.)

10. Si vous n'êtes que deux, mari et femme, chacun de vous prendra une semaine par mois pour écrire une liste des dix meilleures qualités de l'autre et les lui lira à voix haute.

11. Attribuez une récompense spéciale au membre de la famille qui peut compléter la phrase «Je m'aime parce que...» de la meilleure façon. Ici encore, toute bonne réponse doit valoir un prix à son auteur.

12. Épinglez sur le babillard familial des fiches portant le nom d'un membre de la famille et les mots «Je suis...». Placez sous cette fiche d'autres fiches comportant des descriptions positives de cette personne, telles que «Je suis... toujours ponctuel(le), intelligent(e), heureux(se), ordonné(e), toujours meilleur(e) en mathématique», etc.

Ces suggestions devraient vous inspirer. À l'heure actuelle, des maris, des femmes, des parents, des grands-parents, des amis et des connaissances sont en train de créer leurs propres façons d'apprendre l'autosuggestion ou l'apprennent à une autre personne.

Leurs méthodes diffèrent peut-être, mais leur but est le même: s'aider ou aider quelqu'un à s'aimer davantage. Lorsque nous apprenons l'autosuggestion, nous voulons que les autres aient une meilleure opinion d'eux-mêmes.

Lorsqu'une famille emploie l'autosuggestion à la maison, dans le cadre de sa vie courante, c'est la prise de conscience de *tous* les membres de la famille qui influe sur la façon dont ils se parlent. Elle modifie la façon avec laquelle ils réagissent face aux embêtements et aux problèmes et dont ils se comportent les uns envers les autres dans chaque situation ou presque.

Bien sûr, les parents sont habituellement les premiers à reconnaître les effets potentiels des propos tenus à leurs enfants. Dès qu'on se rend compte que ses paroles, en particulier si elles s'adressent à des enfants, les programment et influent sur leur avenir, on a tendance à modifier très rapidement certains de ses vieux programmes.

Lorsqu'on comprend les conséquences de ses autosuggestions, on reconnaît qu'il existe une *bonne* et une *mauvaise* façon de parler aux autres. Cette prise de conscience peut donner des résultats positifs à court et à long terme à la maison.

Créer à la maison un milieu propice à l'autosuggestion

Lorsque les membres d'une famille discutent de l'autosuggestion et la pratiquent ensemble, celle-ci entraîne chez chacun des résultats positifs et modifie le *milieu* ambiant, à la maison. J'ai vu des personnes survivre au sein d'une continuelle pagaille: querelles constantes, réactions émotives extrêmes et autres comportements quotidiens anciens, tous des facteurs garantissant stress et tension.

Lorsque les autosuggestions s'améliorent, le milieu familial s'améliore aussi. Tout le monde est plus aimable, mieux disposé à écouter et à régler les problèmes, et chacun aborde positivement les situations et les conflits quotidiens.

Toutefois, même lorsque tous les membres de la famille y participent avec enthousiasme, la pratique de l'autosuggestion ne transforme pas du jour au lendemain la vie familiale en un milieu utopique et sans problème. La vie nous réserve toujours des surprises, et il faut y faire face. Cependant, l'autosuggestion positive influence la *façon* dont nous affrontons toutes les situations de la vie quotidienne.

Lorsque, en tant que membre d'une famille, nous envisageons chaque journée de la même façon nouvelle, avec les mêmes autosuggestions, nous créons un milieu qui favorise l'entraide. Nous faisons face aux problèmes au lieu de faire l'autruche. Lorsque chacun se sent responsable des solutions à trouver, alors la *maison* devient un meilleur endroit convivial.

L'autosuggestion n'est pas la seule façon d'améliorer son milieu familial, mais comme elle stimule le meilleur en chacun de ses membres, elle contribue à créer une façon de penser, d'agir et d'interagir avec les autres qui facilite la vie à tout le monde. Elle vous donne une meilleure chance de réaliser l'objectif pour lequel vous avez à l'origine fondé un foyer.

Imaginez-vous en train de donner aux êtres qui vous sont chers ces cadeaux que sont le respect, la confiance en soi et la responsabilité personnelle. Pouvez-vous imaginer ce que ces présents apporteront à l'enfant qui, un jour, devra dire oui ou non — se tenir sur ses deux pieds — ou céder aux pressions des autres?

Imaginez-vous en train d'offrir à une personne que vous aimez profondément ce qui l'aidera à se sentir mieux dans sa peau, à mieux vous accepter et vous comprendre, vous et les autres, et à prendre des décisions plus éclairées pour tout ce qui touche votre vie *de couple.*

Plus j'approfondis la technique de l'autosuggestion, plus je crois qu'elle constitue le meilleur présent que nous puissions nous offrir mutuellement. Et plus je vois des familles utiliser cette technique, plus je crois qu'elle représente le cadeau le plus important que nous puissions faire aux personnes qui nous sont les plus chères.

Chapitre seize

L'HISTOIRE DES MOTS

Dans la deuxième partie du présent ouvrage, j'ai compilé quelques-unes des autosuggestions les meilleures et les plus efficaces. Que vous les lisiez, que vous les écoutiez sur cassette ou les utilisiez de toute autre façon, rappelez-vous: les mots ne sont que l'étincelle d'où jaillit le feu. Servez-vous de ces énoncés pour démarrer, pour vous encourager à changer ou pour vous améliorer, si c'est ce que vous désirez.

Personne d'autre que vous n'écrira l'histoire de ce que vous êtes, de ce que vous deviendrez ou de ce que vous accomplirez pendant le restant de votre vie.

Nous formons une race humaine de mots vivants. Nous vivons par les mots. Ceux-ci créent bon nombre de nos émotions, nous disent où nous en sommes et nous indiquent la plus grande part de ce que nous savons sur nous-même. Nous avons cru trop souvent que les mots n'étaient que des éléments de phrases écrites dans des livres ou prononcées par nous, des bribes de pensées, regroupées et définies par des caractères alphabétiques qui leur donnent un sens et une structure.

Or, chaque mot que nous entendons, pensons, écrivons ou prononçons est relié à une image et à une signification susceptible d'informer et de stimuler les programmes de notre subconscient. Nos mots nous influencent, *chacun d'eux sans exception*. Ils transportent le souffle de conscience vital qui traverse nos esprits; ils forment l'essence de notre compréhension et de notre progression dans la vie. Notre monologue intérieur nous dit qui nous sommes, ce que nous ressentons et ce que nous devrions faire à chaque instant de notre vie.

Ce ne sont pas les mots en eux-mêmes qui comptent, c'est la nouvelle image qu'ils créent en vous

Nous avons appris qu'en dépit de l'importance des mots qui forment notre monologue intérieur, ce ne sont pas vraiment eux qui importent, mais bien la conscience et les *habitudes* qu'ils créent dans notre esprit. Toutefois, sans les mots, par où commencer?

Je me suis rendu compte, il y a longtemps de cela, qu'on ne peut pas se fier uniquement à l'autosuggestion. Ce ne sont pas les autosuggestions apprises qui comptent, mais bien le fait d'en être conscient, ainsi que les changements durables qu'elles favorisent; l'important, ce sont les images que les mots créent dans notre conscience et notre subconscient par le biais de la répétition. C'est pour cette raison qu'il est primordial d'employer les mots justes pour commencer.

Il est possible que les mots ayant composé notre monologue intérieur dans le passé soient le fruit du hasard. Il n'est pas nécessaire qu'il en soit ainsi pour ceux que nous emploierons demain. Ceux d'entre nous qui apprennent la différence ont le choix. Dès que nous reconnaissons ce choix, nous constatons que notre vie *ne* dépend *pas* du hasard, mais qu'elle est le résultat de nos pensées et des directives claires et simples que nous nous donnons.

Un jour, j'ai reçu une lettre d'un homme qui avait appris à croire des choses erronées au sujet de sa vie et qui se déconsidérait. Il m'écrivait de la prison où il purgeait une condamnation à perpétuité. Il venait d'entendre parler de l'autosuggestion et avait finalement appris, grâce à cette technique, que ce n'était pas le hasard de la *vie* qui l'avait conduit à la prison, mais bien l'image qu'il se faisait de lui-même. Lorsque nous comprenons le fonctionnement du cerveau et la raison de nos comportements, devenir prisonnier de notre propre programmation n'a aucun sens.

Les termes de la confiance en soi

J'ai déjà dit que l'autosuggestion n'avait rien de mystérieux ni de magique. En fait, c'est un procédé plutôt simple, un «premier pas» vers autre chose. Mais elle est véritablement une étape, et une étape importante. Si vous jetiez un coup d'œil aux autosuggestions de ce livre sans en comprendre la signification ou l'usage, elles vous apparaîtraient comme une simple collection de textes, stimulants certes et positifs, pour aborder certains moments difficiles de la vie. Toutefois, les autosuggestions dépassent ce simple stade.

De même que les yeux sont le miroir de l'âme, les mots employés reflètent les messages transmis à notre cerveau. *Nous sommes ce que nous pensons,* et *nos pensées* sont presque entièrement régies par les mots que nous employons.

L'histoire des mots que *vous* employez est en fin de compte votre histoire à vous. Ce que vous vous dites intérieurement influencera en grande partie les circonstances de votre vie. Si vous avez besoin d'un petit remontant en chemin, les autosuggestions contenues dans ce livre devraient vous donner un coup de pouce.

L'image que vous aviez de vous-même dans le passé devient l'image de ce que vous êtes aujourd'hui. Les mots que *vous* décidez d'utiliser maintenant détermineront votre avenir. Dans peu de temps, les mots que vous utilisez aujourd'hui formeront la matière de votre avenir.

Chapitre dix-sept

LA SOLUTION: L'AUTOSUGGESTION CONSTRUCTIVE

L'autosuggestion constructive représente-t-elle donc une solution définitive? L'autogestion, qui découle de l'autosuggestion, constitue-t-elle une solution pratique et nouvelle à nos problèmes? Beaucoup l'affirment. Des chercheurs en médecine, des enseignants, des thérapeutes et des chefs de file dans le domaine du comportement humain ont étudié le principe de l'autosuggestion et affirment qu'il s'agit d'un des outils les plus efficaces pour changer un comportement d'une manière durable. Les témoignages en faveur de l'autosuggestion et de l'autogestion sont trop importants pour ne pas en tenir compte.

On assiste tous les jours à des découvertes sensationnelles ou à des réussites individuelles reliées à l'autosuggestion. Son usage se répand dans toutes les couches de notre société à chaque niveau de comportement.

La cause de l'irrésistible popularité de l'autosuggestion réside dans son *efficacité*. Les résultats sont probants: l'autosuggestion est l'une des techniques les plus puissantes jamais découvertes pour régler les problèmes liés au comportement humain. Et ce n'est pas par hasard; *son efficacité est parfaitement justifiable*.

Si les principes de l'autosuggestion et de l'autogestion sont si populaires, c'est qu'ils sont conformes à ceux qui régissent *naturellement* le cerveau. Un grand nombre des solutions trouvées jusqu'ici n'en étaient pas vraiment, car elles dépendaient trop souvent des antécédents de la personne, de son éducation, de son style de vie, de ses attitudes ou de ses convictions.

L'emploi de l'autosuggestion n'a absolument rien à voir avec nos croyances erronées sur nous-même. Nous sommes tous égaux. Les conséquences de nos directives intérieures ne découlent d'aucun soi-disant système miracle, mais bien de l'activité normale du cerveau humain.

Dans le passé, lorsque nous voulions changer, acquérir une plus grande maîtrise de soi, modifier une de nos habitudes ou atteindre un nouvel objectif, nous étions à la merci d'un ordinateur biochimique et électrique obéissant à des règles inconnues. La compréhension de ce fait constitue l'une des découvertes modernes les plus importantes.

Il y a quelques années, lorsque je commençai à explorer les théories portant sur les relations entre le comportement humain et la chimie du cerveau, je soupçonnais que j'étais sur la bonne voie. Depuis, ces théories ont été vérifiées maintes et maintes fois.

L'effet de l'autodétermination sur le système humain ne relève plus du domaine théorique; il est bel et bien passé au rang des vérités médicales et psychologiques. La relation entre nos pensées et nos réalisations — dans la vie de tous les jours — est passée du domaine de l'hypothèse métaphysique à celui de la certitude scientifique. Le processus physiologique inhérent à l'autogestion n'est plus une théorie, mais un fait.

Cas vécus: quelques exemples de succès

Une professeure qui, comme beaucoup de ses collègues, enseigne l'autosuggestion, m'écrivit pour me faire part des changements remarquables qu'elle avait notés chez ses élèves après quelques mois seulement. Comme elle effectuait des recherches en vue d'intégrer cette technique au programme scolaire de l'école, elle m'expédia une description détaillée des progrès réalisés par chacun de ses élèves.

Des élèves plus lents avaient obtenu de meilleures notes, la classe avait connu moins de «mauvais» jours, certains élèves s'entendaient mieux avec leur famille, d'autres, peu sûrs d'eux, s'estimaient davantage et ainsi de suite. Toutefois, l'expérience d'un des élèves en particulier fut particulièrement révélatrice.

Tout au long de sa huitième année ou presque, Michel avait eu des ennuis. C'était un élève dur, difficile, qui causait des problèmes et échouait en classe. Tout jouait contre lui: son apparence, son attitude, son comportement et son indifférence envers le travail scolaire. Pendant plusieurs mois, il s'était toujours présenté aux activités parascolaires en état d'ébriété. Parce qu'il ne s'aimait pas, Michel illustrait le parfait exemple de l'adolescent difficile.

Les cassettes d'autosuggestions que la professeure présentait à la classe deux fois par jour comportaient des énoncés de base touchant l'estime de soi, la responsabilité personnelle, l'exécution de ses tâches, l'étude et la concentration, l'établissement et la réalisation d'objectifs personnels. Chaque lundi, elle choisissait un nouveau sujet, en discutait avec la classe, puis faisait écouter la même cassette pendant le reste de la semaine.

Imperceptiblement, l'attitude de Michel commença à changer. Il devint plus ponctuel et plus assidu. Il s'intéressa davantage à ses études, et ses notes s'améliorèrent progressivement. Il passa plus de temps à converser avec ses camarades de classe et se lia d'amitié avec d'anciens ennemis.

L'année scolaire terminée, Michel avait étonné son professeur, ses parents, ses amis et la plupart de ses camarades. Il leur réserva cependant la plus grande surprise en paraissant au bal de fin d'année, bien mis, les cheveux taillés et sobre.

Ce qui m'impressionna le plus dans l'histoire de Michel, ce sont les propos qu'il tint à ses camarades: «Je n'ai pas besoin de cet autre truc, dit-il. Avant je ne m'aimais pas, mais maintenant c'est différent.»

L'histoire de Catherine est quelque peu différente. Jolie et compétente, elle exerçait un emploi de comptable dans une agence de publicité, sa carrière progressait et elle gagnait un bon salaire. Elle décida toutefois de quitter son emploi pour fonder une famille. Douze ans plus tard, elle voulut recommencer à travailler, mais elle s'était convaincue qu'elle était devenue laide, obèse et incapable d'obtenir ou de conserver un emploi.

Lorsque je fis sa connaissance au cours d'un séminaire que j'animais, elle semblait posséder le don d'illuminer la pièce où elle entrait. Pendant le séminaire toutefois, elle admit que ses doutes sur elle-même l'avaient empêchée d'atteindre les nouveaux objectifs de carrière qu'elle s'était fixés. «J'ai obtenu quatre entrevues en trois semaines, raconta-t-elle. Je me suis présentée à la première, j'ai annulé les deux suivantes et la quatrième est prévue pour lundi prochain. Je suis ici aujourd'hui pour trouver une façon de stimuler ma confiance en moi de manière à pouvoir passer cette entrevue.»

Comme je crois fermement que l'assurance doit provenir de l'intérieur, je déclarai à Catherine qu'elle s'était peut-être trompée de séminaire. «Tout ce que je peux faire, lui dis-je, c'est de vous montrer ce que vous pouvez faire pour vous-même.» Catherine resta, écouta, revint chez elle et commença à pratiquer l'autosuggestion.

Plusieurs mois plus tard, je reçus une carte de souhaits qui semblait avoir été écrite par une personne différente de celle que j'avais connue. Catherine me racontait qu'elle s'était jetée tête baissée dans l'autosuggestion constructive afin de devenir une «nouvelle Catherine». Elle avait perdu sept kilos de ce qu'elle appelait «le fardeau de mes autosuggestions inutiles», elle avait trouvé un emploi dans une agence de publicité et reçu sa première prime un mois d'avance. Sur le devant de la carte, elle avait écrit: «Je me suis retrouvée!»

Catherine avait marqué un point. Grâce à son autodétermination et à son estime personnelle, elle avait combattu une image d'elle-même tout à fait fausse. La vraie Catherine, la professionnelle séduisante et compétente, n'avait eu besoin que des autosuggestions pertinentes — de Catherine à Catherine — pour refaire surface.

Un certain Noël, je reçus une lettre inoubliable d'un homme de trente-neuf ans qui avait décidé, dix-huit mois plus tôt, que la vie ne valait pas la peine d'être vécue.

Dans sa lettre, Thomas m'écrivait qu'un dimanche soir, ayant décidé d'en finir une fois pour toutes, il avait cherché des balles pour son fusil. «Après trente-neuf ans de lutte, j'avais décidé de mettre un terme à mes jours. Je n'avais plus un sou, j'avais perdu toutes mes amitiés et l'entreprise à laquelle je m'étais consacré pendant treize ans. Tout allait de travers et j'ignorais pourquoi.»

Au moment où Thomas s'asseyait sur le divan pour contempler son avenir qui, comme il l'écrivait, «allait se terminer dans quelques minutes», il m'entendit parler de l'autosuggestion à la télévision. Je disais justement qu'on pouvait, grâce à l'autodétermination, remplacer ses vieux programmes et se donner ainsi la chance de se bâtir un nouvel avenir. Thomas poursuivait ainsi: «J'entendis cette voix qui m'expliquait pourquoi j'en étais arrivé là et affirmait que je pouvais réorienter ma vie de manière à réaliser mes objectifs. Ces paroles suffirent à modifier temporairement ma décision.»

Puis, dans sa lettre sincère et douloureuse par moments, Thomas me décrivait le chemin de son retour à la vie; ce soir-là, il avait commencé à s'inventer de nouvelles autosuggestions, il avait enregistré ses pensées et les avait écoutées à plusieurs reprises. «Les premiers jours furent pénibles, écrivit-il, mais ce que j'entendais commençait à avoir du sens.»

Les nouvelles directives intérieures que se donna Thomas prirent racine et grandirent. Aujourd'hui, non seulement Thomas est-il encore vivant, mais il poursuit une nouvelle carrière et il incite les autres à mener une vie plus belle et plus riche.

L'adolescent qui, en écoutant des cassettes d'autosuggestion, apprend que sa propre estime personnelle peut remplacer l'alcool ou la drogue et la mauvaise conduite ne change pas en vertu du hasard ou d'un accident de sa nature profonde.

La femme qui perd son assurance professionnelle pour la retrouver douze ans plus tard le doit au fait qu'elle a modifié ses pensées et ses convictions.

L'homme qui avait décidé de mettre fin à ses jours avant de surmonter son manque de confiance en lui en modifiant ses instructions intérieures s'est donné un nouvel avenir.

Chacune de ces personnes était prête à essayer la simple méthode qui consiste à remplacer ses vieux programmes par quelque chose de mieux.

Voilà des gens *ordinaires* qui, par le biais d'une modification mineure de leurs directives intérieures, amenèrent des changements extraordinaires dans leur vie. Les milliers d'autres personnes qui ont eu recours à l'autosuggestion et à l'autogestion pour maigrir, modifier leurs habitudes, améliorer leur union, augmenter leurs ventes, organiser leur vie ou améliorer leurs comportements d'une manière étonnante n'ont pas agi ainsi parce qu'elles sont tombées par hasard sur quelque technique nouvelle de croissance personnelle. *Elles ont réussi à changer en mettant simplement à contribution l'un des principes physiologiques les plus anciens et les plus naturels du cerveau humain.*

Un pas presque insignifiant vers une vie significative

La simple notion d'autosuggestion constructive et son objectif, l'autogestion, ont eu des répercussions profondes sur les personnes qui l'ont appliquée dans leur vie. Imaginez ce que nos propres autosuggestions pourraient nous apporter si nous n'avions qu'une chose à faire: les répéter et les adopter comme l'ont fait tant de gens déjà. Si les récentes découvertes sur le fonctionnement du cerveau font progresser les connaissances, nous pourrions bien, nous qui avons la chance d'être vivants aujourd'hui, être les témoins de changements radicaux chez un nombre de plus en plus grand de gens autour de nous.

Nous avons de la chance de vivre à l'époque actuelle. L'idée de l'autogestion commence à s'implanter, car son heure de gloire a sonné. Le principe de l'autogestion est l'une de ces vérités qui touchent une corde profonde à l'intérieur de chacun de nous.

Si nous nous contentons de suivre les instructions et le chemin que nous nous sommes tracé, il se pourrait bien que l'autosuggestion positive et ses méthodes connexes d'autogestion entrent naturellement dans notre vie. Peut-être une forme simple d'autosuggestion sera-t-elle pratiquée et enseignée dans un plus grand nombre d'écoles, dans les livres pour enfants, au travail, dans nos familles et chez nos amis, de manière à s'intégrer à l'environnement naturel de nos foyers.

Imaginez un instant que vous vivez parmi des gens qui ont appris à gérer les ressources incroyables de leur cerveau. Imaginez que vous menez une vie où la peur, le doute de soi, l'insécurité, les émotions non contrôlées et les vieux programmes restrictifs ne font pas la *loi*. Imaginez une génération d'enfants armés des outils susceptibles de leur donner un jour l'armure solide de l'autodétermination, du respect de soi et la fierté de la responsabilité personnelle.

Impossible de prédire ce qu'une seule génération de personnes motivées pourraient réaliser en pratiquant l'*auto*gestion. Quels pas de géant elles pourraient faire! Ceux d'entre nous qui ont observé les effets subtils et merveilleux de l'autogestion dans la vie de certaines personnes ne doutent plus qu'elles pourront accomplir bien plus que nous ne pourrions jamais espérer réaliser nous-même. Nous avons perdu un temps précieux à nous démener avec nos problèmes en raison des programmes accidentels et mal orientés que nous avons acquis dans le passé.

Il est difficile de prévoir ce que nous ferions si nous créions plutôt notre vie en prenant bien en main les directives intérieures conscientes qui déterminent notre avenir.

Découvrez le trésor qui est en vous

Je vous ai raconté l'histoire du coffre au trésor et de son contenu mystérieux. Cette aventure ne m'est pas arrivée uniquement à moi: elle illustre en quelque sorte l'histoire de chacun de nous.

Le paradis terrestre n'existe sans doute pour personne. En effet, il n'y a pas de solution miracle dans la vie quotidienne et je doute qu'il y en ait jamais. Toutefois, j'en suis venu à croire qu'il vaut beaucoup mieux avoir le courage de découvrir le meilleur de soi-même que de le laisser enfoui quelque part dans ses doutes passés. Nous ne trouverons peut-être jamais la perfection — et nous ne devrions même pas la chercher — mais si nous ne prenons pas le temps de regarder ce qui *est* vraiment là, nous courons le risque de ne *jamais* découvrir le meilleur de nous-même.

Il y a au fond de chacun de nous des richesses qui attendent de voir le jour. *Tant que nous n'en serons pas à notre dernier souffle, il ne sera jamais trop tard pour revenir en arrière, trouver le coffre et contempler ses trésors....*

Si vous regardez bien, vous verrez que les mots qui composent votre monologue intérieur recèlent des parties de vous-même qui dorment depuis longtemps.

Les *termes* justes, qui forment des autosuggestions constructives, sont ceux qui *vous* décrivent le mieux. Tous ces mots ne vous conduiront pas vers vos richesses intérieures, mais certains vous révéleront votre *vraie* nature ainsi que votre but *réel* dans la vie. Ils forment comme un album rempli d'images révélant votre vraie nature, des images mentales du trésor que vous recelez au plus profond de vous.

Pour trouver ce trésor, lisez les autosuggestions que renferme la deuxième partie du présent ouvrage. Lorsque vous trouverez les mots qui vous parlent et qui parlent de *vous,* faites-les vôtres. Changez-les, complétez-les, donnez-leur l'énergie de vos propres convictions. Servez-vous-en pour compléter le trésor que vous *êtes* et que vous avez toujours voulu découvrir.

Personne ne peut trouver votre trésor *à votre place.* Personne n'a jamais pu faire ressortir le meilleur de nous-même *à notre place.* Si nous voulons vraiment découvrir notre trésor et l'exploiter, à nous de jouer!

Vous êtes le trésor. À vous de découvrir le coffre, d'en débarrasser le couvercle de la vieille terre du passé, d'en ouvrir la serrure et d'exploiter ses richesses. Vous trouverez peut-être la «solution» que vous cherchez.

Je peux vous donner quelques autosuggestions efficaces pour vous lancer sur la bonne voie. Mais à partir de maintenant, il vous appartient de reconnaître la *vraie* solution et en quoi elle pourrait influencer *chacune des pensées que vous formulerez jusqu'à la fin de votre vie.* L'autosuggestion représente une vraie solution. Une solution fiable. Elle a toujours fait partie de vous. L'autosuggestion, c'est *vous.*

DEUXIÈME PARTIE

Autosuggestions

Les textes que renferme cette section constituent des points de départ. Ce sont des tremplins qui, si vous persistez à les employer, vous feront prendre conscience de vos vieux monologues intérieurs et apprendre des pensées constructives. Une fois que vous aurez inventé vos propres auto-suggestions, vous n'êtes pas obligé de les employer à chaque occasion, mais elles vous offrent une façon pratique de démarrer.

Vous trouverez dans cette section la collection la plus complète, à ma connaissance, d'autosuggestions jamais imprimée. Il ne fait pas de doute que chacun y trouvera son compte.

Trouvez celles qui parlent de *vous* et faites-les vôtres. Lorque vous commencerez à inventer vos propres autosuggestions, elles vous indique-ront les mots et les formulations qui sont les plus efficaces dans votre cas.

Je vous conseille aussi d'employer ces phrases d'une autre façon. Je n'oublierai jamais la période — il y a de cela plusieurs années, à l'époque où j'apprenais l'autosuggestion constructive — où j'avais placé une petite pile de fiches contenant mes autosuggestions sur ma table de nuit. Cer-taines d'entre elles figurent dans le présent ouvrage. Un soir avant d'éteindre, je décidai, presque par hasard, de prendre quelques minutes pour lire ces fiches.

En les parcourant une à une, je fus transporté et sentis naître en moi une nouvelle conviction stimulante.

J'ignorais alors que ma réaction face aux mots que je lisais était plus qu'une réaction émotionnelle; c'était une réaction (chimique) physiologique naturelle face à des pensées harmonieuses et autodirigées.

J'étais *inspiré!* J'avais une *bonne* opinion de moi-même! Je me sentais encouragé, grandi et beaucoup plus sûr de moi que je ne l'étais quelques instants auparavant. Quelques mots seulement pouvaient-ils produire cet effet? J'allais apprendre plus tard que non seulement quelques simples mots — de la bonne sorte — pouvaient nous remonter le moral, mais qu'ils pouvaient également influencer profondément notre santé, nos attitudes et bien d'autres secteurs de notre vie.

Après avoir lu ces textes et trouvé ceux qui vous parlent de vos objectifs, ne vous contentez pas de ranger ce livre, mais ouvrez-le fréquemment à la deuxième partie et relisez-en une page ou deux. Les mots peuvent vous surprendre comme ils m'ont surpris. Ils peuvent vous donner un aperçu de vous qui illuminera votre journée. Face à un problème ou à un but difficile à atteindre, relisez-les. Ils vous permettront de concentrer vos pensées, d'orienter vos objectifs et de visualiser les résultats que vous visez.

Rappelez-vous que les mots vous feront franchir la première étape, qui précède l'acquisition de l'habitude inconsciente, *intérieure* et naturelle d'employer l'autosuggestion positive. Votre vieille forme d'autosuggestion représentait votre ancienne façon de vivre, et il n'y a aucune raison pour que la nouvelle forme ne devienne pas votre future façon de vivre.

Si on m'avait demandé d'écrire un seul livre contenant le meilleur de mes connaissances sur notre moi profond, j'aurais écris *Autosuggestions*. Car les *mots* que nous nous répétons détermineront toujours notre façon de penser et de *vivre*. Ces mots, je voudrais vous les offrir. Avec le temps, j'espère que vous les répéterez sans même y penser.

Chapitre dix-huit

LES DÉBUTS DE L'AUTOSUGGESTION

Ce chapitre renferme la sorte d'autosuggestions qui vous aidera à créer une meilleure image de vous-même puisqu'elles influeront sur vos *attitudes* à votre égard. Trop souvent, nous voulons changer sans d'abord cerner les attitudes qui sont à l'origine de notre problème.

Ces textes vous donneront des directives intérieures qui vous aideront à croire en vous, à vous fixer des objectifs et à les réaliser, à vous prendre en main, et à trouver la détermination nécessaire pour poursuivre votre but avec persévérance. Ils vous parleront de respect de soi et de la façon de faire ressortir la vraie *personne* que cache votre *personn*alité.

Dans les textes suivants, vous trouverez une grande partie de la personne que vous êtes *déjà* et une plus grande partie encore de celle que vous voulez devenir.

Trouvez les autosuggestions qui s'appliquent à votre cas et répétez-les aussi souvent que possible. Plus vous réfléchirez sur la personne que vous voulez devenir, plus vos souhaits ont des chances de se réaliser.

Croire l'incroyable

Le prochain texte, et les nombreux autres qui suivent, est presque universel puisque les mots qu'il renferme s'appliquent à tout le monde. En outre, beaucoup le trouvent particulièrement stimulant, car il renferme le type de directives qui vous aident à commencer la journée ou vous insufflent une dose supplémentaire d'enthousiasme. Ces autosuggestions vous disent: «Si c'est faisable, *je peux le faire*!» Si j'avais à choisir les textes qui semblent *toujours* faciliter le bon déroulement de la journée, je choisirais celui-ci.

Je sais que la notion de grandeur prend naissance dans l'esprit des grands. Je sais que je deviendrai ce que je crois être, alors je crois au meilleur de moi-même!

Je suis pratique, réaliste et je garde les pieds sur terre. Mais je me donne aussi la liberté de vivre en accord avec mes idéaux.

Je ne me limite jamais aux croyances obtuses des autres; je m'ouvre plutôt à des possibilités sans limites.

Lorsque quelqu'un dit: «Je ne peux pas», je réplique: «Pourquoi pas?» Et si quelqu'un dit: «C'est impossible», je rétorque qu'une chose est impossible dans la mesure où on croit qu'elle l'est. Et ma foi inébranlable fait que tout est possible.

J'ai du dynamisme, du courage et de la résistance. J'ai une attitude très positive envers moi-même et envers tout ce que je fais. Je suis pratique et réaliste, mais je crois aussi à la meilleure issue possible dans chaque situation.

Si j'ai souffert d'un manque de confiance en moi dans le passé, j'écarte ce sentiment aujourd'hui. Aujourd'hui est le jour idéal pour me débarrasser de toutes les fausses croyances qui me paralysaient autrefois.

Je sais que j'avance dans la bonne direction; je regarde en avant et jamais en arrière. Comme je suis capable de me concentrer sur une chose à la fois, je me concentre sur mon travail du moment et je le finis!

Rien ne peut m'arrêter aujourd'hui. Si j'ai besoin d'un surplus de détermination, je n'en manque pas! Si j'ai besoin d'un surplus d'énergie et d'entrain, eh bien, j'en ai! Quelle que soit la tâche ou la difficulté qui m'attend, j'ai le pouvoir et la patience de la surmonter.

En ce moment, tout en exprimant ces vérités sur moi-même, je sais que je peux réussir et que je réussis. En ce moment, si je songe au défi qui m'attend, quel qu'il soit, je sais que je peux gagner.

Je garde la tête haute. Je ressemble au gagnant (à la gagnante) que je suis et j'agis, je m'exprime et je pense comme lui(elle)! Chaque fois qu'un problème me fait courber la tête, je me redresse aussitôt! Je m'attaque à mes problèmes et je les résous. La frustration et l'échec me rendent plus fort(e), plus positif(ve), mieux organisé(e) et plus déterminé(e) encore que jamais!

Aujourd'hui, en ce moment même, je suis capable de me faire le cadeau d'une confiance en moi solide et sans faille.

Peu importe ce qui exige le meilleur de moi-même, je peux le faire, je le sais.

Aujourd'hui est un grand jour. Et j'ai tout ce qu'il faut. Alors je choisis de vivre splendidement, dans la joie et l'amour!

Je sais que tout ne dépend que de moi. Rien que de moi! Tout dépend de la façon dont je l'envisage et de ce que j'en fais! Voilà ce que c'est que de réussir. Voilà pourquoi je gagne toujours.

Je me fixe un objectif. Je n'hésite pas et je fonce! Je sais que l'univers regorge de possibilités. Regarde ce que je peux faire, où je peux aller! Regarde ce que je peux accomplir simplement en me disant «Oui» à moi-même!

Regarde ce que je peux faire aujourd'hui! Je suis incroyable... et aujourd'hui est la journée idéale pour le prouver!

Se fixer des objectifs et les atteindre

C'est dommage qu'on ne nous ait pas montré les incroyables résultats que l'on peut atteindre en se fixant des objectifs précis, simples et réalistes. Cette aptitude fondamentale est assez facile à acquérir pour être enseignée aux enfants et elle peut servir toute la vie.

Pourquoi se fixer des objectifs pratiques? Tout d'abord avoir des objectifs nous aide à concentrer notre attention et à définir certaines de nos tâches; ensuite, réaliser ses objectifs a des effets sur l'estime personnelle.

Ainsi, si vous réussissez à obtenir une augmentation de salaire ou à mieux vous organiser, ou que vous gagnez le concours du meilleur vendeur, vous serez sans doute fier de vous. Mais si vous réalisez un objectif que vous avez clairement précisé par écrit, vous méritez une étoile dorée pour avoir accompli ce que *vous aviez précisément entrepris de faire*. Cette étoile dorée s'ajoute à la liste des réalisations qui contribuent à renforcer votre estime personnelle. Vous pouvez dire: «Je voulais le faire; j'ai décidé de le faire; je l'ai inscrit au nombre de mes projets; *et je l'ai fait!*»

Les autosuggestions ci-dessous créent une conscience des objectifs et préparent votre subconscient à intégrer naturellement l'établissement d'objectifs à vos directives intérieures quotidiennes.

Je me fixe des objectifs, je les consigne par écrit et les révise souvent.

Mes objectifs illustrent clairement mon avenir positif — à l'avance!

Je passe plusieurs minutes chaque jour à relire les fiches d'objectifs que j'écris pour moi-même. Je lis mes objectifs chaque matin au réveil et chaque soir avant d'aller dormir.

Mes objectifs sont très précis. Plus ils sont détaillés et précis, mieux je peux les visualiser et faire en sorte qu'ils se concrétisent dans ma vie.

Chaque fois que je désire changer un aspect de moi-même ou obtenir quelque chose dans la vie, je me fixe un but, je l'écris, je le relis chaque jour, je prends les mesures nécessaires pour l'atteindre et j'y parviens.

Mes objectifs constituent la carte routière de mon avenir. Je planifie ma destination, les moyens d'y arriver et le moment où j'y arriverai.

Je réussis lorsque je réalise mes objectifs, mais je réussis également chaque jour, pendant le voyage. Je sais que le succès ne m'attend pas qu'à destination, mais bien à chaque étape du chemin.

J'établis des objectifs quotidiens, hebdomadaires et mensuels ainsi que des buts à atteindre dans une année ou plus.

En établissant des objectifs à court, à moyen et à long terme, je sais où j'en suis aujourd'hui et je donne une orientation positive et active à mon avenir.

Je prends l'entière responsabilité de ce que je suis et de ma destination. En me fixant des objectifs et en m'efforçant chaque jour de les atteindre, je prends en main ma propre destinée.

Je vis ma vie par choix et non par hasard. En établissant des objectifs et en cherchant à les atteindre, je reste maître(sse) de ma vie.

Je prends de la façon la plus consciente et la plus positive possible les décisions relatives à ma vie et à mon avenir.

Chaque fois que je veux apporter un changement ou réaliser quelque chose dans ma vie, je l'écris, j'élabore un plan pour atteindre mon but et je me fixe une échéance. Ainsi, chacun de mes objectifs se change en action.

En consignant mes objectifs par écrit, j'écris en fait le scénario de mon avenir. En suivant un plan d'action précis, je concrétise mes rêves.

Si vous désirez créer un programme d'objectifs simple pour accompagner vos autosuggestions, prenez quelques fiches et inscrivez un objectif précis au haut de chacune d'elles. Sous chaque objectif, écrivez les chiffres 1, 2, 3 et ainsi de suite: voilà les étapes *précises* que vous suivrez pour réaliser cet objectif. À côté de chaque étape, inscrivez la date où vous l'avez exécutée.

Puis, afin de prendre l'habitude de travailler avec vos objectifs, lisez chacune de vos fiches chaque matin ou chaque soir avant de dormir. Comme il vaut mieux ne pas se fixer plus de trois ou quatre objectifs à la fois pour commencer, cela ne vous prendra que quelques minutes pour parcourir vos fiches une ou deux fois.

Je vous conseille d'écouter la cassette contenant les autosuggestions ci-dessous *pendant* que vous lisez vos fiches et réfléchissez à vos objectifs. Commencez par suivre ce procédé pendant trente jours et observez les résultats. Vous resterez sur la bonne voie, accomplirez davantage de choses et renforcerez votre estime personnelle et votre paix mentale.

S'assumer

Apprendre à assumer *personnellement* chacune de ses pensées et de ses actions est fondamental dans toute croissance personnelle. Bien des gens considèrent les autosuggestions ci-dessous comme les plus importantes et les emploient en même temps que d'autres. Voici le type de directives intérieures qui *vous* incitent à vous prendre en main.

Les vieilles autosuggestions qui nous aidaient à fuir toute responsabilité peuvent sembler bénignes en soi, mais voyez la sorte de programmes qu'elles véhiculent: *«Cela ne dépend pas de moi», «Ce n'est pas ma responsabilité», «Je suis incapable de prendre une décision à ce sujet», «C'est bien ma chance», «Ce n'est pas ma faute», «Ce n'est pas juste», «Je n'ai pas voix au chapitre», «Ne me posez pas la question, je ne travaille pas ici», «Ils sont toujours en train de manigancer quelque chose», ou «Je n'arrête jamais».*

Voilà exactement la forme d'autosuggestion qui vous ôte toute responsabilité. Or, il existe une meilleure façon de se parler à soi-même.

Je prends l'entière responsabilité de tout ce que je suis et même de mes pensées.

Je gère les immenses ressources de mon cerveau. Grâce à mes nouvelles pensées positives, je dirige mon monologue intérieur. Je suis le seul (la seule) responsable de ce que je suis, de ce que je fais et me dis sur moi-même. Personne ne peut partager cette responsabilité avec moi.

Je permets aussi aux autres de se prendre en main et je n'essaie pas de prendre leurs responsabilités à leur place.

J'aime être responsable. Il m'appartient d'être moi-même et ce défi me sourit. Je ne permets à personne de contrôler ou de prendre la responsabilité de ma vie ou de ce que j'entreprends.

Ma responsabilité envers les autres est un prolongement de ma propre responsabilité positive envers moi-même.

Je choisis de ne rien laisser au hasard à mon sujet. Lorsqu'il s'agit de moi et de ma vie, je choisis de *choisir*.

Je suis le seul (la seule) à décider pour moi-même. Je ne laisse personne faire des choix à ma place. Je prends l'entière responsabilité de chacun de mes choix et de chacune de mes décisions.

Je respecte toujours les obligations que j'accepte. Je n'accepte pas d'obligations que je suis incapable de respecter.

Je suis digne de confiance et fiable parce que je prends mes propres responsabilités et que je me montre toujours à la hauteur des responsabilités que j'accepte d'assumer.

Il n'y a pas d'«eux» à «blâmer» ou avec qui partager ses responsabilités. Je connais le secret merveilleux de la maîtrise de sa destinée. Je sais qu'«eux» c'est *moi*!

Je reconnais joyeusement que je ne suis pas victime des circonstances de ma vie. Je crée moi-même la vie heureuse que je mène. Je suis l'auteur de mon propre scénario.

Dans ma vie, je suis un(e) gagnant(e). Je ne suis pas la victime, mais le *vainqueur*!

Je n'ai pas besoin d'inventer des excuses, et personne n'est obligé d'assumer mes responsabilités pour moi. Je porte mon fardeau avec joie et fierté.

Chaque jour je reconnais et prends la responsabilité non seulement de mes actes, mais aussi de mes émotions, de mes pensées et même de mes croyances.

Je prends la responsabilité de mes forces, de mon bonheur, de mon attitude positive et saine; de mon passé, de mon présent et de mon futur.

Certaines personnes m'ont écrit pour me dire qu'elles avaient utilisé ce texte maintes et maintes fois avant tout autre, parce que la responsabilité personnelle était le secteur qui laissait le plus à désirer dans leur vie. Fait intéressant toutefois, bien des gens ont souligné qu'ils avaient observé des améliorations dans d'*autres* secteurs de leur vie n'ayant rien à voir — du moins directement — avec la responsabilité.

Sans le savoir, ils soulignaient un point qu'il vaut la peine de se rappeler: lorsque vous vous prenez en main, vous assumez la responsabilité de tout ce qui vous concerne.

Apprendre à dire non

Si vous voulez dire oui au succès, vous devez aussi dire non aux obstacles qui surgissent sur votre chemin.

Apprendre à dire non, c'est plus que décider de *ne pas* faire quelque chose; c'est *apprendre à se fier à son propre jugement*. Lorsque vous vous habituez à faire des choix pour vous-même, vous renforcez automatiquement votre confiance en vous. Avec le temps, il devient de plus en plus facile et naturel de suivre votre propre voie. Les vieilles habitudes et les vieux programmes qui vous incitaient à renoncer et à en faire le moins possible cèdent la place à de nouvelles façons de penser et d'agir. Cela ne signifie pas que vous refusez d'écouter les bonnes idées, mais que la décision finale vous appartient.

Voici des pensées qui vous inciteront à faire des choix judicieux.

✓ **J'aime être la personne que je suis. J'aime ma façon de penser. Je crois en moi et je respecte mes décisions et mes choix.**

✓ **Je me respecte. Je respecte mes valeurs, mes pensées, mes idées et mes actes. Et je me respecte surtout lorsque je suis la voie que je me suis tracée.**

✓ **Je dis toujours non quand c'est la réponse qui s'impose.**

✓ **En ne cédant ni aux exigences ni aux influences d'autrui, je prends davantage conscience de ma liberté et de ma maîtrise de moi.**

Mon temps est important pour moi. Je me garde soigneusement du temps pour les choses qui comptent à mes yeux. Je ne laisse personne me voler le temps personnel et spécial que je me réserve.

C'est lorsque mes propres besoins sont satisfaits que je suis le plus à même d'aider les autres. Prendre soin de moi est une responsabilité que j'accepte et que je respecte.

Je décide moi-même à quoi consacrer mon temps et mon énergie. Ce sont des cadeaux que je réserve et prodigue à ma guise, mais jamais au gré des exigences, des ordres ou des attentes d'autrui.

✓ **Je choisis ma vie et ne la laisse pas au hasard.**

Je ne cède jamais aux pressions ou aux exigences des autres... sauf si des raisons personnelles me poussent à le faire.

Je ne permets à personne de me «vendre» quoi que ce soit contre

mon gré. Je vis conformément à mes propres décisions sans jamais céder devant les pressions ou les talents de vendeur des autres.

Je ne me sens jamais obligé(e) d'accomplir une tâche que je n'ai pas honnêtement choisie. Je dis ce que je pense. Je suis franc(he), direct(e) et honnête. Je sais ce que je veux et où j'en suis, et j'exprime mon opinion clairement et sans hésitation.

⟋ J'ai de la facilité à dire non. J'ai confiance en moi et je suis toujours maître(sse) de ma vie.

⟋ On me respecte parce que je suis moi-même et que je défends mes convictions. Plus je suis courageux(se) et plus je prends mes propres décisions, plus je suis heureux(se).

Détermination et volonté

Bien des personnes vous diront que l'habitude de refuser de céder, même dans les circonstances les plus difficiles, a été pour elles l'acquisition la plus importante qui soit.

Que vous vouliez maigrir, défendre votre opinion, étudier davantage, atteindre un objectif professionnel, améliorer vos relations avec un proche, vous détendre davantage ou réaliser un objectif pratique, votre détermination peut constituer un facteur décisif de votre succès.

Quel bien peuvent vous faire des propos comme: *«Je ne pense pas pouvoir y arriver», «Je suis prêt(e) à tout laisser tomber», «À quoi bon!», «C'est trop difficile pour moi», «Je ne suis pas à la hauteur», «Je suis fatigué(e) d'essayer»* ou *«Je sais que cela ne marchera pas»*?

Comme tout ce qui est valable ne nous est jamais donné sans effort, il se peut que les obstacles que représentent les «droits à verser» en chemin vous découragent ou vous détournent de votre but. Si les obstacles sont un mode de vie, la détermination l'est aussi, avec un peu de pratique.

Je sais que la détermination est l'ultime ingrédient de toute réussite et j'en ai à revendre.

Je m'engage, non pas à moitié ou à peu près, mais bien entier(ère) à réaliser mes objectifs.

Je suis un(e) gagneur(se). Je prends mes décisions moi-même. J'établis mes propres objectifs. Je choisis ma ligne de conduite et mon orientation. Je ne laisse personne prendre mes décisions à ma place.

On pourrait me décrire comme une personne résolue, capable de prendre des décisions, constante, persévérante et déterminée.

Je suis un(e) gagneur(se). J'ai la ferme intention de réaliser mes objectifs. Je les poursuis avec fermeté et persévérance, et je n'y renoncerai pas.

Je suis capable de visualiser mes objectifs dans chacune de mes actions ainsi que le chemin à prendre pour les atteindre. Mon plan est clairement établi et je le suis au jour le jour.

Chaque fois que je me fixe un but précis, quel qu'il soit, et que j'élabore un plan d'action spécifique pour l'atteindre, je ne le quitte pas des yeux et le poursuis avec ténacité.

Ce que les autres appellent «défaite» ou «échec» ne m'arrête pas. Je sais que ce soi-disant «échec» n'est rien d'autre qu'un détour. Alors je le franchis et poursuis ma route.

Aucun échec ne marque la fin de la route pour moi. Je sais que ce ne sont pas les routes qui s'arrêtent, mais bien les gens. Alors je m'assure que mes routes continuent et je continue d'avancer et de gagner.

Comme cela exige de l'énergie, une bonne santé et une attitude positive, je veille sur ma santé mentale et physique.

J'ai une attitude saine face à moi-même. Je m'aime vraiment. Je nourris une image de moi très positive et un profond respect de ce que je suis.

Comme je m'accepte et m'estime, je sais que je mérite vraiment le droit de gagner dans la vie.

Et cela me donne la détermination nécessaire pour gagner, un peu plus chaque jour, de la façon la plus positive et la plus valable qui soit.

J'ai du courage. Je relève les défis avec confiance, sachant que je possède la résistance et la détermination nécessaires pour réussir.

Je suis fortement convaincu(e) que je suis capable de réussir et que je dois conserver une «forme gagnante».

Chaque jour, je vois que je suis déterminé(e) à atteindre tous les objectifs que je me suis fixés dans chaque secteur de ma vie, au travail et dans ma vie personnelle.

Je suis capable d'imaginer que je réalise mes objectifs. Je deviens chaque jour plus positif(ve) et plus décidé(e) que jamais!

Renforcer son estime personnelle

Toutes les autosuggestions contenues dans le présent ouvrage contribueront à renforcer votre estime personnelle. Toutefois, le texte ci-dessous se rapporte directement à cette qualité. Vous pourriez le répéter chaque jour pour le restant de votre vie et vous n'en auriez pas encore assez.

Je suis vraiment unique. J'aime ce que je suis et je suis bien dans ma peau.

Bien que je cherche toujours à m'améliorer et que j'enregistre des progrès quotidiens, j'aime ce que je suis aujourd'hui. Et demain, lorsque je serai encore meilleur(e), je m'aimerai aussi.

Il n'existe nulle autre personne pareille à moi dans le monde entier. Il n'y a jamais eu et il n'y aura jamais quelqu'un comme moi.

Je suis unique, de la tête aux pieds. Il peut m'arriver de ressembler à d'autres personnes, d'agir et de parler comme elles, mais je ne suis pas elles, je suis moi.

Je voulais être quelqu'un, et maintenant je sais que je le suis. Je préfère être moi que toute autre personne au monde.

J'aime ce que je ressens, j'aime ma façon de penser et d'agir. Je m'approuve et j'approuve ce que je suis.

Je possède de nombreuses qualités et de nombreux talents. Je possède même des aptitudes que j'ignore encore. J'en découvre sans cesse de nouvelles.

Je suis positif(ve) et j'ai confiance en moi! J'émets de bonnes vibrations! En y regardant bien, on peut même voir un halo autour de moi.

Je suis plein(e) de vie. J'aime la vie et je suis heureux(se) d'être en vie. Je suis une personne très spéciale, qui vit à une époque extraordinaire.

Je suis intelligent(e) et j'ai l'esprit vif, alerte, brillant et amusant. Comme mes pensées sont positives, mon esprit crée des conditions harmonieuses dans ma vie.

Je déborde de vitalité et d'enthousiasme!

Je suis intéressant(e) et j'aime vraiment ce que je suis. J'aime la compagnie des autres et c'est réciproque. Les autres aiment connaître le fond de ma pensée.

Je souris beaucoup. Je suis heureux(se) au-dedans comme au-dehors.

J'apprécie tous les bienfaits que je reçois, ce que j'apprends aujourd'hui et ce que j'apprendrai demain et aussi longtemps que je vivrai.

Je suis chaleureux(se), sincère, honnête et authentique! Je suis tout cela et bien plus encore. Toutes ces qualités font partie de moi! J'aime ce que je suis et je suis heureux(se) d'être moi.

Se construire une personnalité de gagneur

Votre personnalité est ce que vous présentez au reste du monde. C'est l'image que vous donnez à votre entourage (et à vous-même).

Votre «personnalité» n'est pas innée et ne vous colle pas irrémédiablement à la peau. La plupart des gens doués d'une personnalité remarquable ont travaillé pour l'acquérir. L'opinion que vous avez de vous, ne serait-ce que pendant une journée, peut influencer vos sentiments, vos comportements et vos relations avec les autres, ce jour-là.

Peu importe que votre personnalité soit brillante ou forte à l'heure actuelle, vous voudrez peut-être vous entraîner à afficher la *meilleure*, ne fût-ce qu'une journée ou deux. Certaines personnes ont obtenu des réactions étonnantes (et positives) de la part de leur famille, de leurs amis et de leurs collègues, simplement parce qu'elles avaient pris la peine de travailler leur personnalité pendant un jour ou deux. Quelques jours de travail ne peuvent certes pas changer votre programmation, mais ils vous permettront de voir ce que vous *pourriez* devenir si vous le vouliez.

Si vous voulez que votre personnalité s'améliore de manière permanente, continuez de changer vos vieux programmes en les remplaçant par une meilleure image de vous-même. Dites-vous: *«C'est ainsi que je veux être. Voilà la personnalité que je préfère me donner et offrir aux autres. À partir d'aujourd'hui, voilà ce que je suis!»*

Votre personnalité influera sur la réalisation des nombreuses possibilités qui s'offrent à vous chaque jour pendant toute votre vie. Cette personnalité est *toujours* celle que vous créez dans votre esprit.

Je suis un(e) gagneur(se). Je suis une personne amicale, enthousiaste, chaleureuse et vraie, le type de personne qu'on aime fréquenter.

Les autres m'aiment. Ils apprécient un grand nombre de mes qualités, et par-dessus tout, ma façon d'être avec eux.

Je suis honnête et sincère avec tout le monde. Je traite tous ceux et celles que je rencontre avec courtoisie et déférence.

Je suis attirant(e) de bien des façons. J'attire les autres et j'attire leur intérêt, leur enthousiasme, leur amitité et leur confiance. J'attire le meilleur en chacun, donc je suis attirant(e).

Je respecte les autres et ils me respectent. Chaque personne que je rencontre est importante pour moi. Je crée très facilement un sentiment de confiance et de respect entre les autres et moi.

Je suis d'une nature heureuse. Je m'exerce à regarder la vie d'un œil gai et chaleureux, et je considère qu'elle vaut la peine d'être vécue.

Je m'intéresse sincèrement aux autres et ils s'en aperçoivent. Les autres comptent pour moi et je le leur montre.

Je sais écouter. Je manifeste un intérêt sincère pour les convictions, les pensées et les idées des autres.

Je laisse toujours les autres s'exprimer entièrement et librement. Je me montre attentif(ve) et réconfortant(e) envers mes interlocuteurs.

Je recherche et trouve toujours la «qualité» propre à chaque personne que je rencontre.

Je prends toujours en considération les sentiments des autres. Je suis conscient(e) de leurs sentiments, sensible à leurs attitudes et attentif(ve) à leurs opinions.

Les autres apprécient ma compagnie parce que je fais en sorte qu'ils se sentent bien dans leur peau.

Je fais toujours ressortir le meilleur des personnes qui m'entourent.

Chaque jour, ma personnalité devient plus radieuse et plus forte, et elle révèle encore plus clairement l'esprit positif et optimiste qui m'anime.

Chapitre dix-neuf

AUTOSUGGESTIONS TOUCHANT LES RELATIONS FAMILIALES ET AUTRES

Vous trouverez dans ce chapitre des autosuggestions susceptibles de vous aider à trouver foi et valeur dans votre relation amoureuse, à mieux écouter, à affronter l'intimité d'une manière positive et satisfaisante, et à améliorer vos relations.

Dans un chapitre antérieur, j'ai parlé de la pratique de l'autosuggestion à la maison. En prendre l'habitude et aider les autres membres de la famille à faire de même peut entraîner des résultats remarquables. Une vie familiale heureuse dépend souvent de l'opinion que vous avez de vous-même et des autres. Quelle que soit la qualité de votre vie familiale à l'heure actuelle, le texte qui suit pourrait sûrement l'améliorer.

Un mariage réussi

Peu d'aspects de la vie sont aussi directement touchés par les attitudes, les opinions et les sentiments qu'une relation solide et durable avec une autre personne.

En outre, le mariage peut susciter les plus grandes difficultés tout en nous apportant les plus belles récompenses. Il peut aussi créer presque en même temps l'unité et la différenciation tout en forçant les deux partenaires à faire leur possible pour que leur union réussisse.

Si les mariages sont «faits au ciel», comme on le dit, il semble que le «ciel» nous ait assigné la tâche d'apprendre à être une ou un meilleur «partenaire» (c'est-à-dire une «partie de» l'autre).

Les autosuggestions ci-dessous ne peuvent ni régler vos problèmes d'un seul coup ni supprimer toutes vos frustrations, mais elles vous aideront à édifier et à nourrir votre relation. Aucun mariage réussi, aucune relation stable et durable n'est le fruit du hasard, mais bien celui de l'amour, de la patience, du dévouement, de l'honnêteté, de la compréhension, du soin, de la foi, de l'effort et du soutien.

Les mots ci-dessous ne s'appliquent pas uniquement «aux autres». Ce sont des pensées que vous et la personne que vous aimez pouvez vous appliquer à vous-même.

J'aime le mariage et je profite des nombreux avantages et bienfaits qu'il m'apporte.

Mon mariage est réussi parce que j'y mets du mien. Je ne tiens pas mon succès pour certain et je reconnais les efforts que je déploie pour que mon mariage soit réussi et qu'il continue de grandir.

Mon mariage prouve l'efficacité du travail d'équipe. Je ne suis jamais seul(e) dans la vie, car je fais partie d'une équipe attentive, aimante et réussie.

Je crois que nous devons nous fixer des objectifs, les poursuivre et les atteindre ensemble.

J'éprouve une admiration sincère pour ma(mon) partenaire et cela se voit. Je lui exprime souvent mon admiration et mon approbation, en public et à la maison.

Je respecte le caractère unique de ma(mon) partenaire. J'admire les nombreuses qualités particulières que cette unicité apporte à notre relation.

Je m'estime et je prends la responsabilité d'être moi-même dans ma relation amoureuse.

Je suis aimant(e) et attentionné(e) tant envers ma(mon) partenaire qu'envers moi-même.

J'aime mon apparence et mon état d'esprit, et je désire les préserver.

J'aime la façon dont ma(mon) partenaire me regarde et je sais que son regard reflète mon approbation et le fait que je l'apprécie.

Nous réglons toujours nos désaccords avec compréhension et prévenance.

Je respecte mon mariage et ma(mon) partenaire, et j'essaie toujours de résoudre nos différends de la manière la plus positive possible.

Je suis honnête et sincère, et j'exprime ouvertement mes pensées et mes opinions en tenant compte de celles de ma(mon) partenaire.

Je suis fier(ère) de la manière avec laquelle je communique avec ma(mon) partenaire, avec laquelle j'exprime mes pensées et mes sentiments, et avec laquelle j'entends et comprends chacune de ses pensées et de ses sentiments.

Je ne considère pas le mariage comme une institution servant à dominer l'autre ou à être dominé(e). Je me fie à l'amour, au soutien et aux opinions de ma(mon) partenaire, mais je suis seul(e) maître(sse) de moi-même et de ma vie.

Plus je suis responsable de moi-même, plus je suis heureux(se) dans ma relation amoureuse.

Imaginez que vous pratiquiez cette forme d'autosuggestion seul ou avec votre partenaire, chaque jour ou bien de temps à autre. Je connais des couples qui, à l'occasion de leur anniversaire de mariage, réaffirment leur engagement mutuel en prononçant de nouveau leurs vœux. Imaginez que vous tentiez de conserver la vitalité des espoirs et des rêves de votre mariage, non seulement le jour de votre anniversaire, mais chaque jour de l'année!

La technique suivante peut être très bénéfique, et vous voudrez peut-être l'essayer avec votre partenaire: un soir par mois, lisez les autosuggestions ci-dessus à haute voix et à tour de rôle. Pendant le reste du mois, répétez-les pour vous de temps en temps, ou même chaque jour.

Cela ne vous prendra que quelques minutes, mais vous pourriez jouir de leurs effets jusqu'à la fin de votre vie.

Les parents positifs

Il est bon de comprendre ses sentiments face à ses responsabilités, particulièrement lorsqu'elles sont aussi importantes que celle d'élever des enfants. Les autosuggestions qui suivent visent à créer en vous une attitude saine face au rôle de parent et à vous faire voir ce rôle comme celui d'un «guide» bienveillant pour votre enfant.

Certains d'entre nous utilisent une forme d'autosuggestion plutôt *différente*. Voici quelques exemples de ce que certaines personnes pensent d'une des responsabilités — et d'un des *bienfaits* — les plus importantes qui soient: *«Je ne suis pas fait(e) pour avoir des enfants»*, *«Mes enfants vont finir par me tuer»*, *«Je suis tout simplement incapable d'en parler»*, *«Je n'ai pas le temps»*, *«Parfois, je suis incapable de supporter mes enfants»*, *«Mon plus jeune me cause des soucis constants»*, *«Ils me tapent vraiment sur les nerfs»*, *«Qu'ai-je fait pour mériter cela?»*, *«Ma maison est toujours sens dessus dessous»*, *«Les adolescents sont impossibles!»*, *«Tous mes efforts sont vains»* ou *«Quelle erreur ai-je commise?»*

Les autosuggestions ci-dessous sont d'un autre ordre. Elles vous font prendre conscience qu'être un bon parent est l'un des cadeaux les plus valables que vous puissiez offrir à un enfant et à vous-même. Elles créent une attitude intérieure nourrissante et aimante, et vous encouragent à aider vos enfants à se faire la «meilleure image» possible d'eux-mêmes.

Je suis un parent exceptionnel! J'aime mon rôle de parent et cela transparaît dans toutes les facettes de ma vie.

J'accepte les responsabilités inhérentes au fait d'être parent. Je me montre à la hauteur et les accueille avec plaisir.

J'ai de la facilité à aider les enfants à se voir sous leur meilleur jour possible.

Je crée de l'harmonie et de la joie dans mon foyer.

Je sais écouter. J'écoute toujours avec intérêt, compréhension et

amour. Les enfants savent qu'ils peuvent me parler et que je vais les écouter!

Je suis une personne forte et décidée, mais aussi compréhensive et encourageante.

Je ne recours jamais aux vaines menaces ni aux avertissements aussitôt oubliés. Je n'ai qu'une parole.

Je comprends la différence entre punition, discipline et formation, et je m'efforce toujours de considérer ces éléments dans leur juste perspective.

On peut compter sur moi. Comme je suis fiable et conséquent(e), je contribue grandement à renforcer l'amour et la sécurité dans mon foyer.

J'enseigne les valeurs auxquelles je crois en donnant l'exemple.

Pour moi, chaque jour est une occasion de montrer, par l'exemple, la meilleure façon de vivre ce jour-là.

Je ne critique ni ne déprécie jamais les efforts ou les idées d'un enfant.

Plutôt que d'attendre la «perfection», j'attends le meilleur de ce que mon enfant peut donner.

J'ai tendance à donner des récompenses, grandes ou petites, à toutes sortes d'occasion.

Je ne manque pas de dire à chaque membre de ma famille un mot particulier et positif à son sujet chaque jour.

Je conserve ma bonne humeur et mon enthousiasme.

Mon attitude positive face à mon rôle de parent se reflète dans toutes mes actions.

J'apprécie vraiment le fait d'être un bon parent et de connaître les innombrables joies et avantages que ce rôle m'apporte à moi et à ceux que j'aime.

Apprendre à écouter

Nous entendrions davantage si nous savions écouter. Le fait de *ne pas* écouter entraîne des malentendus et d'innombrables problèmes. Par ailleurs, l'écoute active, vitale et *consciente* peut vous ouvrir l'esprit à une foule de nouvelles façons de prendre votre vie en main.

Je ne connais pas de personnes conscientes, heureuses, maîtresses d'elles-mêmes qui ne sachent pas écouter. Apprendre à écouter, c'est aussi apprendre à développer sa concentration, sa présence, sa perspective, son aptitude à visualiser et à communiquer. Je connais des gens qui ont l'air de ne *jamais* écouter et d'autres qui parlent sans arrêt simplement parce qu'ils sont peu sûrs d'eux.

Des cinq sens grâce auxquels le cerveau recueille des données, la vue et l'ouïe sont les plus importants. La plupart d'entre nous possèdent ces éléments de base et peuvent apprendre à en faire un meilleur usage. Toutefois, les autosuggestions qui suivent portent sur un type d'écoute qui dépasse la capacité physique d'écouter. Elles vous apprennent à «écouter», soit à percevoir, à prêter attention et à concentrer vos pensées sur le moment présent.

Que vous soyez à l'école, que vous présentiez un produit à un client, discutiez avec votre enfant ou votre partenaire ou écoutiez un ami, vous pouvez, si vous le voulez, tourner le bouton de votre récepteur mental, vous mettre à l'écoute, vous concentrer et entendre davantage ce qu'on vous dit vraiment.

Le texte qui suit produit des résultats presque immédiats pour quiconque se donne la peine de l'essayer. Lisez-le trois fois avant votre prochaine réunion, avant d'aller travailler ou juste avant un entretien important. Ses résultats à *court* terme pourraient vous surprendre et ses résultats à long terme, vous apporter des avantages remarquables.

Je sais écouter. Je suis toujours courtois(e), poli(e), attentif(ve) et positif(ve). Je manifeste aux autres un intérêt vif et enthousiaste.

Lorsqu'on me parle, je n'écoute pas que d'une oreille. Je suis toujours ouvert(e) et attentif(ve), peu importe l'identité ou les propos de mon interlocuteur.

Je sais particulièrement écouter les membres de ma famille et les personnes qui me sont chères. Je cherche toujours à les comprendre

lorsque je les écoute. Ma compréhension et l'affection qu'elle reflète contribuent à renforcer le bien-être et le bonheur de mes amis et de ma famille.

Je ne pense jamais à ma prochaine réplique lorsque j'écoute ce qu'on me dit.

J'entends toutes les paroles de mon interlocuteur, et non une partie seulement d'entre elles. Pour moi, écouter ce n'est pas attendre mon tour de parler. Lorsque j'écoute, j'écoute vraiment.

Lorsqu'une personne me parle, je lui montre qu'elle a toute mon attention. Mon visage témoigne de mon intérêt et de l'attention que je porte à sa personne et à ses propos.

Lorsqu'une personne me parle, je recherche une entente et une identité de pensée. Je recherche l'unité de nos buts et de nos objectifs.

Mon visage et ma voix reflètent le fait que j'écoute d'une manière positive.

Les gens sont naturellement plus coopératifs et plus aimables lorsqu'ils me parlent.

Je montre toujours aux autres que je les écoute. Au besoin, je ne manque jamais de répéter leurs idées afin de montrer ce que j'en comprends.

Je suis un auditeur attentif. Je n'écoute pas que pour entendre, mais aussi pour comprendre.

J'écoute également les silences. Ce sont eux qui me parlent le plus.

J'écoute les pensées de mon interlocuteur, mais j'écoute aussi attentivement ma petite voix intérieure. C'est la voix de mon meilleur ami et conseiller, et j'écoute les conseils qu'elle me prodigue.

Je deviens chaque jour de plus en plus versé(e) dans l'art de l'écoute positive. J'aime exercer mes aptitudes à écouter chaque fois que l'occasion se présente, quelle que soit la personne à qui je m'adresse ou que j'écoute, et où que je sois.

Améliorer ses relations personnelles

Le texte qui suit vous donne une image de l'importance des autres ainsi que de la façon dont vous entrez en relation avec eux. Votre façon de communiquer avec les autres est étroitement liée à celle avec laquelle ils communiquent avec *vous*. Votre opinion de vous-même influence toujours celle des *autres* à *votre égard*.

Lorsque vous entrez en rapport avec une personne, vous suivez automatiquement, et la plupart du temps inconsciemment, un «processus» qui commence par l'opinion que vous avez de vous-même. Celle-ci détermine en grande partie votre perception et, par là même, votre comportement à l'égard de votre interlocuteur. Or, votre comportement influence le sien à votre égard, et il est évident que la façon dont cette personne vous traite déterminera la façon dont vous la traiterez en retour!

De manière à obtenir les meilleurs résultats dans ses rapports avec autrui, il convient de partir du bon pied, c'est-à-dire de s'aimer *soi-même* et d'attendre le meilleur de ses relations avec son entourage.

Les gens sont importants pour moi. J'aime les personnes qui font partie de ma vie et je sais qu'elles m'aiment.

J'attire naturellement les personnes honnêtes et sincères qui respectent mes opinions comme je respecte les leurs.

Mes relations personnelles sont chaleureuses, significatives et enrichissantes. Je suis toujours honnête et sincère avec les personnes que je rencontre, quelle que soit la situation ou la relation qu'elles entretiennent avec moi.

Bien que je n'exige pas l'honnêteté chez les autres, je suis toujours honnête dans mes relations avec autrui.

Je crois aux gens. J'accueille chaque nouvelle relation avec foi et acceptation, et je la bâtis avec conscience, confiance et respect.

Je suis capable d'exprimer mes sentiments à l'égard des autres et je me montre patient(e) et compréhensif(ve) lorsqu'ils expriment les leurs à mon égard.

J'écoute lorsqu'on me parle. Je n'écoute pas seulement les paroles exprimées, mais surtout les messages intérieurs.

Je recherche et trouve une qualité valable dans chaque personne que je rencontre. Je tiens les autres en haute estime.

Mon attitude amicale est sincère, et ma sincérité, vraie. Comme j'aime, j'apprécie et j'accepte les autres, ma bienveillance et ma sincérité font partie de moi.

Je suis toujours prêt(e) à accorder aux autres le bénéfice du doute, quelle que soit la situation. En cas d'incertitude, j'imagine toujours le meilleur scénario possible.

Je me fais facilement des amis et j'ai beaucoup de respect pour eux. Mes amis peuvent compter sur moi.

Je suis digne de confiance et responsable, et les autres apprécient grandement ces qualités chez moi.

Je préfère donner qu'exiger et je choisis d'accepter plutôt que de juger.

Je suis chaque jour plus conscient(e) de mes relations avec les autres et de la place importante qu'elles tiennent dans ma vie.

Créer l'intimité

Chacun de nous a le droit de rechercher le contentement dans sa vie et de le créer. L'intimité et le contentement sexuel représentent certainement deux des plus extraordinaires bienfaits que Dieu ait accordés à l'humanité. S'ils n'en étaient pas, je doute qu'Il nous eût également pourvus d'un système psychologique et hormonal aussi axé sur cette facette de notre vie!

Si l'expression physique, intime ou autre de vous-même est assujettie à des limites, vous devez savoir que celles-ci sont presque toujours imposées par votre programmation passée. *Ce que vous avez fini par croire, craindre ou accepter dans le passé n'a rien à voir avec ce que vous pouvez réaliser dans l'avenir.*

Les autosuggestions ci-dessous ont été conçues comme un point de départ qui vous permettra de reconnaître votre besoin et votre droit innés de donner du plaisir et d'en recevoir. Vous pouvez les modifier à votre guise pour qu'elles s'adaptent mieux à votre cas. Prenez conscience du fait que vous méritez de sentir et de réaliser chaque partie de vous-même. Votre sexualité est l'une des facettes les plus délicates, les plus essentielles et les plus valables de votre personne.

Je suis bien dans ma peau, et tous les aspects de ma vie me procurent une grande satisfaction.

Je suis conscient(e) de moi-même. Je crois en mon aptitude à m'exprimer sans réserve sur les plans physique, spirituel et émotionnel.

L'expression intime et sexuelle de mon être constitue l'une des plus grandes joies de ma vie. Je me donne la liberté de connaître le plaisir avec tout mon être.

Je suis une personne chaleureuse, sincère, prévenante et affectueuse. Ces qualités, je les trouve aussi chez les autres.

J'aime toucher et je le fais. Je peux aisément m'exprimer physiquement avec la personne de mon choix.

Je suis un(e) FAMEUX(SE) partenaire! Je sais comment me détendre et nous satisfaire TOUS LES DEUX, tout simplement en étant moi-même!

J'aime donner, mais j'aime aussi recevoir. Je mérite de recevoir une abondance de joies et de plaisirs dans la vie, et je me donne la permission absolue et irrévocable d'en jouir!

Je suis conscient(e) de mes sentiments et de mes désirs les plus intimes. Je possède en moi le fabuleux trésor d'une magnifique intimité.

Je sais qu'il est bon pour moi d'exprimer ma sexualité. Celle-ci constitue une partie positive et importante de mon bien-être total.

Je prends le temps de faire connaître mes besoins à ma(mon) partenaire et de participer à la réalisation de mon bonheur.

J'accorde à mes fantasmes la liberté de vivre dans mon esprit et de renforcer la joie et la beauté de ma relation.

J'aime le corps que je me suis donné. Il fait partie de moi et j'aime être ce que je suis.

Je suis tout à fait heureux(se). Mes expériences intimes sont profondément satisfaisantes et enrichissantes.

Je considère mon être et mon intimité avec enthousiasme et espoir. Je crois que je mérite le meilleur. Je suis digne de ce qu'il y a de mieux et c'est ce que j'obtiens.

Je m'estime et je reconnais que je suis capable de réaliser le potentiel de chaque aspect de mon être.

J'aime ce que je suis et je vis chaque jour dans la liberté de mon acceptation de moi-même et de ma confiance en moi, et dans la joie de m'exprimer pleinement.

Je mène une vie riche et abondante sur les plans physique, spirituel et autres.

J'exprime mes angoisses face à moi-même, puis je les laisse aller.

Chapitre vingt

LA SANTÉ ET LA BEAUTÉ PAR L'AUTOSUGGESTION

On me demande souvent d'écrire des autosuggestions susceptibles de contribuer à améliorer notre forme physique. Ces autosuggestions sont importantes puisque, pour modifier des habitudes physiques subtiles ou même atteindre un objectif aussi important que celui de cesser de fumer ou de maigrir, on *doit* changer la *vision intérieure* que l'on a de soi-même.

C'est parce que certaines de nos tentatives pour changer physique-ment se sont soldées par un échec que la réussite nous paraît impossible. En conséquence, puisque l'objectif visé n'est pas seulement de nature psychologique, mais aussi physique et souvent génétique, le fait de chan-ger d'une manière permanente exige les meilleurs programmes mentaux possible.

L'autosuggestion en soi ne fait pas de miracles; et là n'est pas son but. Mais elle peut améliorer certaines choses. Si vous essayez actuelle-ment de maigrir, de cesser de fumer, de réduire votre stress ou d'atteindre tout autre but physique grâce à une technique efficace, ne l'abandonnez surtout pas. Contentez-vous d'y ajouter chaque jour une bone dose de la nourriture mentale contenue dans l'autosuggestion.

Dans aucun autre secteur de changement personnel, la *répétition* d'autosuggestions n'est aussi importante. C'est lorsque nous sommes confrontés à nos contraintes et à nos habitudes *physiques* que nous avons besoin de tout l'encouragement possible.

Trouvez les autosuggestions qui collent à votre cas ou inventez les vôtres, mais soyez certain de les *utiliser*. Répétez-les encore et encore chaque jour ou lorsqu'un obstacle semble vous ralentir ou vous arrêter. Répétez-les lorsque de vieilles tentations viennent vous hanter ou que vous commencez à perdre votre objectif de vue.

Ce n'est pas pour rien qu'on dit que tout vient avec la pratique: une grande partie de nos actions résultent des schémas *les plus puissants* qui sont imprimés dans notre esprit. Or, comme nous le savons maintenant, ce principe représente le fondement de l'autosuggestion. Voilà pourquoi la pratique itérative, consciente et active de l'autosuggestion joue un rôle aussi important lorsqu'il s'agit de modifier une habitude ou de réaliser un objectif. Pour changer une vieille habitude ou un vieux *modèle* physique, il faut d'abord changer son schéma mental.

Même avec l'aide de l'autosuggestion, la tâche n'est pas toujours facile. Toutefois, si vous les répétez assez souvent et avec assez de force, vos autosuggestions produiront des résultats.

Santé et forme physique globales

Le texte ci-dessous, comme tous les autres qui relient l'attitude mentale à la santé physique, comptent parmi les plus populaires, et cela n'a rien d'étonnant. Le lien entre la santé physique et l'attitude mentale est l'un des sujets d'étude les plus populaires de la recherche actuelle.

Aujourd'hui, bon nombre de médecins enseignent à leurs patients qu'un corps sain dépend d'un esprit sain. Je soupçonne que dans quelques années, les médecins préconiseront de traiter d'abord l'esprit afin de prévenir la maladie.

En attendant, si l'on pense aux Jeux olympiques, aux équipes d'athlètes professionnels et aux programmes de conditionnement physique, il est de plus en plus clair que notre façon de penser (même *pendant* les exercices) influe sur nos résultats.

Il existe une relation évidente entre la santé et la forme physique, et la manière dont on se programme soi-même. Les autosuggestions ci-dessous vous permettront, tout en vous donnant un modèle de base, d'associer vos meilleures aptitudes mentales avec votre meilleur potentiel physique. Elles constituent un concentré d'«*aliments naturels pour l'esprit*».

Je me sens extraordinairement bien! J'ai l'esprit vif et les idées nettes. Je suis en grande forme et j'ai beaucoup d'énergie. J'ai une excellente attitude, je suis organisé(e) et maître(sse) de ma vie.

Je suis conscient(e) de mon corps et de son importance en regard de mon bien-être global. Je fais toujours ce qu'il faut pour conserver une excellente forme physique.

Mon corps est la maison de mon esprit. Il est important que je garde mon corps et mon esprit bien accordés, et prêts à répondre à mes désirs.

J'ai une santé de fer, mais je ne la tiens pas pour assurée. Je suis en bonne santé et fier(ère) du soin que je mets à le demeurer.

Je ne mange et ne bois que les aliments propices à ma santé physique et mentale, et à mon bien-être. Je ne mange ni ne bois jamais plus que de raison et je ne fais rien qui puisse me nuire.

Comme je prends bien soin de moi, j'ai beaucoup d'énergie, d'endurance et de vitalité.

Mes poumons sont propres et forts. Je peux respirer profondément.

Je fais de l'exercice chaque jour et avec plaisir! Je suis impatient(e) d'éprouver le sentiment d'allégresse et de bien-être que me procure l'exercice.

J'écoute ma voix intérieure, qui me dit toujours la vérité sur ma condition physique. Je tiens toujours compte de ses avertissements et de ses conseils.

Je conserve un poids idéal. Cela est facile parce que je fais de l'exercice et que je me nourris d'une manière saine et équilibrée.

Je m'accorde toujours la juste dose de repos et de détente. Je dors suffisamment, et mon sommeil est profond et réparateur.

Chaque matin, je fais en sorte de m'éveiller tout à fait dispos(e) et de bonne humeur!

Lorsque je me regarde honnêtement dans le miroir, j'aime ce que je vois. Je suis fier(ère) des efforts que je déploie pour conserver ma beauté et mon bien-être!

Mon esprit prend bien soin de moi. En lui fournissant des directives intérieures claires, je le conditionne consciemment à conserver mon corps débordant de santé, d'énergie et de vitalité. Mon esprit obéit constamment à mes ordres.

Réduire le stress

Peu de sujets dans le domaine de l'amélioration personnelle ont suscité autant d'intérêt, ces dernières années, que les effets du stress et sa réduction dans la vie quotidienne. La plupart d'entre nous reconnaissent maintenant les conséquences tant physiques que psychologiques d'une forme négative de stress.

Les médecins conseillent sans cesse à leurs patients de ralentir leur rythme de vie, de prendre des congés, de se détendre, d'avoir un passe-temps ou de changer d'emploi. Un femme, prénommée Hélène, m'appela un jour pendant une émission radiophonique. Elle déclara pouvoir régler la plupart de ses problèmes simplement en se réservant du temps pour elle seule. Elle occupait un emploi à temps plein, élevait deux enfants en bas âge, venait de se remarier et essayait de tout orchestrer de son mieux. Elle donnait toute son attention aux autres et ne bénéficiait d'aucun temps de loisir personnel. Pour la citer, elle était «claquée, ne savait plus à quel saint se vouer et voulait tout lâcher».

Je demandai à Hélène: «Comment pouvez-vous faire de votre mieux pour tout le monde quand vous ne prenez même pas le temps de le faire pour vous-même?» Je lui racontai l'histoire d'un entraîneur qui avait eu un accident de voiture. Il refusait de prendre le temps de guérir et essayait de montrer à son équipe d'athlétisme comment courir et franchir des obstacles alors qu'il se déplaçait encore avec des béquilles!

Vous ne pouvez pas faire de votre mieux si vous ne prenez pas d'abord soin de vous. Cela peut sembler égoïste, mais c'est tout le contraire. À moins que vous n'appreniez à vous détendre, à trouver une certaine paix mentale et à recharger vos batteries, vous ne pouvez pas penser, répondre, agir ou faire de votre mieux dans *quoi que ce soit*. Prenez le temps d'éliminer votre stress et vous verrez qu'il provient en grande partie de votre entourage.

De toutes les méthodes de réduction du stress que nous connaissons, l'une des meilleures consiste à éliminer le stress là où il prend naissance, soit dans l'esprit.

Un grand nombre des textes que vous trouverez dans cet ouvrage vous aideront à réduire les causes de stress dans votre vie. Lorsque vous établissez des objectifs, agissez, réglez vos problèmes, faites du conditionnement physique et acceptez la responsabilité de votre rôle dans la vie, vous résolvez d'une manière naturelle un grand nombre de problèmes dus au stress.

Toutefois, la répétition quotidienne des autosuggestions ci-dessous a aidé bien des gens à surmonter les *effets* du stress, tout en leur offrant un moyen de ralentir, de clarifier leurs idées et d'intégrer la relaxation à leur vie quotidienne.

Si vous désirez augmenter votre confiance en vous, refaire vos forces et goûter les bienfaits reliés à l'estime personnelle, voici quelques mots qui, si vous les répétez chaque soir (ou chaque fois que vous voulez vous détendre), vous aideront à contrôler le stress et ses effets.

Je suis calme et confiant(e). Je possède l'assurance tranquille que je vais réussir ma vie.

La relaxation est importante pour moi et je veille toujours à m'en accorder la dose nécessaire. Je prends non seulement le temps de poursuivre mes objectifs, mais également celui de jouir de la beauté de la vie.

Je choisis de ne pas passer ma vie à essayer de répondre aux attentes des autres. Je ne laisse pas les autres m'imposer la pression de leurs exigences sauf si je les accepte.

Je me débarrasse consciemment et inconsciemment de tout le stress destructeur présent dans ma vie. Je permets uniquement aux énergies positives et propices à mon bien-être global de travailler au-dedans de moi.

Je vois ma vie et tout ce qu'elle contient dans la perspective calme et nette de ma conscience et de ma compréhension profondes.

Je possède la paix intérieure. Je vis d'une manière positive et intéressante. J'ai une raison d'être. J'aime ce que je suis, et cela me procure une paix et une assurance encore plus grandes.

Je n'accorde dans ma vie aucune place à la peur. Je suis trop occupé(e) à être heureux(se) pour laisser pénétrer en moi la peur ou les effets stressants qu'elle crée chez les autres.

Je préviens d'avance l'apparition du stress destructeur dans ma vie. J'assume mes responsabilités avec enthousiasme, je fais face aux conflits et les résous, je ne prends jamais d'engagements que je ne peux pas assumer et je respecte mes délais.

Je ne perds jamais de vue mes objectifs à long terme.

Je suis très conscient(e) des milieux qui produisent sur moi un effet de détente. Je crée ce type d'environnement dans bien des secteurs de ma vie.

Je ne laisse jamais de tension destructrice s'accumuler en moi. Je vaincs le stress en m'attaquant à ses causes. Grâce à une perspective à long terme, à des objectifs simples, à des mesures appropriées et à de l'exercice, je me garde consciemment du stress et de ses tensions.

Je maîtrise mes émotions. Je ne me mets jamais en colère sans raison ni ne réagis violemment à quelque situation que ce soit.

Je m'exerce souvent à la détente mentale. Lorsque je veux me détendre complètement, même pour un instant, je me rends en imagination à l'endroit où je sais trouver un sentiment immédiat de paix intérieure.

Je sens la paix que me procure la détente et le contentement. Chaque fois que je répète ces mots mentalement, je deviens plus sûr(e) de moi, plus détendu(e) et je me libère du stress inhérent à tous les secteurs de ma vie.

L'autosuggestion et l'exercice physique

Personne n'a besoin d'une aussi grande dose de motivation que la personne qui veut faire de l'exercice ou persévérer dans un programme de conditionnement physique. Lorsqu'on cherche à s'améliorer *physiquement*, on a besoin de toute la motivation qu'on peut obtenir!

Toutefois, comme la plupart des gens, vous n'avez pas d'entraîneur personnel qui vous encourage et *exige* que vous fassiez des efforts sans jamais vous permettre d'abandonner ou de temporiser, sauf, bien sûr, si vous devenez votre propre «entraîneur».

Écoutez comment certaines personnes «s'entraînent» à faire de l'exercice: *«Je commence, mais je suis toujours incapable de continuer»*, *«J'aimerais faire plus d'exercice, mais je n'en ai pas le temps»*, *«Je n'ai plus l'énergie que j'avais»*, *«Je ne suis plus aussi jeune»*, *«Il faut absolument que je m'y mette»*, *«Je sais que je devrais en faire»*, *«Je remets toujours à demain»*, *«Je ne suis plus du tout en forme»*, *«C'est vraiment difficile de faire de l'exercice»*, *«J'ai mal partout»*, *«Je ne sais pas pourquoi je m'oblige à faire ceci»*, *«Je ne sais pas si je peux continuer ainsi»*.

Faire de l'exercice exige peut-être beaucoup de vous, mais avec cette sorte de programmation, cela n'a rien d'étonnant!

Il existe un meilleur moyen de faire de l'exercice qui ne fera pas disparaître toutes vos souffrances, mais vous fera voir l'exercice d'un œil plus positif. En outre, les autosuggestions qui suivent *vous aideront à persévérer dans vos efforts.* Comme je l'ai déjà dit, *vous* êtes votre *meilleur* entraîneur!

Répétez ces autosuggestions la prochaine fois que vous ferez de l'exercice. Si vous possédez une cassette, écoutez-la en même temps. J'ai appris à *aimer* faire de l'exercice en faisant jouer les autosuggestions ci-dessous sur un fond de musique entraînante.

Je connais bien des personnes en santé qui les écoutent au moyen d'un baladeur tout en faisant du jogging, de la bicyclette ou des exercices dans leur salon. Cela leur donne la motivation immédiate d'un «entraîneur extérieur» tout en créant une programmation plus permanente qui améliore leur bien-être physique *et* mental.

Essayez. Si vous désirez acquérir la meilleure forme physique possible tout en appréciant l'exercice, voici des autosuggestions susceptibles de vous aider à y parvenir.

J'aime vraiment être en forme! Je prends soin de moi-même et je me garde en bonne santé.

J'aime faire de l'exercice. Je sens que je deviens plus fort(e), que ma santé s'améliore et que j'acquiers une forme éblouissante!

Je me fixe des objectifs et je les réalise. Je suis un programme régulier

d'exercice, d'alimentation saine et de repos. Je me garde quotidiennement en forme.

Lorsque je me fixe un objectif, je l'atteins. Je persévère et rien ne peut m'arrêter.

J'apprécie vraiment les effets positifs de l'exercice dans ma vie. Et cela m'encourage encore davantage à faire de l'exercice chaque jour!

Lorsque je sais que je devrais continuer, mais m'en crois incapable, je m'encourage en me disant: «Vas-y, tu es capable, continue, ne t'arrête pas! Ne perds pas de vue ton objectif! Tu mérites de l'atteindre et tu l'atteindras!»

Je m'aime et j'apprécie le fait de prendre le temps de m'occuper de moi-même.

Je suis un merveilleux entraîneur! Je conserve mon enthousiasme et ma motivation, et je fonce!

L'exercice m'est salutaire. Il m'aide à me maintenir en forme et en santé. Il me rend alerte, renforce mon bien-être et me permet de donner le meilleur de moi-même!

Je suis déjà beau(belle), mais j'embellis chaque jour. Je suis fier(ère) de mon apparence physique, de mon sentiment de bien-être, de ma façon de penser et de vivre!

J'aime l'allégresse que me procurent la santé et l'exercice. Le sentiment que j'éprouve en faisant de l'exercice vaut chacun de mes efforts.

J'aime le défi que représente le fait de me mettre en forme et de le rester. Je relève ce défi et rien ne peut m'empêcher de réussir.

Je crée une image mentale de moi-même et de ce que je veux être. J'établis mon objectif, je le visualise, je m'efforce de l'atteindre et je réussis!

Je fais tout ce qu'il faut pour demeurer en santé et en forme, et conserver mon bien-être.

Je fais toujours l'exercice dont j'ai besoin et je ne m'arrête pas tant que je n'ai pas atteint mon objectif, chaque jour et à chaque séance.

Je n'exagère jamais, ni ne me fais du tort physiquement ou d'une autre manière. Je fais exactement la quantité d'exercices qui me convient.

J'ai appris à aimer faire de l'exercice, mais je visualise aussi les avantages qu'il m'apporte dans la vie. Je suis beau(belle), je me sens bien et cela transparaît dans tous mes actes!

J'aime plus que jamais faire de l'exercice. Je possède une détermination incroyable et une grande persévérance. Je fais de l'exercice et j'aime cela!

Chaque fois que je fais de l'exercice, j'ai une meilleure opinion de moi-même. Je suis vraiment fier(ère) du travail extraordinaire que j'accomplis!

Si vous avez déjà essayé de surmonter les obstacles qui vous empêchent d'acquérir la meilleure forme possible, voilà exactement la sorte d'autosuggestions que vous devriez utiliser. Elles vous rappellent l'importance qu'il y a à rester en santé, vous incitent à atteindre vos objectifs, vous motivent et vous révèlent les bienfaits que *vous* créez dans votre vie. Elles sont vraiment efficaces.

Appréciez-les, mais, par-dessus tout, appréciez vos exercices!

Cesser de fumer grâce à l'autosuggestion

La plupart d'entre nous seraient d'accord pour dire que fumer n'a aucun sens. En général, ceux qui n'ont jamais fumé n'ont pas commencé parce qu'ils avaient trop de bon sens. Une fois l'habitude prise, cependant, il faut plus que du «bon sens» pour cesser.

Lorsqu'une personne continue de fumer, c'est que plusieurs facteurs dans le passé ont contribué à rendre cette habitude difficile à perdre. La meilleure façon de cesser de fumer consiste à «diviser pour régner». Voici les principaux facteurs susceptibles d'influer sur cette habitude:

1. Image mentale: vous vous voyez comme un fumeur.

2. Dépendance psychologique: modèle de comportement répétitif.

3. Dépendance physique: accoutumance chimique à la nicotine.

Nombreux sont ceux qui arrêtent de fumer pendant un certain temps, puis recommencent. Souvent, cela est dû au fait qu'ils ont surmonté l'*un* des facteurs, ou même deux, mais n'ont pas reconnu ni réglé les *trois facteurs ensemble.* Certains fumeurs cessent de fumer pendant des mois ou même des années, puis recommencent, bien après avoir perdu leur accoutumance à la nicotine. En effet, la dépendance physique du fumeur envers la nicotine ne dure habituellement que quelques semaines après qu'il a cessé de fumer. Son besoin de fumer n'est donc plus physique à ce moment, mais bien psychologique: le fumeur est esclave d'un comportement répétitif; il se perçoit comme un fumeur.

Se percevoir comme un non-fumeur en santé

Votre aptitude à modifier une habitude dépend en fin de compte des croyances les plus solides que vous entretenez sur vous-même, consciemment et inconsciemment. Si vous continuez de vous percevoir comme un fumeur, il y a de bonnes chances pour que cette conviction se réalise. Par contre, si vous commencez à vous considérer comme un *non*-fumeur, votre subconscient vous poussera à endosser ce rôle.

Si vous fumez, vous avez sans doute déjà eu les pensées ci-dessous :

J'ai essayé d'arrêter, mais j'en suis incapable.

Lorque j'arrête de fumer, je me mets à grossir.

Je fume pour me détendre.

Lorsque je suis avec des fumeurs, il faut que je fume.

J'aime fumer.

Inversez ces affirmations maintenant.

Associées à une alimentation saine et à de l'exercice physique, ainsi qu'à toute autre méthode efficace, vos nouvelles autosuggestions peuvent vous aider à cesser de fumer. Grâce à elles, vous créerez en vous l'habitude *nouvelle* de vous percevoir comme un non-fumeur.

Je ne fume pas.

Mes poumons sont en santé. Je peux respirer profondément.

Prendre soin de ma santé physique est important pour moi. Je me maintiens en santé et je veille à mon bien-être psychologique.

Je ne fume pas et je suis fier(ère) de moi.

J'ai encore plus d'énergie et d'endurance qu'auparavant. J'aime la vie et je suis heureux(se) d'être en vie.

Lorsque je vois une cigarette, ou que j'en imagine une, les mots «je ne fume pas» me viennent automatiquement à l'esprit et je m'abstiens!

Aucune habitude destructrice ne me domine ni ne m'influence. Je suis maître(sse) de moi et de mes actes. Je fais toujours ce qu'il y a de mieux pour moi et pour mon avenir.

J'aime vraiment respirer un air propre et frais, être en santé et entièrement maître(sse) de mon corps et de mon esprit.

Je suis capable d'atteindre le but que je me suis fixé. J'imagine mentalement que j'ai déjà réalisé mon objectif. Je crée cette image, je l'évoque souvent et j'atteins mon objectif!

Je fais régulièrement de l'exercice. Je me maintiens en forme et en santé. Je possède de la vitalité pour toute une vie.

Tous mes sens sont aiguisés. Ma vue, mon odorat, mon ouïe et même mon toucher sont plus éveillés que jamais.

Je ne considère pas du tout la cigarette comme un symbole de puissance, d'intelligence ou de prestige. Je la vois telle qu'elle est et n'y accorde aucune place dans ma vie.

Je me permets de me détendre, de me sentir bien et de respirer profondément, et j'apprécie mon état de non-fumeur en santé quelles que soient les circonstances.

Les autres apprécient ma compagnie. J'ai confiance en moi et je m'estime. Je m'aime et cela est visible!

Il est facile pour moi d'être non-fumeur. Après tout, je suis né(e) ainsi et cet état est naturel pour moi.
Je suis un non-fumeur! *Je ne fume pas.*

Énergie et enthousiasme

Nous reconnaissons parfois que nous nous sentirions mieux et que nous serions plus productifs si nous possédions davantage d'énergie et d'enthousiasme. Or, il n'en tient qu'à nous.

Nous pouvons apprendre à renforcer notre énergie physique et mentale. En créant une *raison* assez puissante pour augmenter notre vigueur, un nouveau *programme* énergétique, nous libérons l'énergie supplémentaire dont nous avons besoin.

Je me sens très bien aujourd'hui! J'ai plus d'énergie que jamais.

Je peux accomplir de grandes choses. Et chaque tâche accomplie me donne encore plus d'énergie!

J'ai beaucoup d'énergie et celle-ci est alimentée par mon intérêt et mon enthousiasme.

J'ai de plus en plus d'énergie chaque jour. Je suis plein(e) de vie, en forme et d'une humeur exceptionnelle!

J'ai la capacité d'atteindre chacun de mes objectifs. Je possède l'énergie et l'enthousiasme nécessaires pour atteindre chacun des objectifs que je me suis fixés.

Plus je me concentre sur mes objectifs et visualise mes réussites, plus j'ai de l'énergie et de l'enthousiasme.

Les défis sont stimulants. Je relève chaque défi avec détermination et dynamisme, et avec la certitude absolue que j'obtiendrai le meilleur résultat possible.

Je suis éveillé(e), conscient(e) et prêt(e)! Je déborde de vitalité et d'ambition. J'exploite chaque possibilité avec dynamisme et enthousiasme.

Je conserve une excellente forme physique. Je me donne encore plus d'énergie en faisant de l'exercice chaque jour.

Lorsque j'accomplis une tâche qui exige un surplus d'énergie, je peux toujours faire appel à mes réserves et j'en ai toujours plus qu'il ne m'en faut.

J'accorde le repos nécessaire tant à mon corps qu'à mon esprit, mais je ne me fie jamais uniquement au repos pour refaire mes forces.

Je stimule mon enthousiasme en conservant un niveau élevé d'intérêt! Plus mes activités m'intéressent, plus je suis enthousiaste. Plus j'ai d'enthousiasme, plus j'ai d'énergie.

Je visualise toujours mentalement le résultat positif de mes activités. Les images de mes objectifs, que je vois clairement en esprit, créent en moi une chaîne d'énergie puissante et constante.

Je programme régulièrement mon esprit à l'aide d'instructions positives visant à me garder en forme et plein(e) d'un enthousiasme juvénile.

Je prends de plus en plus conscience, chaque jour, de mon énergie et de ma vitalité. Je crée une réserve illimitée d'énergie en moi.

S'endormir sans difficulté

L'insomnie est liée à diverses causes. Le problème est parfois physique et doit alors être traité médicalement. Dans bien des cas cependant, on ne s'endort pas parce que quelque chose nous trouble.

Il nous est tous arrivé de connaître l'insomnie en période de difficultés liées à nos relations, à notre travail ou à toute autre circonstance. Certaines personnes règlent ce problème, qui en terminant une tâche qu'elles remettaient sans cesse à plus tard, qui en améliorant leur régime alimentaire, qui en commençant un programme de conditionnement physique.

Comme l'insomnie est souvent liée à quelque autre «problème», les autosuggestions ci-dessous vous aideront à affronter ces problèmes en même temps que celui du sommeil.

J'aimerais souligner le fait que ce texte *n'est pas* hypnotique, mais qu'il renferme des autosuggestions parmi les plus détendantes qui soient. Je vous conseille de le lire ou d'écouter la cassette seulement lorsque vous serez prêt à dormir. Elles vous aideront à vous voir et à envisager votre vie d'une manière calme, saine et rassurante.

J'ai été étonné de voir le nombre de personnes qui m'ont demandé d'enregistrer un texte complet d'autosuggestions portant sur l'insomnie qu'elles pourraient écouter pour se détendre et s'endormir.

J'ai donc enregistré une cassette des plus inhabituelles, pas vraiment «inspirante», mais plutôt doucement persuasive. C'est votre moi le plus tendre qui vous borde et vous souhaite bonne nuit. J'ai fini par l'écouter moi-même lorsque le sommeil tardait à venir.

Voici quelques-unes des autosuggestions enregistrées sur cette cassette.

C'est l'heure de dormir. C'est le temps pour moi de me reposer.

Je suis prêt(e) à me relaxer. La journée a été merveilleuse, mais j'ai besoin de dormir maintenant.

J'ai l'esprit tranquille. Je suis confiant(e), détendu(e) et en paix avec moi-même et avec ma vie.

J'aime la paix tranquille que je crée dans mon esprit.

Ma vision de la vie me procure un sentiment d'équilibre. Je vois les choses telles qu'elles sont et leur accorde l'importance qu'elles ont dans ma vie.

J'ai appris à me détendre. Je me détends en me donnant la permission d'écarter toute pensée susceptible de me causer du souci.

Je me relaxe physiquement et mentalement. Je me laisse flotter dans un sentiment rassurant de paix et de contentement absolu.

Lorsque je veux dormir, je visualise un lieu de paix parfaite dans mon esprit. Je le vois, le sens et me repose dans la sécurité complète qu'il me procure.

Juste avant de m'endormir, je tends puis détends chacun des muscles de mon corps, en commençant par les pieds et en remontant progressivement. Je débarrasse chaque muscle de sa tension.

Je suis calme, détendu(e) et prêt(e) à m'endormir.

Je mène une vie heureuse. Je mérite de me reposer et de dormir, libre de toute inquiétude et rempli(e) de l'assurance tranquille que demain sera encore plus beau.

Je suis en paix avec moi-même. Je ne laisse monter en moi que les pensées qui approfondissent ma tranquillité et ma détente.

J'éprouve une grande satisfaction. J'aime la paix physique et mentale que je ressens.

Je suis content(e) de moi. Ma vie se déroule d'une manière ordonnée et j'en suis le(la) maître(sse). Je m'endors facilement et naturellement d'un sommeil réparateur.

Je suis détendu(e). Il fait bon vivre. Ma vie est harmonieuse.

Je me sens bien quand je dors. Le sommeil libère complètement mon esprit.

Je chasse consciemment de mon esprit toutes les pensées inutiles et les laisse flotter doucement hors de mon esprit. Si elles sont importantes, j'y réfléchirai une autre fois. Mais pour l'instant, je laisse mon esprit se reposer.

Je suis sur le point de m'endormir.

Bonne nuit, mon ami(e). Dors bien.

Maigrir grâce à l'autosuggestion

Ayant reçu de nombreuses demandes de la part de personnes désireuses de maigrir, de moins manger entre les repas, de modifier leurs habitudes alimentaires et de maintenir le poids obtenu, je présente ici une longue liste d'autosuggestions sur ce sujet.

Le recours à l'autosuggestion dans le but de maigrir est l'une des facettes de cette technique qui suscite le plus grand intérêt. Les émissions de télévision que j'anime sur ce thème m'ont valu littéralement des milliers de lettres et d'appels téléphoniques provenant d'auditeurs désireux d'en apprendre davantage.

La réduction du poids constitue en outre l'un des secteurs où l'autosuggestion produit les *résultats* les plus évidents: en effet, il suffit de se regarder dans un miroir ou de se peser pour les constater. Toutefois, malgré les nombreux succès remportés par les personnes qui ont modifié consciemment leurs directives intérieures afin de maigrir et de conserver le poids voulu, sachez que seule la persévérance peut vous apporter les résultats escomptés.

J'ai enregistré une série complète de huit cassettes renfermant des autosuggestions portant sur la réduction et la conservation de son poids. J'ai reproduit ici plusieurs autosuggestions tirées de ces cassettes. Voici l'une des nombreuses facettes de l'autosuggestion que j'ai eu de bonnes raisons d'exploiter moi-même dans le passé. En effet, j'ai pu constater avec bonheur — ou plutôt avec «enthousiasme» — que ces autosuggestions m'avaient aidé à résoudre un problème de poids que j'avais mis plusieurs années à créer.

J'ai pu constater aussi les effets de ces mêmes autosuggestions sur de nombreuses autres personnes. Je suis persuadé qu'en les employant d'une manière adéquate, qu'en y mettant le temps et la détermination voulus, vous obtiendrez les mêmes résultats.

J'ai une mine superbe et je me sens bien! Avoir bonne mine et se sentir bien dans sa peau, voilà l'une des nombreuses récompenses que me procure le fait d'être mince et en forme — et je fais tout pour le rester!

Je me prends en main. Moi seul(e) décide de mon apparence physique, de mon poids et de la façon dont je me sens.

Je mange uniquement les aliments qui sont bons pour moi.

Je ne mange jamais plus que de raison. Je connais la quantité de nourriture qu'il me faut et je suis fier(ère) de moi parce que je mange bien, que je suis raisonnable et que je n'ai jamais eu meilleure mine!

J'aime manger moins. Bien que je sois toujours bien nourri(e), j'aime vraiment manger de petites portions et avoir peu d'appétit.

Lorsque je m'attable, je me dis toujours: «Je vis mieux quand je mange moins.»

Je mange uniquement les aliments qui me sont salutaires et qui m'aident à conserver le poids voulu.

Je choisis d'être en santé, plein(e) d'énergie et attirant(e). Je veille à pouvoir porter les vêtements que j'aime. J'y pense chaque jour et j'améliore chaque jour ma forme physique!

Je sais que mon apparence, mon poids et mon bien-être ne dépen-

dent que de moi. Je fais tout le nécessaire, chaque jour et à chaque instant, pour créer le moi que je veux vraiment être.

Commencer à maigrir

J'ai décidé de me prendre en main et de prendre en considération mon apparence physique et mon poids.

Je sais que je dois d'abord commencer par croire en moi-même, prendre ma vie en main et me voir tel(lle) que je veux être.

Je sais que mon poids dépend uniquement de la façon dont je me vois et de ce que je me répète à moi-même. J'ai appris à me voir devenir mince, en forme, en santé et très heureux(se).

Je commence chaque journée en me concentrant sur la nouvelle personne que je veux devenir. Je me fixe des objectifs, je les révise, je me vois en train de les atteindre et je les atteins!

Il est facile pour moi de commencer. Je fais le nécessaire pour atteindre et conserver le poids que je désire.

Je suis prêt(e) à payer le prix nécessaire pour avoir bonne mine et me sentir bien dans ma peau. Après tout, j'en suis digne!

Je m'aime déjà mieux. En changeant, j'entraîne aussi des changements positifs et valables dans ma vie.

Plus j'écoute mon nouveau moi, plus je reconnais que j'ai toujours été ainsi.

Moins manger entre les repas

Je possède de la volonté, de l'assurance et une grande maîtrise de moi-même. C'est moi qui décide ce que je mange, quand je mange — pendant et entre les repas!

À l'heure du goûter, je choisis des aliments légers, nourrissants et sains.

Je ne mange plus entre les repas par simple habitude ni ne remplace les repas par des goûters intempestifs. Je prends désormais des repas réguliers et mange juste une quantité suffisante d'aliments sains.

Je ne mange jamais entre les repas pour apaiser mon anxiété, ma nervosité, ma tension ou ma solitude. Je règle mes problèmes en les reconnaissant et en y travaillant, mais je ne remplace jamais les solutions par des goûters.

Je ne mange plus pour passer le temps ou pour m'occuper tout en lisant, travaillant, parlant, me relaxant ou regardant la télévision.

Chaque jour, je parviens à moins manger entre les repas. J'ai pris la saine habitude de réussir à réduire mon poids. Je suis un(e) gagneur(se) et je le prouve chaque jour!

Au moment de passer à table

À la maison ou à l'extérieur, j'aime bien manger de petites portions.

Je n'éprouve jamais le besoin de finir mon assiette. Je ne mange que la quantité nécessaire, pas une bouchée de plus.

Réduire les portions et les bouchées est une façon facile et efficace de maigrir.

En commandant de plus petites quantités de nourriture quand je mange à l'extérieur et en me servant de plus petites portions à la maison, je prends conscience de l'importance qu'il y a à poursuivre mon objectif.

Lorsque je m'attable pour manger, je ne laisse personne m'influencer, me tenter ni me décourager d'une façon négative. J'apprends à dire non à la nourriture et oui à mon succès.

Ne pas reprendre le poids perdu

J'ai perdu le poids que je voulais perdre et je veille à ne pas le reprendre.

Conserver mon poids est facile pour moi maintenant. J'ai appris à bien manger, à faire davantage d'exercice et à conserver un esprit et un corps sains.

Mon cerveau m'aide automatiquement à conserver un poids idéal. Il travaille pour moi sans effort et sans faute.

J'ai pris l'habitude de penser, d'agir et de vivre d'une nouvelle manière plus saine! Je n'éprouve plus le besoin de trop manger ou d'agir d'une manière propre à me nuire ou à m'ôter la liberté que j'ai obtenue en réalisant mon objectif.

Je pense, agis, sens et vis différemment. Je me vois d'une manière tout à fait nouvelle, je suis en forme et attirant(e).

Lorsque je me trouve dans une situation qui dans le passé m'aurait fait grossir, je me dis immédiatement : «Je n'en ai pas besoin et je choisis de ne pas en manger. J'ai perdu du poids et je refuse de le reprendre!»

Chaque jour, au lieu d'augmenter mon poids, j'augmente mon estime personnelle!

D'autres autosuggestions, qui n'ont pas été créées spécifiquement pour la réduction de poids, peuvent également être bénéfiques. Ainsi, vous voudrez peut-être répéter certaines des autosuggestions portant sur l'estime personnelle, la détermination ou la réalisation de nouveaux objectifs. En utilisant ces autosuggestions supplémentaires, non seulement vous vous donnez un moyen de régler votre problème, mais vous vous efforcez aussi de remédier à certaines *causes* possibles de ce problème.

Chapitre vingt et un

AUTOSUGGESTIONS POUR LE TRAVAIL, LA CARRIÈRE ET LA GESTION

Pendant les soixante premières années de notre vie, chacun de nous passera environ vingt ans à grandir, vingt à dormir (huit heures par nuit pendant soixante ans) et vingt à travailler. À mon avis, ces vingt années de «travail» sont sans doute les plus satisfaisantes ou les plus frustrantes de toutes.

Notre travail influence presque entièrement la façon dont nous passons le reste de notre temps. Il influence notre mariage ou nos relations personnelles et familiales, le foyer que nous bâtissons, la somme de temps libre dont nous disposons et ce à quoi nous l'occupons et enfin, la manière dont nous passerons nos années de soi-disant «retraite», ces années où nous devrions soi-disant nous détendre et goûter les bénéfices de notre dur labeur.

Entre temps, notre travail détermine en grande partie notre degré de satisfaction personnelle, la manière dont nous saluons chaque journée avant de nous rendre à l'endroit où nous en passons le tiers, et le sentiment que nous éprouvons de retour à la maison.

Je m'intéresse toujours à l'occupation des personnes que je rencontre et je suis toujours étonné de voir le nombre de celles qui me parlent de l'emploi qu'elles *aimeraient* occuper, si elles le *pouvaient*. Le plus intéressant, c'est que rien n'empêche la plupart d'entre elles d'exercer le type d'emploi qu'elles désirent, à condition qu'elles *le veuillent vraiment.*

Le succès personnel, professionnel et financier grâce à l'autosuggestion

Si vous n'êtes pas satisfait de votre travail ou de votre carrière, vous voudrez sans doute le modifier. C'est pourquoi je vous offre ici des autosuggestions susceptibles de vous aider à prendre une décision. Les autres autosuggestions contenues dans le présent chapitre vous aideront à améliorer le déroulement de votre carrière. Grâce à elles, vous pourrez obtenir une plus grande liberté financière et mieux gérer vos revenus. Vous trouverez quelques bons mots sur le risque, des énoncés destinés aux vendeurs ainsi que certains excellents textes qui vous aideront à mieux gérer votre personnel, à prendre des décisions et à perfectionner votre «image» professionnelle.

Améliorer sa carrière

C'est vraiment lorsqu'on change d'emploi ou qu'on modifie l'orientation de sa carrière qu'on a le plus besoin d'avoir confiance en soi.

On traverse souvent alors des périodes d'incertitude et d'insécurité. L'avenir ne recèle aucune promesse autre que celles qu'on se fait à soi-même. Votre attitude et votre détermination vous aideront à passer au travers et vous donneront les meilleures chances de réussir.

J'aime chercher et trouver de nouvelles possibilités dans ma vie.

Je vois tout changement de travail ou de carrière comme une occasion de réaliser mes objectifs. J'ai une opinion positive de moi-même et je me sens bien dans ma peau. Je suis clair(e), calme, confiant(e) et maître(sse) de moi.

Je suis conscient(e) de ma valeur. Je sais que je suis digne de réussir dans toutes mes entreprises et que je mérite les récompenses qui découleront de mes succès.

Je suis toujours conscient(e) de mes talents, de mes aptitudes et de mes capacités.

On pourrait me décrire comme une personne forte, compétente, accomplie et confiante.

Je sais que je peux accomplir tout ce que je veux dans la vie. Je ne compte sur personne pour atteindre mes objectifs à ma place. Je choisis le chemin qui me convient le mieux, j'établis mes objectifs et je fonce!

Je suis le(la) seul(e) maître(sse) de ma vie, de moi-même, de mes pensées et de mes actes. Ma vie m'appartient et j'assume la responsabilité de mon succès.

Je conserve une attitude positive. Je ne nourris que des pensées optimistes, encourageantes et motivantes.

Je ne laisse jamais un «non» m'arrêter ou même me ralentir. Je me dis oui à moi-même et c'est ce qui compte.

J'évalue souvent mes talents et je m'assure toujours de posséder les nouvelles aptitudes nécessaires pour exploiter les possibilités d'avancement qui s'offrent à moi.

Je ne me sens jamais lié(e) à un travail ou une carrière qui ne m'est pas tout à fait bénéfique.

Je ne vis pas en fonction des ordres, des exigences ou des pressions d'autrui. Je fais mes propres choix et je sais ce que je veux. Je suis toujours ma propre voie.

Je veille à ce que mes proches comprennent mon orientation, mes objectifs, mes besoins et mon engagement. Leur compréhension et leur appui renforcent mon dynamisme et mon enthousiasme.

Je possède une grande détermination. Je sais que rien ne peut m'arrêter excepté moi. C'est pourquoi je ne cesse jamais d'avancer.

Je regarde en avant et jamais en arrière. Je m'efforce de me créer un avenir lumineux, positif et heureux. Je sais où je vais et je progresse rapidement.

Si vous songez à changer d'emploi ou à modifier votre schéma de carrière, je vous conseille d'utiliser d'autres autosuggestions utiles, par exemple «Croire l'incroyable», «Courir des risques positifs», «Se réaliser» et «Se libérer des tracas».

Votre avenir dépend en grande partie de l'image de vous-même que vous créez dans votre subconscient. À vous de créer l'image du succès que vous convoitez. Si vous désirez modifier votre carrière, voilà le meilleur moment de vous parler et d'employer quelques-unes des autosuggestions les plus positives de toutes.

Courir des risques positifs

Il est intéressant de constater que le terme «risque» n'a pas de connotation positive dans notre langue. Or, sans risque, on n'obtient ni progrès ni croissance personnelle.

Dans les autosuggestions ci-dessous, nous considérons le risque *positif* comme un bienfait, une occasion de progresser, d'exploiter de nouvelles avenues et d'obtenir de nouvelles gratifications.

J'ai le courage de faire le nécessaire pour arriver là où je veux.

Je réduis les risques liés au fait de courir des risques en me renseignant le plus possible à l'avance. Puis, une fois ma décision prise, je franchis chaque étape avec la détermination de réussir.

Ma voie est un lumineux chemin de soleil et de promesses. Je le parcours avec une anticipation joyeuse. Lorsque je cours un risque nécessaire, je regarde en avant, anticipe le meilleur et évite de me retourner.

J'ai confiance en moi et en mes rêves. Je possède les aptitudes nécessaires pour atteindre tous les objectifs que je me suis fixés.

Je transforme les risques et les hasards en stratégies bien planifiées qui favorisent mon succès.

À mes yeux, un risque positif constitue la première étape d'une récompense. Il me conduit vers le succès et m'ouvre la porte sur de nouvelles possibilités.

Je vois les risques d'un bon œil. Ils constituent un élément positif de toute réalisation et je les accepte avec la certitude de pouvoir les affronter avec succès.

Chaque fois que je cours un risque, j'élabore avec soin un plan qui m'aide à l'affronter. Je réduis chaque risque aux étapes d'un plan d'action et m'assure d'obtenir le meilleur résultat possible.

Je vois le fait de courir des risques comme le prix que je suis prêt(e) à payer pour les nombreux bienfaits que je reçois en échange.

Comme je sais que les risques représentent souvent des possibilités, je nourris envers eux une attitude prudente et constructive.

Je suis toujours prêt(e) à courir les risques nécessaires à la réalisation de mes objectifs.

Je cours des risques positifs qui me procurent toujours les récompenses convoitées et contribuent à ma santé et à mon bien-être.

Tout risque que j'accepte de courir constitue une nouvelle force salutaire dans ma vie. C'est un défi et un but valable... et un nouveau succès en gestation.

Je n'accepte de courir que les risques qui m'insufflent une énergie encore plus positive et contribuent à mon bien-être et à celui des personnes qui me sont proches.

Chaque fois que je lis ou que j'entends ces mots, je prends davantage conscience des possibilités qui s'offrent à moi et réaffirme ma détermination d'en tirer le meilleur parti possible.

Liberté financière

Il semble exister une règle cachée selon laquelle nous ne gagnons ou n'épargnons que ce que nous *croyons* mériter. Votre valeur *nette* est directement proportionnelle à votre estime *personnelle*.

Lorsque vous commencez à prendre de la valeur à vos yeux, vous augmentez votre revenu *potentiel*; en effet, il existe une relation directe de cause à effet entre votre façon de penser et votre revenu.

La personne qui se croit destinée à tirer le diable par la queue toute sa vie connaît presque toujours un piètre succès financier. Par contre, celle qui croit mériter mieux dans la vie enregistre toujours des revenus plus élevés.

Pour améliorer votre revenu et trouver une certaine liberté financière, vous devez respecter plusieurs «conditions»:

1. Dites-vous qu'il n'y a rien de mal à gagner le salaire que vous aimeriez vraiment gagner et acceptez le fait que vous méritez ce salaire.

2. Dites-vous que l'argent — ou les avantages qu'il procure — est bon, valable et qu'il est le produit naturel de vos efforts.

3. Dites-vous que vous êtes prêt à travailler pour gagner ce salaire. Aucune ressource financière n'est durable sans engagement ni travail ardu. Les histoires relatives aux «millionnaires instantanés» sont rarement fondées et leur dénouement, presque toujours inconnu.

4. Dites-vous que vous êtes prêt à gérer l'argent que vous gagnerez.

La plupart d'entre nous *peuvent* jouir d'une plus grande liberté financière que celle qu'ils se sont permis d'accepter dans le passé. Rien ne vous empêche de vous libérer de vos soucis financiers, sauf peut-être vos convictions à votre égard.

Je gagne bien ma vie! Je me dirige vers une réussite et une indépendance financières encore plus grandes.

Je gagne facilement de l'argent. L'argent est une des récompenses que j'obtiens en échange d'un travail bien fait. Et je travaille toujours bien.

Je vois l'argent comme un outil puissant et positif qui me permet d'accomplir beaucoup de choses valables dans ma vie et dans celle des autres.

La liberté financière n'est que l'une des mesures qui me permettent d'évaluer mes progrès au regard de mes objectifs professionnels. Elle constitue l'un des critères d'évaluation de ma «fiche de succès» et j'obtiens toujours de bonnes notes.

L'argent sert mes propres fins. Il est mon serviteur et je suis son maître. Je ne travaille pas pour l'argent, c'est lui qui travaille pour moi.

Je fais toujours sans tarder le nécessaire pour réaliser les objectifs financiers que je me suis fixés.

J'apprécie l'indépendance financière que me procure la réalisation de mes objectifs financiers. Plus mon plan est précis et détaillé, plus j'atteins mon objectif rapidement et plus j'accrois mon indépendance financière.

Je deviens chaque jour plus confiant(e) et plus libre de soucis et de doutes personnels. La réalisation de mes objectifs financiers devient chaque jour plus facile.

Je crois que la réussite de ma personne «entière», corps et esprit, est la véritable mesure de mon succès. J'accorde de l'importance à la richesse et aux gains matériels parce qu'ils me donnent la liberté de poursuivre mes objectifs finals.

Je n'accorde pas une importance démesurée à l'argent ou à l'aisance matérielle. Je comprends le rôle que jouent ces éléments dans ma vie et je leur attribue une importance équilibrée et relative.

J'assume mes responsabilités financières. Je vis de manière à toujours posséder des réserves qui me permettront d'affronter les problèmes ou les possibilités inattendus.

Je crois que l'indépendance financière et la liberté qu'elle me procure me sont salutaires.

Je ne crois pas que la richesse soit l'apanage de quelques élus, mais bien que l'abondance de la vie s'offre à quiconque la crée.

Ce n'est pas par hasard que je vis dans l'abondance. Je suis digne de mes réalisations et de mes récompenses. Je les choisis, les visualise, les crée, travaille à les concrétiser et les accepte volontiers.

Je crée mon indépendance financière de bien des façons. Je me fixe des objectifs précis concernant la somme que je vais recevoir, la manière dont je la gagnerai et le moment où je la toucherai.

Je visualise chacun de mes objectifs financiers chaque jour. Et je m'imagine en train de réaliser les objectifs que j'ai établis et de mériter les gratifications qui en découlent.

J'aime la vie et ses nombreuses richesses et récompenses. *Je suis bon(ne) pour elle et elle est bonne pour moi!*

La gestion financière

Les autosuggestions précédentes visent à vous faire prendre conscience de la liberté financière que vous pouvez posséder dans la vie et à vous y préparer. Croire qu'on *mérite* cette liberté — et ici, avoir de l'argent — et *gérer* ses ressources sont deux choses différentes.

Les autosuggestions ci-dessous portent en particulier sur la *gestion* financière. Peu importe que vous ayez beaucoup ou peu d'argent, le type de gestionnaire financier que vous êtes détermine la quantité des gains que vous retenez et ce qu'ils vous rapportent.

Nous devons tous traiter avec l'argent. C'est pour gagner de l'argent que nous travaillons si fort. L'argent est une ressource qui nous facilite la vie ainsi que celle de nos familles. Elle peut être valable si nous apprenons à bien la gérer. La différence entre les bien nantis et les autres réside davantage dans la manière dont chaque groupe *gère* son argent que dans la *quantité* qu'il gagne.

Voici quelques vieilles autosuggestions concernant l'argent: *«Je n'arrive jamais à prendre le dessus»*, *«Je dépense plus que je ne gagne»*, *«Je n'arrive jamais à boucler mes fins de mois»*, *«L'argent coule à travers mes doigts comme de l'eau»*, *«Je n'arrive jamais à régler mes comptes à temps»*, *«J'essaie de faire un budget, mais je suis incapable de le respecter»*, *«Je suis toujours un jour en retard et un dollar en dessous»*, *«Je suis toujours cassé(e)»*, *«Je ne peux jamais m'offrir ce que je désire»* ou *«J'ignore où va mon argent»*. Or, cette forme d'autosuggestion constitue la *garantie* d'une gestion financière *désastreuse*.

Voici une forme plus positive d'autosuggestion qui vous aidera à prendre conscience de la façon dont vous gérez votre argent et à vous considérer comme un meilleur gestionnaire financier.

Je sais gérer mon argent. J'éprouve un sain respect pour mes revenus et mon avoir et j'en tire le *meilleur* parti possible.

Je suis conscient(e) de chaque dollar que je dépense et de la façon dont je le dépense.

Je suis capable de bien gérer mon argent parce que je pratique l'*auto*gestion. En gérant mon *moi* d'une manière adéquate, je gère aussi mes *ressources* d'une manière adéquate, y compris l'argent.

Comme je prends soin de mon argent, mon argent prend soin de moi.

Je prends au sérieux la gestion de mes finances. Je crée la sécurité et les possibilités que je désire en gérant mon argent d'une manière appropriée.

Je planifie l'utilisation de chaque dollar. J'établis un budget et le respecte. Je gagne *toujours* plus que je ne dépense et je ne dépense *jamais* plus que prévu.

Je gère bien mon crédit et n'en abuse jamais. Je suis prêt(e) à remettre certains achats à plus tard. Je n'ai jamais l'impression que je dois satisfaire tous mes désirs *sur-le-champ*.

Je ne dépense jamais mon argent bêtement. Je connais la valeur de la dépense sage. Toutes mes décisions financières sont marquées du signe de l'économie et de la modération.

Je ne dépense jamais d'une manière impulsive ni ne me sens obligé(e) de le faire simplement pour le plaisir.

Je n'éprouve jamais le besoin de *dépenser* pour la simple raison que j'ai de l'argent. Chaque dollar que je possède à l'heure actuelle a une *raison d'être* et compte pour moi.

J'apprécie vraiment la satisfaction que je retire de la gestion sage de mon argent.

Je m'efforce consciemment chaque jour de construire un avenir financier encore plus solide pour moi et pour ceux que j'aime.

Parce que je sais gérer mon argent, je suis toujours capable d'en épargner une partie. Je me fixe des objectifs mensuels et annuels en matière d'épargne et je les respecte.

J'investis mon argent avec prudence et veille à ce qu'il me rapporte le plus possible.

Mes talents de gestionnaire financier s'améliorent chaque jour davantage. Je suis maître(sse) de moi-même, de mes habitudes, de mes décisions et de l'usage que je fais de mes revenus.

Je sais gérer mon argent!

De nombreuses autres autosuggestions peuvent vous aider à mieux gérer votre argent. Certaines personnes dépensent parfois sans raison parce qu'elles souffrent d'un *autre* problème ou espèrent ainsi surmonter leur dépression. D'autres cherchent à impressionner leurs pairs. Nombreux sont ceux qui dépensent par *habitude*. En outre, une gestion financière désastreuse dépend souvent d'une absence d'objectifs financiers valables.

Si vous voulez rester maître de vos dépenses, il peut être utile de maîtriser d'autres secteurs susceptibles de vous inciter à trop dépenser. Il est encourageant de savoir que la gestion financière est une habitude et un talent à la portée de *quiconque* s'y exerce avec détermination.

Autosuggestions destinées aux vendeurs

J'ai écrit et enregistré une douzaine de cassettes d'autosuggestions uniquement destinées au «champ de bataille» de la vente. Les vendeurs souffrent de rejets fréquents: certains jours, le mot qu'ils entendent le plus souvent est «non».

Toutefois, ils peuvent se préparer à affronter ces pressions en prêtant une attention particulière à leurs pensées. Certaines autosuggestions touchent les présentations, la manière de surmonter les objections ou la froideur d'un interlocuteur, de rechercher des clients, de conserver une attitude positive et bien d'autres secteurs trop nombreux pour être contenus dans cet ouvrage.

Les autosuggestions ci-dessous vous éclaireront un peu sur la forme d'autosuggestion à employer dans l'exercice de votre métier.

Je suis un(e) excellent(e) vendeur(se). J'aime vendre et j'apprécie les nombreuses gratifications que mon succès me procure.

J'ai un grand talent pour la vente. Je suis un(e) vendeur(se) profes-sionnel(le) et cela se voit!

J'entame chaque journée avec un esprit clair et un plan précis afin de tirer le meilleur parti possible de mon temps et de mes efforts. Je suis mon plan chaque jour et de ce fait, j'atteins mes objectifs.

J'ai maîtrisé l'art de faire beaucoup en peu de temps. Je suis toujours organisé(e) et maître(sse) de la situation.

Je suis toujours à l'heure. J'épargne toujours du temps en planifiant mon horaire et en prévoyant du temps supplémentaire pour les retards impromptus.

Je consacre toujours la quantité de temps qu'il faut à la recherche de nouveaux clients. Il est naturel et facile pour moi de créer de nouvelles affaires.

On pourrait me décrire comme une personne professionnelle, tra-vailleuse, qualifiée, énergique, enthousiaste, organisée, décidée et très prospère.

En tant que vendeur(se) professionnel(le), je suis toujours prêt(e) à faire mon travail. Je prends le temps de bien le faire. Tous mes actes re-flètent ma disponibilité, ma confiance en moi et ma réussite.

Je soigne toujours les détails de mon travail. J'aime tout ce qui touche à la vente et je consacre toujours le temps et l'attention néces-saires aux détails.

Je conserve ma vitalité. Je sais qu'il faut être constamment dyna-mique et maître(sse) de soi pour effectuer une bonne présentation.

Mes présentations sont toujours professionnelles et efficaces.

Je suis toujours sincère et honnête. À mon avis, toute réussite dans le domaine de la vente exige de la confiance, de la compétence, de la sincérité et de la détermination.

Je ne néglige jamais d'appeler un client ou de lui rendre visite. Je tra-vaille avec constance et cela me rapporte.

Un refus ne me dérange jamais. Un «non» ne fait que renforcer ma détermination et mon enthousiasme.

Je prends la vente au sérieux, bien que j'aime mon travail et que je m'amuse en travaillant. J'apprécie vraiment la liberté et les récompenses liées à la vente. Et je compte parmi les meilleurs(res) vendeurs(ses)!

Diriger les autres

Les autosuggestions ci-dessous portent sur vos aptitudes de chef. Elles touchent également l'intérêt que vous portez à vos subalternes ainsi que l'appui que vous leur donnez. Plus *ils* sont compétents, plus *vous* êtes compétent, et vice versa.

Au cours des ans, j'ai rencontré des directeurs possédant toutes sortes de responsabilités et de compétences. Or, les *meilleurs* chefs étaient toujours ceux qui *se voyaient comme des gestionnaires qualifiés,* qui ne se contentaient pas d'exercer un emploi et de gagner de l'argent, mais qui *géraient* dans le sens le plus professionnel du terme.

Peu importe le nombre de personnes placées sous leur tutelle ou la nature de leur travail. Ces chefs assumaient la *responsabilité* de prendre soin de leurs subalternes, de les appuyer, de les former, de les récompenser et d'en tirer le meilleur parti possible. Pour eux, la «gestion» n'était pas un «travail» mais bien une partie d'eux-mêmes.

Aucune qualité unique ne s'applique à un bon chef. La gestion exige le meilleur d'un grand nombre de compétences. Pour bien diriger, il faut connaître à fond son produit, ses services ou son message; savoir organiser, planifier son temps, former ses employés, posséder sensibilité, persévérance, sens de la mise en scène, motivation, patience, conviction et force d'âme.

Toutefois, pour être un bon chef, vous devez d'abord croire que vous possédez ces qualités. Si vous exercez des fonctions de direction, que vous soyez parent, coordonnateur de groupe, chef d'équipe, administrateur ou autre, je vous tire mon chapeau!

Prendre sur soi de diriger, de motiver, d'encourager les autres, en dépendre et récompenser leurs activités est parfois une tâche désintéressée qui mérite une récompense en soi.

Laissez-vous réconforter par les autosuggestions ci-dessous. Je me suis souvent demandé qui encourageait celui qui encourage. Qui reconnaît le travail des vrais chefs? Même si vous êtes un chef compétent, vous devrez parfois vous encourager vous-même de votre mieux. Voici quelques paroles que vous devriez vous répéter à l'occasion.

Je suis un bon chef. Je dirige bien les autres parce que je suis capable de me diriger moi-même.

Je possède le sens de l'organisation et je dirige ma vie dans ses moindres détails.

Je suis maître(sse) de moi-même en toute circonstance.

Je prends l'entière responsabilité de ma personne. Et lorsque j'exerce mes fonctions de chef, je laisse les autres assumer leurs propres responsabilités.

Je sais me montrer encourageant(e) et compréhensif(ve). J'incite les autres à faire de leur mieux et à se réaliser pleinement.

J'aide les autres à se voir et à envisager leur travail sous le meilleur jour possible. Je prends le temps de mettre en valeur leurs qualités et leurs compétences.

La communication n'a pas de secret pour moi. Je connais l'art d'écouter et j'écoute toujours avec un esprit clair et réceptif.

Je m'adresse à mes subalternes avec respect et compréhension. Je m'exprime toujours clairement et directement.

Je recherche et trouve toujours le meilleur chez mes subalternes, et je le leur montre d'une manière positive. Comme j'attends le meilleur des autres, je l'obtiens toujours.

Les autres savent que je suis équitable. Ils comptent pour moi et cela se voit.

Mes subalternes savent toujours où ils en sont avec moi. Je suis ouvert(e), honnête et sincère avec moi-même et avec eux.

Je nourris une attitude positive envers moi-même et envers mes collègues de travail. Ils aiment travailler avec moi et je le leur rends bien.

Je reconnais la valeur de mon travail et prends le temps de me récompenser pour un travail bien fait!

Je sais que la façon dont je dirige les autres reflète la façon dont je me dirige, moi. Être un bon chef constitue l'une des nombreuses réussites de ma vie.

Je m'efforce chaque jour d'améliorer mes aptitudes de chef et de me surpasser.

Je suis un bon chef!

Prendre mes décisions

Que cela nous plaise ou non, nous devons tous prendre des décisions dans la vie. Cela va de soi car dans le cas contraire, il faudrait laisser les autres décider à notre place. La plupart d'entre nous préfèrent prendre au moins quelques décisions pour eux-mêmes, même si ce n'est pas toujours facile.

«Prendre des décisions», c'est aussi faire des *choix* personnels dans les divers secteurs de sa vie.

Chacun de vos actes futurs est régi par les décisions que vous prenez aujourd'hui. La plupart de ces décisions sont accessoires, mais elles exigent toutes, consciemment ou non, un effort de votre part.

Le droit de décider pour soi est l'un des plus importants qui nous soit dévolu. Toutefois, à l'instar de bien des qualités relatives à l'amélioration de soi, la prise de décision ne s'enseigne pas à l'école.

Je ne parle pas seulement du type de décision que les gens d'affaires sont entraînés à prendre. Je parle aussi des décisions quotidiennes de la vie. Nous apprenons à les prendre — ou à éviter de les prendre — presque *accidentellement* conditionnés que nous sommes par les autres.

Vos décisions reflètent vos choix dans la vie

Chacun de vos actes résulte des décisions que vous prenez. Nous prenons tous quotidiennement des douzaines de décisions, pour la plupart inconscientes. Pourtant, chacune de ces décisions nous influence d'une façon ou d'une autre. Si vous en prenez conscience, vous augmentez vos possibilités de *choix*. En reconnaissant que vos décisions sont les directives qui tracent le parcours de votre vie, vous vous donnez la chance de faire des choix éclairés.

L'un des trésors que vous avez reçus à la naissance est le *droit* et la *responsabilité* de décider pour vous-même. Si vous renoncez à ce droit, vous devrez toujours supporter les conséquences liées au fait de laisser les autres décider pour vous.

Nous avons parfois le sentiment que notre vie est une joute qui met en vedette des personnes qui décident *à notre place* et dirigent parfois *notre* vie. En attendant, nous croyons que notre vie — notre moi — n'est pas en danger.

Or, il n'est pas *nécessaire* que vous observiez votre vie quotidienne en spectateur. *Vous* avez le choix d'entrer dans le jeu. Si vous prenez vos propres décisions, il y a de bonnes chances pour que vous meniez une vie plus heureuse et plus riche.

Il n'est pas nécessaire de toujours prendre les bonnes décisions. Tout le monde commet des erreurs. Cependant, vous et votre vie sous tous ses aspects vous porterez beaucoup mieux si vous prenez vous-même vos décisions. Cela ne veut pas dire que vous ne pouvez accepter aucun conseil. Mais au fond, il fait bon vivre quand on est maître de sa vie et libre de décider pour soi.

Je prends des décisions judicieuses. Je me fie à mon jugement et j'ai confiance en moi et en mes aptitudes.

Je prends toujours le temps de réfléchir lorsque j'ai une décision à prendre. J'établis mes priorités et je prends des décisions qui me permettent de concrétiser mes projets!

J'aime la satisfaction que me procure le fait de prendre des décisions éclairées et d'exécuter les tâches qui m'incombent.

J'organise mes pensées. Je peux trouver des solutions de rechange claires et précises. J'évalue la situation, choisis un plan d'action pertinent et prends une décision intelligente.

Je suis une personne ouverte et objective. J'ai de la facilité à appréhender les éléments d'une situation et à prendre la meilleure décision possible.

Je ne perds pas de temps à m'inquiéter au sujet des conséquences de mes décisions. Je prends le temps de prendre les décisions les plus efficaces.

Je ne me laisse jamais envahir par la crainte d'un échec avant de prendre une décision. J'envisage plutôt les conséquences positives de mes décisions.

Si je commets une erreur, je suis toujours capable d'en comprendre les mobiles, de la corriger et de poursuivre.

J'ai confiance en moi. Je recherche les conseils des autres et les écoute, mais j'écoute aussi mon propre cerveau.

Je sais que mes succès dépendent de mes décisions touchant ma vie tant personnelle que professionnelle.

Il m'arrive de compter sur l'aide des autres, mais je ne leur demande ni ne leur permets de décider à ma place.

Je sais que je suis seul(e) responsable de mes choix, de mes décisions et de mes actes, dans chaque secteur de ma vie. J'assume l'entière responsabilité de chacune de mes décisions.

Chaque jour, j'attends avec impatience l'occasion d'exercer mes aptitudes à prendre des décisions éclairées. Je dirige mon moi et prends mes décisions avec compétence.

Polir son image professionnelle

Par «image professionnelle», j'entends la façon dont nous nous comportons au travail (et à l'extérieur du travail) au jour le jour et tout au long de notre carrière. Ce n'est pas à l'école qu'on apprend comment se comporter au travail, comment penser, que dire et ne pas dire, comment se vêtir ou se forger un style *personnel* propre à assurer son succès professionnel.

La personne ambitieuse jugera sans doute utiles la plupart des autosuggestions contenues dans le présent ouvrage. Celles qui s'appliquent surtout au succès englobent une vaste gamme d'objectifs personnels. Pour réussir, il faut se fixer des objectifs, prendre ses responsabilités, régler ses problèmes, posséder une grande estime personnelle, avoir l'esprit vif, agir au moment opportun et apprendre à veiller aux moindres détails, tout en conservant une vue d'ensemble de la situation.

Toutes ces qualités sont aussi importantes qu'utiles. En outre, elles vous conduiront vers le succès en vous montrant comment mettre à contribution vos autres aptitudes en autogestion. Vous pouvez appliquer ces mêmes aptitudes *directement* à votre objectif qui consiste à améliorer chaque jour un peu plus votre image professionnelle.

Je m'imagine toujours sous mon meilleur jour dans tous les secteurs de ma vie professionnelle.

Je réussis dans mon travail et cela se voit! Mes aptitudes, mon apparence, ma façon de penser, mes actions et mes réalisations sont ceux d'un(e) vrai(e) professionnel(le).

Je soigne mon apparence. Les gens que je rencontre me voient automatiquement comme le(la) professionnel(le) accompli(e) que je suis.

Je prête attention même aux plus petits détails de ma tenue, de mes manières, de ma conduite et de ma «présence». Je me montre toujours sous mon meilleur jour.

Je sais que la présentation de ma personne est toujours la plus importante. Je veille donc à être organisé(e), maître(sse) de moi, bien mis(e) et confiant(e).

Je n'exagère jamais mon apparence ni mon style. Je me comporte toujours d'une manière professionnelle, pertinente et adaptée aux circonstances.

J'adopte toujours une attitude positive et énergique. Je m'assois, marche, me tiens debout et bouge avec un port naturel qui reflète ma force et ma confiance.

Mes gestes même reflètent une attitude de confiance et de grande compétence.

Je sais toujours exactement quand parler, quand me taire et quoi dire.

Je m'exprime toujours avec conviction et je choisis bien mes mots. Je parle avec clarté et concision. Comme les autres respectent cette qualité chez moi, ils m'écoutent.

Je n'embellis jamais la vérité ni ne la déguise. Je vois et présente les faits tels qu'ils sont.

Je suis pratique et réaliste, mais je sais aussi formuler mes phrases d'une manière positive. Les autres savent qu'ils peuvent compter sur moi pour leur fournir des idées et des solutions judicieuses et pratiques.

Je ne cherche jamais à gagner l'approbation de quelqu'un en disant oui, lorsque je devrais dire non. Je m'appuie sur de solides convictions personnelles en toute circonstance.

Les autres ne m'intimident pas, quel que soit leur rang ou leur position. Je les vois plutôt comme des personnes qui se fient à mes capacités et comptent sur mon appui.

Je possède une vue d'ensemble de mon travail, mais je soigne aussi les petits détails.

J'améliore constamment mes aptitudes et ma valeur en tant que professionnel(le).

Je ne cherche jamais de prétextes pour me justifier ou justifier mes actes. Je fais toujours de mon mieux, et mon mieux est excellent.

Je travaille bien en équipe ou seul(e). Quoi qu'il en soit, les autres peuvent compter sur moi.

Comme j'ai décidé d'être un(e) vrai(e) professionnel(le) chaque jour, quoi que je fasse, cela se reflète dans les autres facettes de ma vie.

J'aime vraiment constater les répercussions de mon style professionnel. Je connais l'art de maîtriser les aptitudes qui font progresser ma carrière.

Je suis une personne fiable, qualifiée, organisée, productive, encourageante et épanouie. J'excelle dans mon travail, je suis en harmonie avec moi-même et hautement professionnel(le).

Je connais un grand nombre de professionnels prospères. Qu'ils travaillent dans le monde des affaires ou dans toute autre organisation, leur *professionnalisme* résulte précisément de l'aptitude à l'autogestion qu'ils ont, pour la plupart, acquise. Celle-ci a certainement joué un rôle important dans leur succès professionnel.

À la suite d'une conférence que je donnai au congrès national des vendeurs d'une importante chaîne de détaillants, la présidente du conseil déclara: «Si chacun de nos employés et de nos directeurs remplaçait ses vieilles attitudes par cette sorte d'autosuggestion, nous n'aurions plus jamais à craindre nos concurrents; ce sont eux qui se rongeraient les sangs.»

Votre vernis professionnel — vos aptitudes, votre attitude, vos méthodes et votre style — influeront *toujours* directement sur votre succès. Si quelqu'un peut rendre votre carrière plus enrichissante, c'est bien *vous*.

Se réaliser pleinement

Les autosuggestions qui suivent comptent parmi mes préférées parce qu'elles nous rappellent que nous possédons un potentiel élevé et qu'il n'en tient qu'à nous d'être compétents et heureux.

Lorsque j'aborde un projet difficile ou commence à perdre de vue mon objectif, j'écoute cette bande quelques fois pour me remettre sur la bonne voie. Elle ne manque jamais de revitaliser mes pensées et ma foi dans ce que nous, les êtres humains, avons de mieux à offrir.

À elles seules, ces autosuggestions nous enseignent la sorte de confiance en soi que j'aimerais retrouver chez chaque enfant ou adulte aux prises avec les problèmes de la vie ou incertain de ses possibilités.

Un chef d'entreprise californien me fit part, un jour, de l'effet qu'elles produisaient sur lui. «Chaque fois que je suis découragé, j'écoute la cassette «Croire l'incroyable», puis «Se réaliser». La première m'aide à me motiver mais la seconde, encore plus que l'autre, me rappelle pourquoi je fais tout cela.»

À mon avis, si tant de personnes emploient ces autosuggestions pendant plusieurs années, c'est parce qu'elles leur révèlent une partie de la «vérité universelle» présente en chacun de nous. Pour ma part, je soupçonne qu'elles m'accompagneront pendant bien des années encore, et j'espère qu'il en sera de même pour vous.

Je suis un(e) vrai(e) chef de file, un(e) gagneur(se) dans tous les sens du terme.

Je me fixe des objectifs et je les atteins. Le succès, pour moi, est un mode de vie.

Je possède un courage indéniable, une volonté de fer et la détermination inébranlable de réussir. Je sais que rien ne peut arrêter le géant présent au-dedans de moi ni affaiblir la lumière de mes rêves.

Je sais que le succès réside dans l'action autant que dans la victoire, et que chaque jour m'apporte des récompenses même si je n'ai pas encore atteint mon but.

Je ne cherche pas à surpasser les autres, mais bien à donner le meilleur de moi-même et à me réaliser pleinement.

Je trouve exaltant et enrichissant d'accomplir les tâches qui comptent à mes yeux. Mais je sais qu'on n'a rien pour rien. Je suis prêt(e) à payer le prix inhérent à toute réalisation à laquelle j'aspire vraiment.

Je sais que mes objectifs sont dignes de moi et que je suis digne d'eux.

Je n'éprouve pas un sentiment d'accomplissement uniquement lorsque j'ai atteint mon but, mais bien chaque jour dans toutes mes activités. J'aime poursuivre mes objectifs au jour le jour tout comme j'aime le sentiment de les avoir réalisés.

J'encourage les autres, mais n'exige jamais d'encouragements de leur part.

Je reconnais que j'ai choisi de réaliser mes objectifs et ne m'attends pas à ce que les autres les réalisent ou prennent des risques à ma place, ou m'aident à payer le prix que j'ai accepté de payer.

J'assume l'entière responsabilité de réaliser chacun de mes objectifs.

Je ne veux pas me croiser les bras et accomplir le minimum. Je tire pleinement parti du talent, de la force et du potentiel que je sens naître, même maintenant, au-dedans de moi.

J'atteins mes objectifs et réalise mes rêves en suivant les étapes du plan que j'ai établi. Je ne laisse jamais la réalisation de mes objectifs au hasard.

Je ne crains pas d'emprunter de nouvelles voies ou d'avancer en terrain inconnu. Comme mes attentes ne sont jamais moyennes, je ne parcours jamais les sentiers battus de l'indifférence ou de la médiocrité. Je suis plutôt ma propre voie.

Je possède toutes les qualités utiles pour mener la vie la plus heureuse possible et je les mets à contribution. Je possède la vision et le courage nécessaires pour discerner mon but et travailler aussi dur qu'il le faudra pour l'atteindre. Je respecte le plan d'action que j'ai établi.

Je refuse de laisser les autres imposer des limites à la réalisation de mon potentiel. Je vis ma vie comme je l'entends sans me fier à l'incrédulité ou aux limites que veulent m'imposer les autres.

J'ai décidé de me réaliser totalement. Voilà ce que je veux être. Voilà comment je veux vivre ma vie.

Chapitre vingt-deux

FAITES LA «MISE AU POINT» DE VOTRE ESPRIT GRÂCE À L'AUTOSUGGESTION

Les autosuggestions que renferme le présent chapitre sont destinées à vous aider à régler votre cerveau pour qu'il fonctionne parfaitement bien et à vous concentrer lorsque vous devez être à votre *meilleur*.

Répétez-les lorsqu'un travail important (ou un obstacle) vous attend, et que vous avez besoin d'avoir les idées nettes et de croire en vous-même. Que vous soyez vendeur ou étudiant, que vous vous adressiez à un groupe ou passiez une entrevue professionnelle, vous pouvez vous préparer d'avance à donner le meilleur de vous-même.

N'oubliez pas qu'un grand nombre de vos nouvelles directives sont là pour remplacer vos vieux programmes *négatifs* du passé. Que vous vouliez devenir plus créatif, mieux vous concentrer ou améliorer votre mémoire, vous mettrez *toujours* les chances de votre côté en vous donnant les bonnes directives intérieures.

Beaucoup de gens utilisent ces autosuggestions à titre de «réchauffement» mental lorsqu'ils doivent affronter des situations importantes. Elles ne changeront peut-être pas votre attitude du jour au lendemain, mais elles peuvent vous aider *temporairement* à affronter le défi qui vous attend tout en amorçant des changements à long terme en vous.

Un esprit éveillé

Il vous est sans doute déjà arrivé d'avoir besoin de toutes vos facultés mentales et de devoir faire un effort réel pour éclaircir vos idées et vous mettre en train. Cependant, il existe une façon de passer instantanément d'un esprit brumeux à un esprit *éveillé*.

Les autosuggestions ci-dessous produisent un effet immédiat sans exiger des semaines de répétition.

Chaque fois que vous devez être particulièrement conscient et alerte, donnez-vous des ordres puissants pour vous concentrer, observez vos pensées et suivez vos directives intérieures.

Je suis éveillé(e) et conscient(e). Mes sens sont aiguisés, mon esprit, clair. Je suis conscient(e) de tout ce qui m'entoure et maître(sse) de ma vie.

Mes idées sont particulièrement nettes aujourd'hui. Je vois les choses avec une grande clarté. Je comprends tout facilement et naturellement.

Même mon intuition est plus profonde que jamais. Mon esprit conscient et mon subconscient sont tout à fait à l'écoute du monde qui m'entoure. J'ai une grande confiance en moi et je me sens en accord avec ma vie.

Mon esprit est clair, éveillé et prêt à relever n'importe quel défi.

Mon imagination m'est particulièrement utile. Les images qui me viennent à l'esprit sont claires et précises. J'en discerne clairement les détails et je peux visualiser tout ce que je veux.

Ma concentration est tout à fait au point. Je maîtrise parfaitement mes pensées. Je n'ai pas besoin de passer du temps à m'éclaircir les idées ou à aviver mes sens. Je suis éveillé(e) et conscient(e) dès qu'il le faut.

J'attends avec enthousiasme les occasions de mettre ma vivacité d'esprit à l'épreuve et de l'améliorer. Au lieu de considérer les problèmes comme des difficultés à éviter, je les vois comme des occasions d'aiguiser mes facultés mentales.

Je fais bon usage de ma tête. Je garde mes facultés mentales en forme. Je les exerce quotidiennement et recherche les occasions de les améliorer dans tout le champ de mes activités.

Je n'accepte que les pensées qui me sont salutaires et contribuent à mon bien-être. Mon cerveau est un instrument bien accordé qui travaille pour moi de la façon la plus positive possible.

Je sais que mon cerveau travaille pour moi parce que je le commande. Je ne laisse jamais la programmation ou la direction de mon cerveau au hasard. J'accepte la responsabilité de le programmer chaque jour au moyen de directives précises et positives.

Je nourris et améliore mes facultés mentales chaque jour. Je lis afin d'acquérir les connaissances dont j'ai besoin. J'écoute afin de mieux comprendre les pensées des autres.

Chaque fois que je parle, je m'exerce à exprimer mes idées avec une clarté et une efficacité croissantes.

Je deviens chaque jour plus conscient, plus efficace mentalement et plus maître(sse) de ma vie.

Chaque jour, mon cerveau devient un mécanisme encore plus puissant qui m'aide à réaliser mes objectifs.

Je vous conseille aussi de faire suivre ces autosuggestions par celles qui portent sur la concentration et, le cas échéant, par celles qui servent à améliorer sa mémoire. On dit qu'«un esprit vif, clair et organisé résulte d'un esprit vif, clair et organisé». L'autosuggestion est la meilleure façon de se doter d'un tel esprit.

Parler et écrire en toute confiance

Votre efficacité au travail dépend souvent de votre facilité à vous exprimer. Or, si vous désirez améliorer vos aptitudes à vous exprimer ou à écrire avec clarté et confiance, vous devrez aussi adopter une *attitude* bien précise.

J'ai de bonnes idées et je suis capable de les exprimer d'une façon claire et intéressante.

Je m'exprime clairement parce que mes idées sont claires. Mes idées sont claires parce que je me concentre sur un seul sujet à la fois.

Comme je sais comment penser, je sais quoi penser. Sachant comment penser et diriger mes pensées, je sais aussi quoi dire.

Lorsque j'écris ou que je parle, j'observe la règle de la simplicité. J'écris et je parle simplement et directement.

Les autres aiment la façon dont je m'exprime et ils aiment connaître mes pensées.

Mon cerveau me donne les mots dont j'ai besoin, au moment où j'en ai besoin.

Je suis une orateur(trice) intéressant(e) parce que mes idées sont positives, utiles et intéressantes. Je suis créatif(ve). J'ai beaucoup de bonnes idées et j'aime les exprimer.

Je ne parle jamais ni n'écris dans le but d'impressionner les autres. La clé de la transmission de mes idées réside dans l'«expression» et non dans l'«impression».

Lorsque je parle ou écris, j'utilise des images claires et simples.

J'exprime chaque jour mes idées plus clairement. Je possède un esprit organisé. Je sais quoi penser et je m'exprime clairement, simplement et sincèrement.

Ma confiance en ma façon de m'exprimer grandit chaque jour. Je m'exprime aisément, sans crainte ni incertitude.

Chaque fois que j'ai l'occasion de communiquer avec les autres, je suis catégorique, direct(e) et efficace, et on m'écoute attentivement!

Améliorer sa concentration

À l'instar des autosuggestions ci-dessus, le texte qui suit produit des résultats immédiats ou presque.

Les professionnels qui exercent les emplois les plus exigeants se fient à ces autosuggestions pour stimuler leur concentration et clarifier leurs idées. Peu d'entre nous se rendent compte, par exemple, que les pilotes d'avion sont entraînés à employer précisément cette forme d'autosuggestion. Au moment critique de l'atterrissage, il n'est pas rare d'entendre le pilote se donner *à haute voix* des ordres précis qui font partie de la procédure normale de l'atterrissage.

Un entraîneur de vol m'écrivit pour me raconter le succès qu'il obtenait avec l'autosuggestion et sa lettre révélait le degré de précision que peut atteindre cette technique. «Nous nous en servons pour enseigner aux pilotes à mieux voler. Au lieu de dire «Je vole 15 mètres trop bas», ils disent: «J'ai atteint mon altitude de vol.» Ils ne disent pas «J'ai perdu un moteur», mais «Tout va bien, ma direction et mon altitude sont stables; je trouverai le problème bientôt». Dans les moments critiques de la navigation aux instruments, ils disent : «Rien de plus facile! Je me fie au radiophare d'alignement de piste et à l'écran de descente.» Et il conclut en disant: «C'est efficace!»

Peut-être n'avez-vous pas besoin de poser un Boeing 747 rempli de passagers, mais il y a des moments où le même degré de concentration pourrait vous être utile. Que vous exécutiez une tâche difficile, étudiiez en vue d'un examen ou écoutiez intensément votre interlocuteur, vous devez suivre les mêmes directives intérieures.

Lorsque vous devez vous concentrer, répétez les autosuggestions ci-dessous auxquelles vous ajouterez quelques directives précises de votre crû.

Je possède une excellente faculté de concentration. Je peux m'absorber tout entier dans mon travail.

Lorsque je me concentre, TOUS mes sens sont tendus vers l'objet de mon étude; je peux me concentrer de plus en plus facilement chaque jour.

Je pratique l'art de me plonger dans mon travail. Lorsque je prête attention à une chose, je lui accorde TOUTE mon attention.

Je m'efforce chaque jour d'améliorer et de perfectionner mon aptitude à diriger et à conserver ma concentration.

Je peux, grâce à mes directives intérieures, unifier mes sens, augmenter ma conscience et centrer toute mon attention sur un objet d'étude aussi longtemps que je le désire.

Lorsque je me concentre ou que j'étudie, mon esprit ne dérive jamais, mais il reste concentré sur mon sujet; il demeure éveillé et occupé en entier par le sujet de mon choix.

Je maîtrise parfaitement ma faculté de concentration. Je peux diriger mon attention et commander mes pensées.

Mon esprit refuse automatiquement toute distraction bénigne, tant intérieure qu'extérieure.

J'ai de la patience. Je peux, sans effort, demeurer concentré(e) pendant de longues périodes.

Mes facultés mentales deviennent chaque jour plus éveillées, et je recherche les occasions de les développer et d'améliorer ma concentration. Je m'exerce à concentrer mon attention et mes pensées et à maîtriser parfaitement mon esprit.

Mon cerveau réagit d'une manière positive et enthousiaste à l'idée d'«étudier». En raison de cela, il reçoit et accueille ouvertement tous les thèmes que je choisis.

Lorsque je veux me concentrer rapidement et entièrement, je donne à mon esprit trois mots clés, qui contribuent à mobiliser sur-le-champ toute mon énergie mentale. Ces mots sont: «image», «cible» et «mise au point». Chaque fois que je dois me concentrer, je répète ces trois mots tout haut ou tout bas.

J'aime me concentrer. Et plus j'utilise cette aptitude importante, plus elle me vient facilement.

Étudier et apprendre

Tout irait tellement mieux si nous n'avions jamais eu de difficulté à étudier. Pour ma part, je sais que j'aurais traversé mes années d'école et affronté bien d'autres situations beaucoup plus facilement.

Étudier est une habitude qui s'acquiert; elle est influencée par nos *attitudes*. Les autosuggestions subséquentes ne représentent pas un cours sur les habitudes liées à l'étude, mais plutôt sur l'apprentissage en général. Plus on aborde un processus d'apprentissage avec enthousiasme, plus on a de chances de réussir.

J'apprends toujours du nouveau. Je suis content(e) des aptitudes que je possède déjà et je m'efforce de devenir plus compétent(e) encore dans toutes mes activités.

Je suis éveillé(e), conscient(e) et impatient(e) d'apprendre du nouveau chaque jour.

Je possède de nombreux talents, je les exploite et les mets au service de mon bien-être et de celui des autres.

J'explore de nouveaux centres d'intérêt afin de me découvrir des talents inexploités. Je sais que ceux-ci contribueront à ma croissance et m'aideront à me réaliser dans l'avenir.

Apprendre, c'est déposer de l'or dans la banque de son esprit. J'investis chaque jour en moi-même.

Je suis tout à fait ouvert(e) à l'idée d'apprendre de nouvelles choses. Il est facile pour moi d'apprendre. Je n'arrête jamais d'apprendre et j'apprécie la satisfaction que cela me procure. Plus j'apprends, plus je suis en vie.

Les autres me considèrent comme une personne intéressante, consciente et pleine de ressources. Apprendre du nouveau m'aide à le demeurer.

Chaque fois que me fixe des objectifs pour moi-même et pour mon avenir, je m'assure qu'ils englobent de nouvelles aptitudes que je veux développer.

Je peux apprendre ce que je veux.

Lorsqu'un obstacle se dresse entre moi et mon apprentissage, je le surmonte et apprends encore davantage.

J'aime apprendre. C'est intéressant, amusant et cela maintient mon esprit éveillé. Je suis fier(ère) de moi lorsque j'apprends.

J'entretiens de bonnes habitudes de travail. La manière dont j'étudie facilite mon apprentissage.

Lorsque j'étudie, je ne fais pas autre chose! Je me concentre et je concentre mon énergie et mon attention sur l'objet de mon étude.

Je ne remets jamais l'étude à plus tard et je ne fuis jamais mes responsabilités. Je fais mon travail à temps et sans faute.

Plus je m'exerce à étudier, plus j'aime l'étude. Et j'aime particulièrement les bienfaits qu'elle m'apporte.

La mémoire

«Je n'ai pas de mémoire», «J'ai la *pire* mémoire qu'on puisse imaginer»; vous avez certainement déjà entendu ce type de commentaires. Or, quelle sorte de programmation peuvent-ils bien véhiculer? Ils commandent à leur auteur d'être exactement *le contraire* de ce qu'il voudrait être!

Une mémoire fiable est un bien inestimable dans presque tous les domaines de votre vie. Certains cours vous permettraient de la perfectionner, si vous le désirez, mais *commencez* donc d'abord par acquérir de nouvelles directives intérieures touchant l'aptitude naturelle que vous possédez déjà.

J'ai une bonne mémoire.

Comme mon esprit est éveillé et conscient, ma mémoire est claire et mes souvenirs, excellents.

Je n'ai jamais de difficulté à me rappeler les noms ou les visages. Je m'intéresse aux autres, et cela est évident!

Je lis des ouvrages consacrés à l'amélioration de la mémoire et mets leurs conseils en pratique chaque jour.

Je participe à un programme permanent de santé mentale. Cela augmente ma confiance en moi et m'incite encore davantage à améliorer ma mémoire.

Chaque jour et chaque fois que la situation s'y prête, je me dis que j'ai une excellente mémoire. Je me répète souvent ces mots: «Je me rappelle toujours les noms» et «Je me souviens toujours de ce que je veux».

Lorsque je ne veux pas oublier un détail, un nom ou un fait, je me donne la directive suivante: «Rappelle-toi ceci.» En disant ces mots à mon cerveau, je renforce automatiquement la programmation de ma mémoire, et c'est efficace!

Je mets constamment en pratique de nouvelles techniques de mémorisation afin d'améliorer mes facultés mentales.

Je remarque chaque jour les éléments dont je veux me souvenir plus tard et je m'exerce à me les rappeler à ma guise et sans effort.

J'emploie la technique qui consiste à prendre un cliché mental de situations précises et à "imprimer" ce cliché dans mon esprit.

Je me rappelle toujours clairement mes conversations avec les autres. Je peux en réciter mot à mot les passages importants. Cela m'aide dans mon travail et dans tous les secteurs de ma vie.

L'une des raisons pour lesquelles je me souviens des conversations en entier, c'est que j'ÉCOUTE toujours attentivement.

Une bonne mémoire résulte d'un esprit organisé et bien entraîné. Ces qualités s'appliquent parfaitement à mon esprit.

La maîtrise de ma mémoire est très importante pour moi. Il m'est facile d'améliorer un peu plus chaque jour ma vivacité d'esprit, mon attention et ma mémoire.

La créativité

Pendant les années où j'étudiais le fonctionnement du comportement humain, j'ai découvert que peu de qualités étaient aussi mal comprises que la «créativité».

La plupart des chercheurs et des behavioristes s'entendent pour dire que la créativité est une qualité *innée* chez l'homme! Or, bien des gens s'en croient tout à fait dépourvus.

La créativité est une partie de nous que, trop souvent, nous perdons dès l'enfance. En effet, pendant l'enfance et le reste de votre vie, vous possédez plus de talents créateurs que vous pourrez jamais en exploiter. Peu importe votre occupation, votre éducation ou vos antécédents, votre créativité fait partie de vous et il vous suffit de la laisser s'épanouir.

La question n'est pas de savoir si vous pouvez être plus créatif, mais bien si vous vous *permettez* de faire appel à votre créativité.

La créativité ne se limite pas à la production de chefs-d'oeuvre artistiques ou littéraires. Elle est l'une des forces les plus puissantes qui guide et anime tout objectif ou toute réalisation. Vous pouvez faire davantage appel à la vôtre pourvu que vous reconnaissiez son existence en vous.

J'ai de la créativité. J'aime trouver des façons nouvelles et intéressantes de penser et d'agir dans la vie.

J'aime les nouvelles idées. J'aime innover et créer de nouvelles façons de régler mes problèmes et d'affronter les différentes situations de la vie.

Je ne crois pas que la créativité soit l'apanage des autres. Je ne la vois pas comme un cadeau réservé aux personnes soi-disant créatives, mais plutôt comme une qualité naturelle que chacun de nous peut développer.

Je vois ma créativité comme une clé capable de libérer mon vrai potentiel.

On pourrait me décrire comme une personne ingénieuse, innovatrice, ouverte et très créative.

Je deviens de plus en plus créatif(ve) chaque jour. Je m'aperçois que les seules limites à ma créativité sont celles que je me suis imposées dans le passé. Je choisis désormais de ne jamais plus limiter ma créativité.

J'admire les personnes qui utilisent leur imagination à bon escient dans leur intérêt et celui des autres. Et je sais que les autres me voient comme une personne créative et ingénieuse et qu'ils me respectent pour cela.

Je ne crains pas d'emprunter de nouveaux sentiers ni de rechercher de meilleures solutions en ce qui touche chaque détail de ma vie.

Je n'essaie jamais d'être différent(e) simplement pour le plaisir de l'être. Mais je ne crains jamais d'être différent(e) lorsque ma créativité m'indique un meilleur chemin à suivre.

Je suis une nouvelle personne aujourd'hui. Je n'accepte plus les limites imposées à mon imagination dans le passé. Aujourd'hui, je suis plus créatif(ve) que jamais.

Ma créativité me permet d'exploiter la source d'où jaillissent toutes les idées. Je pose une question, et la réponse surgit dans mon esprit. J'expose le problème, et mon esprit créatif m'indique la solution.

Comme mon imagination est illimitée, ma créativité l'est aussi.

Plus je m'exerce à utiliser ma créativité, plus je deviens créatif(ve). Plus je suis créatif(ve), plus je réussis dans mes entreprises.

La visualisation

Récemment, je fus interviewé par une journaliste qui comptait écrire un article pour un magazine populaire destiné aux personnes obèses. Elle me demanda plusieurs autosuggestions susceptibles d'aider les gens à maigrir afin de les inclure dans son article. Je fus très étonné de constater que le directeur du magazine ne voulait pas que je propose des autosuggestions axées sur la «visualisation», et visant à donner au lecteur une «image» mentale de lui-même comme *étant* mince.

La visualisation est à l'autosuggestion ce que la mise en scène est au théâtre. C'est en se *voyant* d'une nouvelle manière, dans un nouvel environnement avec tous les détails pertinents que l'on montre à son subconscient ce qu'il peut faire pour soi. La visualisation est notre meilleure façon de dire à notre subconscient: «Tu vois cette image? Eh bien, voilà exactement ce que je veux!»

Pendant des émissions radiophoniques, je reçois souvent des appels de personnes qui se disent incapables de visualiser clairement. Bien que certaines personnes soient dotées d'un projecteur interne capable littéralement de créer des images mentales en trois dimensions, d'autres éprouvent de la difficulté à voir des images précises.

Les thérapeutes qui travaillent sur la motivation nous recommandent de découper les images qui représentent nos «objectifs» dans les magazines et de les coller sur le miroir de la salle de bains afin de nous aider à les visualiser *mentalement*.

Depuis quelques années, les recherches portant sur le fonctionnement du cerveau ont démontré que nos images mentales jouent un rôle vital dans la création de notre avenir. La visualisation apparaît donc comme l'une des aptitudes les plus importantes en ce qui concerne la création de notre identité, de nos comportements et de notre réussite.

Un vendeur averti, par exemple, répétera son exposé à plusieurs reprises, afin non seulement de perfectionner sa technique, mais aussi de s'exercer à en *visualiser* à l'avance chaque étape afin d'obtenir un résultat qui soit la reproduction parfaite de cette image.

Les autosuggestions ci-dessous stimuleront votre capacité de visualisation, même si vous pouvez déjà créer et *voir* vos succès futurs en imagination.

J'ai appris à imaginer mes propres réussites à l'*avance*.

Je peux visualiser les images et les événements clairement dans mon esprit et j'ai de moins en moins de difficulté à le faire.

J'améliore mon aptitude à visualiser en m'exerçant à imaginer des objets ordinaires avec clarté et précision.

Je peux visualiser un objet unique et essayer de «voir» littéralement sa forme, sa taille, sa couleur et même les plus petits détails de sa fabrication.

Plusieurs fois par jour, je m'exerce à me concentrer pendant un moment sur une image mentale. Cela m'aide à visualiser sans effort tout ce que je veux.

Je m'exerce aussi à me voir en pensée. Je veille à toujours me voir tel(le) que je veux paraître, agir et être.

Je crée mentalement des scènes détaillées et complètes qui me représentent dans des situations où je réussis. Je revois ces scènes à plusieurs reprises et de plus en plus clairement et je commence à créer cet événement futur en pensée.

Lorsque je me vois dans des situations où je réussis, je ne fais pas qu'*imaginer* les vêtements que je porte et la pièce où je me trouve; je *sens* aussi l'émotion que j'éprouve alors.

Je sais que je peux créer dans la réalité les situations que je visualise le plus souvent dans mon esprit. Je visualise donc les images et les situations propres à créer l'avenir que je désire.

Chaque fois que je veux améliorer l'issue possible d'une situation future, je répète ma réussite à l'avance plusieurs fois.

Lorsque je visualise un événement futur, je vois mes mouvements, j'entends mes paroles et je ressens mon succès, clairement et consciemment.

Je visualise des solutions à mes problèmes et je me vois en train de les appliquer.

Je transforme mes rêvasseries en scènes agréables et exaltantes qui dépeignent mon avenir. En m'exerçant à m'imaginer de cette façon, je contribue littéralement à créer ce que l'avenir me réserve de mieux.

Comme je suis responsable de chacune de mes pensées, il m'appartient donc de visualiser mon avenir de la manière la plus positive possible.

J'aime la visualisation. Je m'exerce souvent à la visualisation positive lorsque je me détends ou juste avant de m'endormir.

Je ne visualise pas seulement mes succès, je me vois toujours comme une personne en santé, heureuse et dont l'esprit est en paix.

Je réussis chaque jour à visualiser plus clairement le meilleur de moi-même et de mon avenir en pensée. Je visualise mon avenir, prends les mesures nécessaires et les concrétise.

Chapitre vingt-trois

RÉSOUDRE SES PROBLÈMES GRÂCE À L'AUTOSUGGESTION

Si vous avez lu le présent ouvrage depuis le début, vous savez déjà que la plus grande partie de ce que nous appelons «problèmes» venait simplement du fait que nous choisissions de les considérer comme tels. Bon nombre d'entre eux résultent de notre programmation et de nos autosuggestions passées.

Les autosuggestions contenues dans ce chapitre traitent des problèmes sous un angle différent. L'inquiétude, la dépression et nos soi-disant limites personnelles sont considérées comme des défis naturels de la vie quotidienne. Nous y sommes *tous* sujets. Toutefois, la façon dont vous envisagez vos problèmes dépendra toujours de votre programmation personnelle. C'est pourquoi deux personnes presque en tous points semblables verront leurs problèmes d'un œil tout à fait différent.

J'espère que vous trouverez les autosuggestions de ce chapitre aussi encourageantes que moi. Le premier texte de cette section, qui s'intitule «Dépasser ses limites», est l'un de mes favoris. Beaucoup de gens m'ont avoué qu'ils avaient trouvé ces énoncés particulièrement stimulants, sans forcément faire référence à l'ampleur ou au type de problème auquel ils faisaient face.

Je vous conseille aussi de répéter certaines autosuggestions contenues dans d'autres chapitres. Beaucoup d'entre elles sont destinées à vous inciter à *agir* d'une manière précise, ce qui est l'une des meilleures façons d'affronter ses problèmes.

Si nous souffrons de stress en raison d'une difficulté insurmontable, c'est que le vrai problème réside dans notre façon de *percevoir, intérieurement, l'extérieur* du problème.

Dépasser ses limites

À certains moments, nous affrontons des problèmes qui ne viennent pas de l'extérieur, mais bien de l'*intérieur*. C'est alors que les limites que nous nous sommes imposées nous nuisent.

Vous ne pouvez peut-être pas dépasser vos vieux programmes du jour au lendemain, mais vous pouvez, avec le temps, vous dégager de nombreuses limites qui embarrassent inutilement votre ordinateur mental.

Soyez intransigeant avec vous-même! Dites-vous que vous n'acceptez plus les limites qui ont régi votre vie dans le passé.

Rien ne peut bâillonner mon esprit invincible, ni diminuer la certitude de mes rêves. Je libère mes pensées et donne des ailes à mon imagination. Je déchaîne mon potentiel intérieur illimité.

Je suis tout ce qui est mes pensées, ma vie et mes rêves réalisés. Je suis tout ce que je veux être. Je suis aussi vaste que l'Univers.

Je refuse toutes les limites que les autres essaient de m'imposer; ce sont leurs limites et non les miennes, et elles n'influencent en rien ma destinée.

Chaque jour, je libère consciemment mon esprit des liens imaginaires du doute et des limites inutiles de l'incertitude et de la peur.

Chaque jour je libère mes pensées et mes énergies afin de réaliser mes attentes les plus positives et mes rêves.

Je crois en moi. Je sais que j'ai le pouvoir d'atteindre n'importe quel objectif et d'accomplir n'importe quelle tâche.

Rien vraiment ne peut m'empêcher d'atteindre le succès. Après tout, c'est moi qui ai créé mes limites et je peux m'en débarrasser.

Mon univers regorge de possibilités exaltantes et illimitées. Je les vois, j'y crois et je prends vraiment plaisir à les créer.

Lorsque j'ai un travail à faire, je passe mon temps à trouver des façons de l'exécuter et non des raisons d'y échapper.

Voici ma règle d'or: «Ne pense pas aux raisons qui t'empêchent de le faire, pense plutôt aux moyens de le faire.»

Je crois que tout est possible, sauf si je crois que c'est impossible.

Je vaincs mes peurs, et non le contraire. J'y fais face, je les observe, les comprends et les dépasse.

En refusant d'ajouter foi à mes peurs, je leur ôte toute énergie et elles se dissipent devant moi comme neige au soleil.

Je remplace la peur par l'amour et la confiance en soi. Je remplace mes limites par de la foi et de la détermination. Avec une telle combinaison, je ne peux pas être perdant(e).

La vie est pleine de possibilités illimitées et positives et je suis prêt(e) à exploiter tous les défis et toutes les occasions qui s'offrent à moi.

Comme j'ai conditionné mon esprit à penser d'une manière positive et que je suis fin prêt(e) pour le succès, mes horizons sont plus vastes et plus lumineux que jamais.

Faire face à ses problèmes

Nous savons que les personnes soi-disant heureuses et prospères règlent leurs problèmes d'une manière particulière. On sait aussi qu'un simple changement d'attitude et de perception peut transformer un «problème» en une pierre de touche.

Les personnes qui affirment que «la vie est pleine de problèmes» n'en sont habituellement pas plus affligées que les autres, mais elles sont conditionnées de telle sorte qu'elles perçoivent la vie ainsi.

Toute situation difficile peut être considérée comme faisant partie de l'existence ou être perçue au contraire comme un «problème». À vous de choisir. Si vous optez pour la seconde attitude, vous affronterez un grand nombre de problèmes. Par contre, si vous considérez ces mêmes circonstances comme des signes de vitalité et de santé (et des indices de progression), vous êtes alors mieux à même d'en tirer le *meilleur* parti possible.

J'ai de la facilité à régler mes problèmes. J'aime les défis et je les affronte de plein fouet.

Les problèmes sont mes maîtres. Ils m'aident à apprendre et à grandir. Sans eux, je n'irais nulle part. Grâce à eux, je progresse vers la réalisation de mes objectifs.

Aucun problème n'est insurmontable. Je possède une tête, un corps et un esprit solides. Ma volonté, ma force et ma détermination sont toujours supérieures à n'importe quel problème.

Lorsque j'affronte un nouveau problème, je ne le considère pas comme un ennemi. Je sais qu'en le réglant, je contribue à ma croissance personnelle.

Les problèmes représentent un élément clé de mon éducation spirituelle et mentale et je reconnais leur importance dans ma vie.

Je ne crains pas les problèmes, je les résous. Je ne feins pas de les ignorer, mais je les affronte. Je ne les évite pas, je les vaincs!

Je sais que chaque problème comporte les clés de sa solution. En conséquence, plus un problème est clair, mieux je peux discerner sa solution.

Le fait d'éprouver des difficultés n'est pas un problème pour moi. J'ai confiance en moi, je suis positif(ve) et déterminé(e). Je sais que je peux surmonter n'importe quel problème.

Je peux facilement disséquer de gros obstacles en petites pièces plus faciles à manipuler. Je ne grossis jamais un problème outre mesure.

Je ne m'inquiète jamais; je cherche plutôt des solutions constructives à mes problèmes.

Je garde l'esprit éveillé et ouvert à toutes les solutions, et j'en trouve rapidement.

Je ne crains pas les problèmes et préfère les affronter. J'en apprends le plus possible à leur sujet, je les comprends et les définis. J'y trouve des solutions que je place en ordre de priorité, puis j'applique immédiatement les premières sur ma liste.

Je reconnais désormais que bien des problèmes comportent des avantages et des possibilités qui n'auraient pas existé sans eux.

Je ne cherche pas à mener une vie exempte de difficultés. Je désire plutôt trouver des solutions et goûter les bienfaits qui en découlent.

Les mots «défi», «vaincre», «solution» et «gagner» font partie de mon vocabulaire quotidien. Les «défis» constituent des occasions uniques. «Les vaincre» est un résultat inévitable. Les «solutions» sont les tremplins de ma réussite et «gagner», mon mode de vie.

Surmonter la dépression

Même les dépressions mineures contribuent à nous ralentir, à nous vider et à nous faire perdre de vue le côté positif de la vie.

Certaines formes de dépression ont une cause physique et exigent un traitement médical. Toutefois, les formes les plus courantes résultent d'un événement passé ou présent qui nous déprime et nous fait perdre tout espoir.

On vient habituellement à bout de cette forme de dépression en améliorant son régime alimentaire, en faisant de l'exercice, en entamant une activité constructive et en affrontant les problèmes qui en sont à l'origine. Un programme comportant chacune de ces «thérapies» réussit presque toujours à diminuer la dépression.

Cependant, la *vraie* cause de cette forme de dépression est *interne* et non *externe*. Et vous pouvez y remédier.

Avant de vous convaincre de votre impuissance, accordez-vous la chance de modifier les pensées et les sentiments qui sont à l'origine de votre dépression.

Je crois en moi! Je crois que je peux réaliser tout ce que je veux et je choisis de me sentir *en pleine forme!*

J'aime être actif(ve). Je suis productif(ve) et j'accomplis les tâches qui me sont dévolues. J'établis un horaire quotidien et je le respecte.

Je mange exactement les aliments susceptibles de me garder en santé, éveillé(e) et bien dans ma peau.

Je sais que mon régime est important, je prends plaisir à le soigner et à améliorer un peu plus chaque jour ma santé et mon bien-être.

Je m'intéresse chaque jour à quelque chose d'unique à mes yeux.

Je commence et termine chaque journée avec le sourire. Tout au long du jour, je m'exerce consciemment à sourire et à me sentir bien dans ma peau.

J'attache une grande importance à mon apparence, car elle reflète mon sentiment de bien-être.

Je me fixe des objectifs quotidiens et crée ainsi un schéma de réussite. En goûtant chaque jour au succès, je réaffirme mon aptitude à réussir dans toutes mes entreprises.

Je prends le temps d'organiser mes activités quotidiennes. Je planifie ma journée et je respecte mon horaire.

J'obtiens toujours suffisamment de repos et de détente sans toutefois en abuser. Je prends particulièrement plaisir à me lever et à me mettre au travail!

Je ne laisse m'envahir que les pensées qui m'aident à réaliser mes objectifs les plus importants. Mes pensées sont toujours claires, constructives et puissantes.

Désormais, je me donne la permission d'apporter des changements positifs à ma vie. Je vois le bon côté de toute chose et je prends chaque jour le temps de reconnaître les possibilités et les satisfactions qui m'attendent.

Je refuse de laisser quoi que ce soit m'arrêter pendant longtemps. Je me secoue, relève le menton, souris et repars.

Je connais un mot magique qui combat la dépression et illumine ma journée: «ACTION!»... et j'agis!

Se libérer des tracas

Le tracas n'est pas le propre de la nature humaine. Ce n'est ni un *instinct* ni un trait de caractère *inné,* mais bien une habitude acquise.

Se tracasser, ce n'est pas «s'inquiéter» de quelque chose. Il est *naturel* de s'inquiéter d'une menace, d'une personne ou d'une chose qui nous tient à cœur. L'inquiétude est la manière qu'a votre cerveau de vous faire remarquer quelque chose et, s'il y a lieu, de vous inciter à agir.

Or, une saine inquiétude se transforme souvent en tourment malsain, sorte de crainte mêlée de doute qui vous porte trop souvent à dramatiser un problème et à le retourner en tous sens *sans* parvenir à le régler.

Il paraît que nous pourrions résoudre la plupart de nos problèmes si nous remplacions chaque moment d'inquiétude par un temps égal de «recherche de solution» ou, en l'absence de solution, d'«acceptation». En fait, nous *pouvons* régler certains problèmes tandis que d'autres nous échappent. Le remède au tracas, on nous l'a répété, consiste à agir sur les éléments que nous *pouvons* changer et à accepter les autres.

Apprendre à ne pas se tracasser, ce n'est pas apprendre à «éviter» les problèmes. La personne qui pratique l'autogestion doit prêter attention aux circonstances de sa vie. Toutefois, le fait de gaspiller son temps et sa précieuse énergie mentale à *se tracasser* au sujet de situations qu'on ne peut pas changer est tout à fait inutile et peut, à la longue, entraîner de graves conséquences physiques.

J'aime l'autosuggestion qui dit: *«Je transforme mon «temps d'inquiétude» en «temps d'action».* Le fait de prendre cette seule décision apparemment simple peut modifier votre attitude entière à l'égard des problèmes et de leurs solutions.

Mon esprit demeure en tout temps positif; il est vif, enjoué, enthousiaste et débordant d'idées intéressantes et constructives.

Je peux facilement détendre mon corps et mon esprit. Je suis calme et confiant(e).

Mon esprit est ordonné et bien organisé. Je choisis consciemment les pensées les plus positives et les plus salutaires pour moi.

Toutes mes pensées contribuent à ma santé physique et mentale. Mon esprit ne s'arrête qu'aux pensées qui accentuent l'harmonie, l'équilibre et le bien-être, en moi et autour de moi.

J'adopte toujours automatiquement une façon de penser décidée. Je possède une grande détermination et l'absolue certitude d'obtenir le meilleur résultat possible dans toutes mes activités.

Je choisis de regarder mon univers à la lumière saine et radieuse de l'optimisme et de la confiance.

Je suis content(e) de moi aujourd'hui. Je m'approuve et je suis heureux(se) d'être ce que je suis.

Je fais uniquement ce qui est bon pour moi. Je crée le meilleur en moi, j'attire le meilleur chez les autres et je trouve le meilleur dans mon univers.

Je me charge volontiers et sans faillir des tâches et des obligations que j'ai acceptées. Je ne prends que les responsabilités que je peux assumer et qui contribuent à mon bien-être et à celui des autres.

Mon esprit ne se concentre que sur les situations que je peux changer. Si je ne peux pas les influencer ni les dominer, je les accepte.

Mon esprit est trop occupé à nourrir des pensées saines et constructives pour laisser une place à l'inquiétude, au doute et à l'incertitude.

Pour éliminer l'inquiétude de ma vie dans les situations qui exigent une attention immédiate; j'agis SUR-LE-CHAMP. J'anticipe toujours fébrilement les possibilités exaltantes que comporte l'avenir.

Je maîtrise mes pensées. Aucune pensée ne peut s'emparer de mon esprit sans ma permission.

Je suis de jour en jour plus décidé(e) à mener une vie exempte d'anxiété et de tracas; à donner à mon esprit et à mon corps les bienfaits de la confiance et de la foi.

Maîtriser ses émotions

Vos émotions vous empêchent-elles d'agir à l'occasion? Rassurez-vous, vous n'êtes pas le seul dans ce cas. Nous naissons avec la capacité d'éprouver d'intenses émotions, pour la plupart saines, mais il nous faut apprendre à les affronter.

Certaines personnes laissent leurs émotions leur échapper. Elles se mettent constamment en colère, deviennent émotives sans raison apparente, éprouvent des craintes injustifiées ou adoptent des comportements similaires simplement parce qu'elles n'ont pas appris à dominer leurs émotions.

Parfois, vous *savez* que vous devez rester calme et maître de vous, mais vos émotions vous emportent. Il y a une raison à l'origine de ce phénomène et un remède aussi.

Chacun de nous traverse un «cycle» *situation-pensée-réaction chimique* plusieurs fois par jour, habituellement à son insu. Voici ce qui se passe:

1. Une situation propre à vous troubler survient.

2. Cette situation fait germer des pensées dans votre esprit.

3. Vos pensées, à leur tour, entraînent une réaction physiologique (chimique) dans votre cerveau.

4. Cette réaction chimique suscite en vous des émotions face à la situation donnée.

5. Vos émotions créent d'autres pensées similaires, qui, à leur tour, entraînent une nouvelle réaction chimique et émotionnelle, et ainsi de suite.

Ce processus ne prend que quelques secondes! À moins de maîtriser votre réaction première, c'est-à-dire vos *pensées* face à la situation, vos *émotions* prennent le dessus et vous perdez le contrôle de vous-même.

Voilà pourquoi certaines personnes perdent la tête dans des situations où il aurait mieux valu, pour elles et pour les autres, qu'elles se dominent. Elles ne savent pas encore qu'apprendre à maîtriser ses émotions fait partie de la vie.

Il n'y a pas de «mauvaises» émotions. Même les émotions en apparence inutiles telles que la peur ou la colère ont une raison d'être au même titre que les émotions plus positives comme la joie et l'amour.

Toutefois, toute émotion non contrôlée peut entraîner un stress psychologique et *physique* inutile, en soi comme chez les autres.

Ne cédez pas à de vieilles autosuggestions comme celles-ci: «*Cela me rend fou(folle)!*», «*Pourquoi cherches-tu à me blesser?*», «*Je me mets en boule chaque fois que j'y pense*», «*Je suis vraiment hors de moi*», «*Je ne peux absolument pas supporter cela*», «*Je suis incapable de me contrôler*», «*Je suis incapable de faire face à mes sentiments*», «*Tu sais ce que ça me fait*», «*Je ne sais plus que penser*», «*Je ne peux pas m'en empêcher*», «*Je suis ainsi*», «*Tu vas devoir me supporter*», «*Tu me mets hors de moi*» ou «*Je suis désolé(e) d'être aussi émotif(ve)*».

Il existe une meilleure façon de vivre et de réagir face à ce qui nous «arrive», et nous le savons.

Pourquoi nous mettons-nous en colère, nous sentons-nous blessé ou malheureux quand nous pourrions facilement dominer la situation? Comme la vie serait facile si nous maîtrisions nos réactions, c'est-à-dire les pensées qui sont à l'origine de nos émotions! La plupart des autosuggestions contenues dans le présent ouvrage influeront sur vos pensées et, par conséquent, sur vos émotions d'une manière positive. Par ailleurs, les autosuggestions énoncées ci-dessous peuvent vous aider à maîtriser vos émotions.

Je maîtrise mes pensées et mes émotions. C'est moi qui leur commande, et non le contraire.

Je m'estime et crois mériter le meilleur de moi-même.

Bien que je veille à exercer uniquement les activités qui me permettent de m'épanouir, je n'ai pas besoin de laisser des émotions destructrices me créer des obstacles.

J'apprécie les émotions profondes que je ressens. Je choisis cependant de les transformer en forces bénéfiques.

Je comprends les autres, j'ai de la considération pour eux et je ne laisse pas mes émotions s'immiscer entre nous.

Je prends vraiment plaisir à entretenir des rapports calmes et bénéfiques avec les autres, tant pour eux que pour moi.

Je possède une personnalité agréable. J'aime ce que je suis et je suis maître(sse) de moi.

Je sais me montrer patient(e) face aux autres et aux réalités de la vie.

Lorsqu'une situation exige de la patience, je reste calme, recueilli(e) et maître(sse) de moi.

Je pense, agis et vis d'une manière calme et satisfaisante, tant pour moi que pour mon entourage.

Je suis en santé et je fais le nécessaire pour éviter tout stress inutile.

J'ai pris l'habitude d'éprouver des émotions positives. Cette habitude m'est bénéfique, quelle que soit la situation.

Je maîtrise mes émotions facilement et naturellement.

J'entretiens une attitude positive envers les autres et envers moi-même.

Chaque fois que je me trouve dans une situation qui m'aurait causé des émotions inappropriées dans le passé, je jouis de l'extraordinaire sentiment que j'éprouve à rester maître(sse) de moi.

Je suis sensible, chaleureux(se) et ouvert(e) avec les gens, et je suis capable d'exprimer mes sentiments d'une manière saine et positive.

Mon attitude optimiste face à moi-même et à ma vie provoque des émotions et des sentiments puissants et positifs en moi.

Je reconnais chaque jour mon aptitude à prendre en main ce que je suis, ce que je pense et ce que je ressens.

J'ai appris, chaque jour et en toute circonstance, à créer en moi les émotions qui m'apportent la paix mentale, et améliorent ma santé physique et mes relations avec mon entourage.

Je réussis dans chaque secteur important de ma vie, et cela se voit jusque dans mes émotions.

Surmonter les obstacles

Je recommandais plus tôt quelques autosuggestions portant sur la façon d'appréhender ses problèmes. Celles qui suivent sont encore plus précises et vous indiquent comment surmonter les obstacles.

Ces «obstacles» sont des barrières qui vous séparent de vos objectifs. Ils peuvent être énormes ou minimes, et leur degré de difficulté dépend habituellement de vous.

En effet, il vous appartient de décider si vous voulez laisser un obstacle dégonfler votre enthousiasme ou saper votre détermination. Si vous croyez qu'une barrière est impossible à franchir, soyez certain qu'elle le sera. Si, par ailleurs, vous choisissez de persévérer et de la surmonter, vous y réussirez sans doute.

Voici des autosuggestions qui, si vous les répétez souvent et avec conviction, vous aideront à résoudre des problèmes que vous aviez crus insurmontables. Elles exigeront beaucoup de vous, mais pourquoi vous attendre à moins?

Essayez de les répéter tout bas lorsqu'un obstacle vous barre la route. Dites-vous, avec force et certitude, que vous *pouvez* le surmonter. Donnez-vous les mots, l'image mentale et la conviction dont vous avez besoin, et constatez le résultat!

Je suis un(e) gagneur(se)! Aucun obstacle n'est assez important pour que je ne puisse pas le surmonter. Aucune difficulté n'est assez grande pour m'arrêter.

Je possède de la force, une détermination absolue et une endurance illimitée dans la poursuite de mes objectifs.

En me débarrassant des limites que je m'étais imposées mentalement, j'ai éliminé un grand nombre de barrières que j'imaginais se dresser devant moi.

Je ne crée pas de faux problèmes, mais je ne feins jamais d'ignorer les vrais.

Je suis pratique et réaliste. Je possède une confiance inébranlable qui me permet d'affronter et de surmonter tous les obstacles qui se dressent sur mon chemin.

Je vois toujours les obstacles à mon succès à la lumière de la compréhension. J'affronte toujours un défi avec l'assurance tranquille et positive que je vais réussir!

Chaque jour, lorsque je planifie mes activités, je prévois les mesures à prendre pour surmonter les obstacles qui se dressent devant moi.

J'attaque chaque problème de front. J'établis une ligne de conduite et je m'engage à la suivre jusqu'au bout.

Lorsque je me fixe un objectif ou détermine une tâche à accomplir, je crois au résultat final dès le début et pendant chaque étape.

Je suis prêt(e) à prendre toutes les mesures nécessaires pour accomplir les tâches que j'ai choisies, et ce, de la manière la plus positive possible.

Je sais que le mot «difficile» représente davantage un état d'esprit que la description d'un problème.

Au lieu de juger les obstacles comme étant «difficiles», mon esprit reconnaît simplement leur «existence». Ils ne sont pas mauvais, ni impossibles à surmonter, ils existent, tout simplement.

Je ne vois jamais les barrières comme une «malchance». Je les vois pour ce qu'elles sont et ne leur accorde ni plus ni moins d'importance qu'elles n'en ont.

Comme j'ai une attitude positive et confiante envers les obstacles et les difficultés, ceux-ci ne sont jamais une source d'anxiété ou de stress pour moi. J'ai appris à les *affronter* simplement, de la manière la plus pertinente possible.

Lorsque j'affronte les barrières et les difficultés inhérentes à toute réalisation authentique, je me rappelle toujours que j'ai décidé de *gagner*. Les obstacles renoncent bien avant moi.

Lorsque vous faites face à un problème particulièrement épineux, écoutez ou lisez ces autosuggestions à haute voix plusieurs fois. Vous développerez face à ces paroles une réaction mentale et *chimique* qui pourrait renforcer votre détermination à gagner.

Puis, juste avant de vous attaquer au problème, relisez ou réécoutez le texte qui s'intitule «Croire l'incroyable». Si vous suivez ces conseils et avez la ferme intention de gagner, je ne voudrais pas me trouver sur votre chemin!

Créer l'espoir

Combien de fois n'avons-nous pas eu cette pensée: «Si seulement j'apercevais la lumière au bout du tunnel, je pourrais m'en sortir.» Sans espoir, il semble qu'il n'y ait pas de raison de continuer.

Sur la liste des qualités humaines les plus remarquables, l'espoir voisine avec la confiance et la conviction. Cette qualité humaine est peut-être responsable d'un plus grand nombre de vies sauvées, de buts atteints, de problèmes résolus et d'obstacles surmontés qu'aucune autre qualité.

Lorsque tout s'effondre, il semble qu'un peu plus d'espoir nous serait bénéfique. Cela est vrai, non seulement d'un point de vue «spirituel», mais aussi d'un point de vue *médical,* physiologique. Les médecins vous diront que l'espoir a guéri des malades; les psychologues et psychiatres, que nombre de leurs patients, oscillant entre le désespoir et la guérison, ont atteint un point tournant lorsqu'ils ont trouvé une raison d'espérer.

Cela s'explique parce que l'espoir engendre la confiance. Or, nous le savons, la confiance est l'un des éléments du subconscient qui provoque dans le cerveau des réactions chimiques pouvant jouer le rôle de puissants combattants. Lorsque tout espoir semble perdu, nous avons besoin de tous les combattants dont nous disposons.

Cette puissante cousine de la foi, que nous appelons «espoir», peut jouer un rôle plus important que nous ne le croyons dans notre bien-être physique et mental. Le fait d'espérer provoque un nouveau sentiment de confiance et, dans bien des cas, de *détermination.*

C'est cette détermination qui ravive la flamme de la survie. L'espoir renforce notre énergie chimique, physiologique et psychologique et nous permet de surmonter le désespoir et d'atteindre la lumière au bout du tunnel.

Si vous voulez espérer davantage ou offrir le présent de l'espoir à un tiers, il suffit de créer les pensées qui formeront le sol fertile et propre à l'émergence d'une nouvelle confiance.

Au lieu d'accepter un désespoir stérile, créez l'espoir d'une *possibi-*

lité. Ce que vous faites pour créer cet *espoir* pourrait, comme cela s'est produit si souvent dans le passé, modifier le cours des événements.

J'ai de l'espoir!

Je *ne* renoncerai *pas!* Je sais que tant qu'il y a de la vie, *il y a de l'espoir.*

Je refuse de laisser les problèmes de la vie m'abattre! Je sais que le jour le plus sombre est toujours suivi d'un lendemain meilleur. Je l'attends avec impatience, et il vient toujours!

Je possède *foi, courage* et *confiance* en moi et j'espère trouver la meilleure solution possible à n'importe quel problème.

Je suis fort(e) et je possède la force nécessaire pour passer au travers des difficultés!

Je recherche et trouve toujours le meilleur côté de n'importe quel problème, ainsi que des solutions.

Au lieu de me vautrer dans les nuages noirs du désespoir, je recherche le halo de soleil qui les nimbe.

J'accepte ce que je ne peux pas changer, mais je cherche toujours à créer la meilleure issue possible à toute situation.

J'ai appris à regarder ma vie et tout ce qu'elle contient à la lumière de la compréhension. J'ai appris à me dire que «tout passe» et à faire confiance à cette vérité.

Je ne renonce jamais. Je suis un(e) gagnant(e), et je me donne l'énergie et la confiance nécessaires pour être vainqueur!

Chaque fois que j'affronte une situation en apparence difficile ou impossible, je me rappelle l'incroyable puissance que crée l'espoir dans mon esprit.

J'ai de la patience. Je ne remets jamais mes tâches à plus tard, mais je permets toujours aux forces positives naturelles de ma vie de travailler pour moi.

Je conserve un bon moral! Je nourris des pensées saines et constructives. Je me remplis d'énergie positive en croyant au meilleur!

Je choisis des pensées, des actions et des sentiments positifs afin de conserver ma bonne humeur!

Je comptabilise tous les bienfaits que m'apporte la vie. Je suis toujours conscient(e) de tout ce qu'il m'arrive de bon dans la vie.

Je ne renoncerai jamais à la vie et la vie ne renoncera jamais à moi. J'ai de l'*espoir* et cela se voit!

Chaque jour accroît mon espoir et ma confiance en mon aptitude à vaincre n'importe quelle difficulté.

Je possède la *vie, la force, l'énergie, la confiance, la foi inébranlable et la détermination* qu'il faut pour gagner.

Triompher de la négativité des autres

Comment aider les autres ou même triompher de leurs programmes négatifs? Nous avons déjà débattu cette question dans la première partie du présent ouvrage. Nous examinerons ici des autosuggestions précises qui peuvent vous aider à régler ce problème.

La plupart de ces autosuggestions ont un double objectif:

1. Aider l'autre (à modifier son attitude) de la meilleure façon possible.

2. Faire en sorte que votre attitude ne soit pas influencée par celle de l'autre.

Comme je travaille dans le domaine du comportement humain, je suis souvent amené à rencontrer des gens qui ne savent plus à quel saint se vouer parce qu'un de leurs proches leur donne du fil à retordre.

Certains sont prêts à *tout* pour sortir de cette situation, quitte à essayer leurs propres autosuggestions. Ce qu'ils font... avec succès!

Il n'existe pas de solution miracle pour venir à bout du négativisme d'un autre, mais la «victime» de cette attitude peut obtenir des changements remarquables si elle cesse de l'*accepter*.

Pour cela, il faut en prendre la ferme *décision*. Ni vous ni moi ne pouvons aider un tiers à envisager la vie d'une manière positive si nous sommes aux prises avec nos vieux programmes négatifs. Il faut d'abord nous assurer que notre maison est en ordre, que notre attitude est positive et que nous sommes disposés à l'aider.

Lorsque cette personne est un ami ou un être cher, je conserve toujours l'espoir qu'elle reconnaîtra un jour son vrai moi et renaîtra à la vie.

La personne qui passe d'une attitude négative à une attitude positive, qui remplace ses vieux programmes négatifs par des programmes axés sur la confiance en soi, peut se comparer à une chenille qui lutte pour devenir papillon.

À la différence que, lorsque ce changement se produit chez un être cher, ce n'est pas un papillon que nous observons, mais bien l'avenir tout entier d'un être humain.

J'aime me montrer sous mon meilleur jour et j'accepte toujours les autres lorsqu'ils se montrent eux aussi sous leur meilleur jour.

Je peux reconnaître chez les autres des qualités dont ils ignorent souvent la présence en eux.

J'ai appris à dire ces paroles puissantes: «Je crois en toi.»

Je n'attends jamais l'impossible des autres, mais j'attends toujours le meilleur. Je dis aux gens que je crois en eux et dans les nombreux succès qui les attendent.

Aucune attitude ne peut avoir raison de moi. Je maîtrise mes pensées et mes comportements.

Je ne me laisse jamais influencer par l'attitude négative des autres.

Je fais en sorte que mon attitude soit un exemple éclatant d'autodétermination.

Les autres apprécient ma compagnie et sentent l'énergie que je dégage. Je suis de bonne humeur et heureux(se) de vivre!

Lorsque je sens chez quelqu'un une attitude négative, j'essaie de ne pas en tenir compte et m'efforce plutôt de reconnaître ses qualités.

Je sais les avantages que l'on peut retirer de ces mots: «Dans le doute, réagis positivement.»

Je reconnais qu'une personne ne peut pas changer son attitude simplement pour me faire plaisir, mais je peux lui offrir ma confiance, mes encouragements et l'assurance d'un avenir meilleur.

Je ne prends jamais la responsabilité de l'attitude d'un tiers, mais j'assume l'entière responsabilité de la mienne.

Je sais que l'adoption de certains comportements est possible pour tous: c'est pourquoi je choisis de prendre l'habitude positive de réussir dans la vie.

Je fais toujours en sorte d'affronter tout négativisme de la façon la plus constructive possible.

Triompher de son négativisme

Mon immense foi dans l'être humain ne s'est jamais démentie jusqu'à présent. Mieux vaut attendre le meilleur de chacun. C'est gratifiant, la plupart du temps.

Si vous filez un mauvais coton parce que vous êtes trop dur avec vous-même et que vous voyez toujours le mauvais côté des choses, sachez que vous n'êtes pas le seul dans ce cas.

Inutile d'être négatif envers vous-même. Quoi que vous croyiez sur vous-même, quels que soient les doutes ou les appréhensions que vous ayez pu éprouver dans le passé, sachez que la vie, en vous, est unique. Vous êtes l'incarnation vivante de l'étonnant Présent qui nous a tous créés.

Ayez confiance en ceci: vous êtes né pour devenir un être exceptionnel. Vous avez le droit d'être heureux. Et *rien* ne devrait *jamais* vous ôter ce droit.

Lorsque vous lirez les autosuggestions ci-dessous, sachez qu'elles disent la vérité sur vous-même. Une personne qui aurait suffisamment confiance en vous vous en persuaderait aisément. Faites de même pour vous.

J'ai décidé de me voir et d'envisager la vie sous un angle positif.

Je recherche toujours le meilleur en moi et dans tout ce qui m'entoure; et plus je regarde, plus je le trouve.

Chaque fois qu'une pensée négative jaillit dans mon esprit, je la reformule de la manière la plus positive possible.

J'ai appris à ne tenir, à moi et aux autres, que des propos qui reflètent mes qualités positives et les leurs.

Je me découvre chaque jour de nouvelles qualités positives.

Je ne laisse, dans ma vie, aucune place à la dépression ou au désespoir. Je choisis désormais de voir ma vie sous l'angle exaltant des possibilités illimitées qu'elle renferme.

Je n'accorde aucune place, dans ma vie, au négativisme. Je préfère être la personne qui se voit et qui voit son univers d'une manière heureuse, globale et positive.

J'aime être heureux(se) et profiter des nombreux bienfaits qui découlent de ma nouvelle attitude positive devant l'existence.

J'ai décidé de me débarrasser de toutes les attitudes négatives qui datent de mon passé. Je n'en ai plus besoin et elles n'ont pas de place dans ma vie.

Il m'importe de me voir sous ce jour nouveau. Je choisis de réussir et je sais que je le peux!

Je m'associe à des gens positifs. Les amis que je choisis ont des attitudes des plus positives.

En fréquentant des personnes heureuses et positives qui progressent dans la vie, je suis encore plus heureux(se) de posséder moi-même ces qualités constructives.

Je reconnais beaucoup d'aspects positifs en moi-même, dans mon comportement général, dans ma vie actuelle et dans ma façon d'envisager l'avenir.

J'incarne de plus en plus la personne positive que je suis destinée à être et je crois davantage en moi chaque jour.

Vaincre la peur de l'échec

Bien des réalisations potentielles ne voient jamais le jour tout simplement parce qu'on *craint* d'échouer. Je ne connais personne qui n'ait eu peur de l'échec à un moment ou à un autre.

Imaginez ce que nous pourrions accomplir si nous ne craignions *jamais* d'échouer. Personne n'est comme cela bien sûr, mais il y a des moments — trop nombreux — où ce n'est pas l'envergure de la tâche ou du problème qui nous arrête, mais bien la peur de ne pas réussir.

Je me souviens, enfant, avoir entendu les paroles suivantes: «Il ne suffit pas d'essayer!» Or, si vous laissez l'éventualité d'un échec vous empêcher d'essayer, vous avez échoué avant même d'avoir commencé.

Votre peur de l'«échec» découle de l'opinion que vous avez de vous-même qui, elle, résulte de votre programmation. Vous pouvez donc modifier votre attitude à l'égard de l'échec. Lorsqu'un nouveau conditionnement et de nouvelles directives intérieures vous feront voir l'échec comme un élément nécessaire de l'apprentissage et de la croissance, vous envisagerez ce que vous faites, ou *pourriez* faire, sous un nouvel angle.

Les choix qui s'offrent à nous et qui représentent un «succès» ou un «échec» potentiel touchent souvent les événements les plus courants de la vie. Un homme se demande s'il doit appeler une nouvelle connaissance pour l'inviter à dîner. Un vendeur consulte sa liste de clients et se demande s'ils accepteront sa présentation. Une mère célibataire analyse son budget et se dit qu'il est beaucoup trop serré.

Devons-nous courir le risque de réussir, ou non? La crainte d'échouer peut nous convaincre de ne rien tenter.

La plupart de nos craintes sont inconscientes. Nous trouvons toutes sortes de prétextes pour *ne pas* agir. Nous nous convainquons que nous n'obtiendrons pas de prêt, que nous ne serons pas admis à l'université, que, de toute façon, nous ne décrocherons pas l'emploi désiré, que le client n'achètera pas notre produit ou que notre budget ne s'équilibrera pas. Nous trouvons toutes les *preuves* possibles pour que *cela ne marche pas!*

C'est toujours la crainte d'échouer qui nous arrête. La plupart des autosuggestions présentées dans cet ouvrage vous aideront à surmonter la simple peur de l'*échec*. Celles qui suivent, toutefois, vous offrent des directives précises qui vous aideront à confronter la peur elle-même et à remplacer votre vieille attitude pessimiste («je ne peux pas») par une attitude plus positive («bien sûr que je le peux!»).

J'ai confiance en moi.

Je sais que l'«échec» comme le «succès» sont des états esprit; c'est pourquoi je règle mon esprit sur le succès et non sur l'échec.

Je sais que ce qu'on nomme «échec» n'est rien de plus qu'une occasion d'apprendre, de grandir et d'atteindre ses objectifs.

Je n'ai jamais peur d'*essayer*.

Je sais que ma volonté de surmonter mes doutes passés pave la voie de mes réalisations futures.

J'aime progresser et persévérer. Je ne laisse jamais la peur de l'échec, ni aucune autre peur, me barrer la route.

Je ne me soucie jamais de l'opinion des autres concernant mes objectifs, mes efforts pour les atteindre, ou les «échecs» que je peux subir en chemin.

Je ne vis pas en fonction de l'opinion d'autrui. Je prends mes propres décisions et agis en conséquence.

En apprenant l'autogestion, je me suis donné la *liberté d'échouer* et d'atteindre les succès qui découlent de mes échecs et réussites antérieurs.

Je ne crains pas l'échec. Je suis responsable de mes actes. J'acquiers les connaissances et les aptitudes nécessaires pour réussir, et je progresse.

Je me vois comme une personne «gagnante». Et je sais que tout échec fait partie intégrante de mes réussites.

Je ne remets jamais une tâche à plus tard par crainte d'échouer. Je préfère *agir* de mon mieux et savoir que j'ai eu le courage d'essayer.

J'accepte mes échecs et je regarde au-delà.

Je ne m'attarde pas sur mes échecs passés. Je les accepte, en tire des leçons et réussis mieux aujourd'hui à cause d'eux.

Je suis impatient(e) de remporter de nombreux succès que je prépare dès maintenant. Aller de l'avant et *croire en moi-même,* voilà comment je veux vivre.

Je prends chaque jour des décisions qui ont une influence directe sur ma vie. Je ne les évite jamais, j'en accepte les conséquences et j'ai assez de confiance pour les assumer jusqu'au bout.

Même le *mot* «échec» prend désormais à mes yeux une signification différente. Je sais qu'il fait partie de la vie et constitue un élément sain et essentiel de mon succès.

Tant que vous serez prêt à essayer, vous ne serez *jamais* évalué en fonction de vos échecs, *peu importe leur nombre,* mais bien en fonction de vos réussites et du fait que vous vous êtes montré prêt à foncer et à mener à bien votre entreprise.

Chapitre vingt-quatre

S'ORGANISER ET FAIRE SON TRAVAIL GRÂCE À L'AUTOSUGGESTION

Comme la vie serait extraordinaire si nous possédions l'aptitude et l'inclination à organiser ce bien précieux qu'est le «temps». J'entends souvent dire: «Si seulement j'avais plus de temps!» ou «Je n'arrive pas à m'organiser». S'acquitter de ses tâches d'une manière satisfaisante tout en ayant du temps de reste, voilà un cadeau que seul un petit nombre d'entre nous semblent capables de s'offrir. Or, nous pourrions tous maîtriser notre emploi du temps si nous savions nous y prendre.

Les autosuggestions présentées dans ce chapitre portent sur l'organisation, l'établissement de priorités et la maîtrise de son temps. L'*autogestion,* dont découle la décision de prendre sa vie en main, constitue le fondement de ces aptitudes. Peu importe la portion de votre vie qui semble régie par les exigences des autres en matière de temps, soyez assuré que la maîtrise de soi représente le plus sûr moyen d'organiser son temps.

Un grand nombre des textes compilés ici comportent des directives intérieures propres non seulement à renforcer votre estime personnelle, mais aussi votre maîtrise de vous-même — de vos pensées, de votre présent, de votre avenir et de votre *temps.* La manière dont vous dirigez vos pensées régira celle dont vous dominerez les autres aspects de vous-même. Et la manière dont vous organisez votre *temps* déterminera votre réussite.

Les autosuggestions ci-dessous s'adressent à ceux d'entre vous qui veulent avoir leur mot à dire quant à l'organisation de leur emploi du temps. Si vous souhaitez mieux organiser le vôtre, vous apprécierez les autosuggestions consacrées à l'organisation et à l'efficacité professionnelles. J'espère qu'elles vous seront aussi bénéfiques qu'elles l'ont été pour d'autres.

S'organiser

Le sens de l'organisation s'accompagne du sentiment particulièrement exaltant d'avoir le dessus, de savoir où on en est et d'être maître d'au moins une partie de sa vie.

Presque tout le monde peut apprendre à s'organiser. Mais le sens de l'organisation est aussi un «état d'esprit», car il exige d'abord de posséder une «attitude d'organisation». Or, cette attitude ne nous est pas donnée par hasard, il faut la créer.

Il n'en tient qu'à vous de devenir plus organisé. La plupart de ceux qui ont maîtrisé cette aptitude vous diront qu'il s'agit là d'une de leurs réalisations les plus satisfaisantes.

Je suis organisé(e) et maître(sse) de ma vie. Je suis maître(sse) de moi-même, de mes pensées, de mon temps, de mes actes et de mon avenir.

Je sais quoi faire, quand le faire et j'accomplis toutes mes tâches au moment opportun.

Je programme mon esprit de manière à faire le meilleur usage possible de mon temps. J'aime être organisé(e), efficace et maître(sse) de la situation. Le fait d'organiser mon temps m'aide à conserver ces qualités.

Je ne perds jamais mon temps, car je le «planifie». Et comme je respecte toujours mon horaire, j'ai assez de temps pour remplir les tâches que j'ai choisies.

Je m'organise de mieux en mieux chaque jour et je suis maître(sse) de tous les secteurs de ma vie: ma vie familiale, professionnelle, mon esprit, mes pensées et toutes mes activités.

Je suis très organisé(e). Chaque soir, j'établis une liste des tâches du lendemain. Je fixe mes priorités et les respecte.

Je suis toujours à l'heure; je suis là où je dois être, au moment où je dois y être. Il est facile pour moi d'être ponctuel(le), et plus je suis maître(sse) de mon temps et organisé(e), plus c'est facile.

Je maîtrise mes sentiments, mes émotions, mes attitudes et mes besoins. Je les domine, et non le contraire.

C'est moi qui décide des conséquences de mes actes. Et comme je choisis de vivre en fonction de mes choix et non du hasard, je prends le temps de tenir les commandes.

Je possède un esprit organisé et ordonné, et cela se reflète dans ma vie.

Je nourris toujours les pensées les plus positives sur toute chose. Ma façon de penser est ma façon de vivre.

Je suis maître(sse) de ma destinée. Je sais où je vais et pourquoi. Ma vie est entre mes mains.

Je suis maître(sse) de mes objectifs et de leur réalisation. Je les inscris un à un, ainsi que les étapes à suivre pour les réaliser. Le fait que mes objectifs soient bien définis et organisés contribue à mon succès.

Je suis entièrement maître(sse) de mes pensées. C'est pourquoi je n'accepte que celles qui me sont bénéfiques.

Accomplir davantage

Vous est-il déjà arrivé de dire: «J'ai l'impression de n'avoir rien fait aujourd'hui»? Certaines personnes éprouvent ce sentiment pendant des années entières!

Si vous voulez accomplir davantage et en moins de temps, il n'en tient qu'à vous. La plupart des spécialistes de la gestion du temps vous diront que vous devriez pouvoir en faire plus, dans le même temps, simplement en prenant conscience de ce que vous faites et en essayant d'acquérir une ou deux nouvelles aptitudes qui vous aideront à «organiser vos réalisations» un peu plus soigneusement.

Toutefois, afin d'obtenir le meilleur de vous-même, il vous faut tout d'abord absorber le meilleur. Peu importe votre degré d'efficacité (ou d'inefficacité) passée: le fait de modifier vos autosuggestions pourrait l'augmenter d'une manière extraordinaire — pourvu que vous vous *concentriez* sur votre travail, *sans* toutefois y consacrer plus de temps qu'il ne faut.

Je fais plus parce que je travaille davantage. J'aime fournir des efforts additionnels et obtenir des résultats plus poussés.

Je suis une personne organisée et efficace. Je maîtrise l'art de faire plus en moins de temps.

Je suis déterminé(e) à trouver la façon la plus efficace d'exécuter chacune de mes tâches.

Je travaille dur, mais avec intelligence. Je planifie soigneusement mes activités et respecte ma planification et mes échéances.

Je prends conscience du temps que je mets à remplir n'importe quelle tâche.

J'évite de perdre mon temps; je le consacre plutôt aux tâches les plus bénéfiques et les plus valables.

Mes réalisations sont supérieures à la moyenne parce que je suis supérieur(e) à la moyenne. J'attends davantage de moi-même et je l'obtiens.

J'accorde une grande valeur aux actes. Je sais évaluer l'importance d'une tâche que je m'apprête à remplir.

J'accomplis davantage, car je fais augmenter la somme d'efforts et de temps que je consacre à mes activités.

La qualité compte autant que la quantité à mes yeux. Et les récompenses que j'obtiens valent bien les efforts que je déploie.

J'augmente mon rendement en concentrant mon énergie et mon attention sur ce que je fais. Lorsqu'il s'agit d'exécuter une tâche, je n'ai qu'une idée en tête.

J'aime travailler fort, et j'apprécie les avantages et les satisfactions que me procure un travail bien fait.

Plus je mets d'énergie dans mon travail, mieux il est fait et plus grande est la satisfaction que j'en retire, ce qui me procure un surcroît d'énergie.

J'éprouve une grande satisfaction à savoir que je travaille fort et bien. Je m'efforce chaque jour d'augmenter mon efficacité et mon rendement.

J'ai une attitude positive envers mon travail. Je sais que j'en retire autant que l'énergie que j'y consacre, et je veille toujours à me surpasser pour qu'il soit bien fait.

Cesser de temporiser

Si vous avez tendance à temporiser, rassurez-vous, vous n'êtes pas le(la) seul(e), car ce problème afflige bien des gens. Or, la temporisation est une habitude qu'on *peut* vaincre.

Il faut autant de détermination que de pratique pour perdre cette habitude, mais il faut surtout en prendre la ferme *décision*.

Nous en connaissons tous les conséquences. L'histoire prouve que des guerres ont été déclarées, des fortunes perdues et des vies gâchées simplement parce que certaines personnes n'ont pas agi au moment opportun.

Il vous est sans doute déjà arrivé de remettre une tâche à plus tard pour vous rendre compte que les conséquences de votre attitude étaient de loin plus pénibles que l'exécution de la tâche elle-même.

Une femme m'a avoué que son mariage avait été un échec parce qu'elle ne prenait jamais le temps d'équilibrer son budget. Un étudiant prometteur a échoué à l'université non pas par manque d'intelligence, mais parce qu'il remettait toujours en retard des travaux qui lui auraient valu une excellente note. Lors d'une conférence que je donnai à un groupe de cadres, un directeur m'affirma qu'il augmenterait de trente à quarante pour cent le chiffre d'affaires de sa compagnie si seulement il pouvait inciter ses vendeurs à rappeler leurs clients au moment *opportun*!

Le problème de la temporisation nous entrave tous à un moment donné. Or, quand on s'y attaque, il n'est pas difficile à vaincre. Il s'agit d'apprendre et d'appliquer quelques principes fondamentaux d'autogestion.

Les autosuggestions qui suivent mettent en valeur ces principes et elles devraient pouvoir vous aider à venir à bout de vos mauvais plis. En outre, cela pourrait représenter un des objectifs les plus *valables* que vous vous soyez fixés.

Je fais toujours ce que j'ai à faire à temps.

J'aime m'acquitter de mes tâches dans les délais requis et d'une manière adéquate. Au lieu de les remettre à plus tard, je m'y attelle sur-le-champ et j'en retire une grande satisfaction.

Je n'accepte que les responsabilités que je peux assumer et les tâches que je compte exécuter. Pour moi, une entente conclue est une entente respectée.

Comme j'organise mon temps, je *trouve* et *prends* le temps de respecter mes obligations, et je termine chacune des tâches que je me suis fixées.

Je ne laisse jamais le hasard choisir à ma place. Comme je prends mes décisions rapidement et avec conviction et que j'agis en conséquence, mes réalisations ne laissent aucune place à la temporisation.

Je cherche toujours à savoir comment accomplir une tâche plutôt que de chercher à fuir.

Mon esprit est aussi organisé que mon temps. Je suis un(e) gagneur(se). Et j'apprécie le temps dont je dispose pour accomplir mes nombreuses tâches. Le temps est un outil précieux que je respecte et utilise à bon escient.

Chaque soir avant d'aller dormir, je dresse une liste simple de mes activités du lendemain, par ordre d'importance. Cela me permet de m'organiser, de rester maître(sse) de mon temps, et de suivre un programme quotidien.

Je transforme toute hésitation en détermination, toute indécision en action. Et au lieu de remettre une tâche à plus tard, je l'accomplis sur-le-champ et parfaitement.

Je transforme immédiatement toute velléité de temporisation en velléité d'ACTION. Je cesse donc de temporiser.

J'évite de tomber dans le piège qui consiste à être trop occupé(e) pour accomplir son travail. Je dresse une liste de mes tâches quotidiennes que je respecte scrupuleusement avec la volonté de m'acquitter de mes tâches.

Je prends le temps de planifier mon temps. En respectant mon emploi du temps quotidien, j'apprends à transformer le temps perdu en temps productif et «gagnant».

Je n'éprouve jamais de difficulté à m'atteler à une tâche parce que j'agis sans tarder et efficacement. Je fais plus de choses qu'auparavant et il me reste encore du temps!

J'ai appris à reconnaître tous les arguments qui me peinent et je les fuis, eux, plutôt que d'éviter les tâches qui m'incombent dans l'accomplissement de mon travail.

Établir ses priorités et organiser son temps

On parle beaucoup, de nos jours, de l'organisation efficace de son emploi du temps. Votre *temps* représente l'une des trois ressources les plus naturelles dont vous disposez (avec votre *énergie* et votre *esprit)*. La façon dont vous l'employez influencera votre succès dans presque n'importe quelle entreprise.

Organiser son temps c'est, en fait, organiser ses priorités. Si vous vous efforcez de réaliser tous les objectifs personnels précédemment abordés dans cet ouvrage, sachez que le résultat final dépendra toujours des *priorités* que vous serez fixées.

Si vous utilisez votre temps à bon escient, vous atteindrez plus facilement vos objectifs. Si vous faites tout le reste correctement, mais niez l'importance de certains moments de votre vie, vous ne serez pas tout à fait heureux.

À quoi ressemblent vos anciens programmes touchant l'organisation de votre temps et de vos priorités? Que vous êtes-vous dit consciemment et inconsciemment sur la manière dont vous employez votre temps?

Certaines personnes s'autosuggestionnent d'une manière qui ne les aidera *jamais* à mieux organiser leur emploi du temps. Voici les plus paralysantes de ces autosuggestions: *«Je n'ai jamais assez de temps»*, *«Je me demande où est passée ma journée»*, *«Si j'avais plus de temps!»*, *«Je n'ai tout simplement pas le temps»*, *«Il n'y a pas assez d'heures dans une journée»*, *«Je le ferais si j'avais le temps»*, *«Je ne pourrai jamais accomplir cette somme de travail»*, *«Quelquefois je ne sais pas par où commencer»*, *«Je le ferai quand j'aurai le temps»* ou encore la formule classique: *«Où est passé le temps?»*

En fin de compte, l'autogestion nous offre un moyen d'exploiter efficacement chacune de nos ressources naturelles. Votre aptitude à organiser votre précieux temps sur Terre déterminera en fin de compte votre degré d'épanouissement ici-bas.

Je suis maître(sse) de moi-même et de ma vie. Je sais ce qui est important pour moi et ce qui ne l'est pas.

Les choses importantes d'abord! Voilà mon mot d'ordre.

Comme j'assume l'entière responsabilité de moi-même et de ma vie, je ne laisse jamais mes priorités au hasard ou au bon vouloir d'un tiers.

Je reconnais l'importance de rester maître(sse) de son temps et de ses priorités.

Je dresse une liste de mes tâches quotidiennes, par ordre d'importance.

Je dirige mes pensées et je prends le temps d'exercer mon jugement dans toutes mes activités.

Je conserve un équilibre dans ma vie. Je sais qu'équilibre égale maîtrise.

Je choisis consciemment mes priorités, mon emploi du temps et mon style de vie, pour les événements les plus importants comme pour les moindres détails.

Je comprends le degré d'importance de toutes mes activités, tant majeures que mineures.

Je fais toujours ce qui est le mieux pour moi dans toutes les situations. Je garde toujours en tête mes vraies priorités et je les respecte.

On pourrait me décrire comme une personne sensible, calme, avisée, harmonieuse, pratique, bien équilibrée et maître(sse) d'elle-même.

Comme j'établis mes propres priorités et que je connais l'importance de chacun de mes actes, je leur accorde exactement la somme de temps et le degré d'attention qu'ils méritent.

Aucune habitude ne me rend esclave ni ne déséquilibre ma vie de quelque façon que ce soit.

Un certain équilibre prévaut dans tous les secteurs de ma vie: mon travail, ma vie familiale et sociale, mes passe-temps, mon alimentation, mon sommeil, mes exercices physiques et mes efforts pour m'améliorer. Je conserve un équilibre sain dans chacune de mes activités.

Je prends le temps de planifier mes activités. Et je fais en sorte de consacrer le temps nécessaire aux activités qui sont les plus valables pour moi.

Je vis chaque jour de façon ordonnée et contrôlée.

La modération, le bon sens, le discernement et l'équilibre font partie de mon mode de vie.

Je suis toujours conscient(e) des conséquences de mes actes. C'est pourquoi je veille à agir de manière à prévoir des conséquences qui me conviennent.

Je ne laisse aucune place au déséquilibre ni au désordre dans ma vie. Toutes mes activités se déroulent au moment et à l'endroit propices, selon leur ordre de priorité.

En lisant ou en écoutant ces paroles, et en visualisant mentalement leur signification, je suis plus conscient(e) que jamais de l'importance de mon temps et des priorités que j'établis chaque jour.

Je perfectionne chaque jour l'agencement de mes priorités, ce qui augmente encore davantage le «temps gagnant» dont je dispose.

Vous serez toujours le seul *vrai* propriétaire de votre temps. D'autres essaieront de vous le prendre, mais ils n'en ont pas le droit. Plutôt que de passer une seule journée de votre vie avec la certitude que «vous n'avez pas le temps», dites-vous plutôt que vous avez le temps de faire exactement ce que *vous* voulez. Certes, vous avez des obligations à remplir, et comme l'autogestion n'a plus de secret pour vous, vous n'y manquerez pas.

Mais qu'en est-il du *reste* de votre temps? Les personnes les plus occupées et les plus prospères ont parfois du temps libre pour s'adonner aux activités de leur choix. Leur secret? Elles savent gérer leur temps. Cela n'est pas un cadeau, ni une chance. C'est une attitude et un talent. Avec de la pratique, vous pouvez créer cette attitude qui, une fois au point, produira en vous le talent nécessaire.

Chapitre vingt-cinq

AUTOSUGGESTIONS POUR ÊTRE HEUREUX

Maintenant que notre périple tire à sa fin, je voudrais partager avec vous quelques pensées et directives intérieures supplémentaires qui comptent parmi les plus importantes «convictions personnelles» que j'aie acquises.

Les autosuggestions présentées dans ce chapitre sont reliées aux précédentes, leur confèrent une résonance profonde et une ultime raison d'être. N'importe qui peut apprendre des directives intérieures et tirer parti de leur emploi, mais le fait de les relier à son objectif personnel, qui est de devenir une personne vraiment unique, les rend beaucoup plus dignes d'attention et de pratique.

Apprenez les autosuggestions qui vous aident à résoudre vos problèmes, à penser clairement, à vaincre la dépression, à modifier vos habitudes, à améliorer votre santé, à assumer vos responsabilités, à prendre des décisions, à améliorer votre union et vos relations personnelles. Lisez-les, écoutez-les ou inventez les vôtres. Elle peuvent vous aider à diriger vos pensées d'une manière simple et efficace, et vous constaterez leurs effets dans bien des secteurs de votre vie.

Toutefois, vous devez franchir une étape supplémentaire afin de mettre à contribution le *reste* de vos autosuggestions. Cette étape renferme les mots propres à créer en vous un *milieu* où vous vivrez heureux.

Pour cela, vous devez reconnaître que vous *méritez* de réussir, décider de prendre votre vie en main, avoir suffisamment *confiance* pour aller jusqu'au bout, apprendre à visualiser le meilleur de vous-même, et vous engager, dès *aujourd'hui,* à vous épanouir totalement.

Mériter de «réussir»

S'il vous est arrivé de penser que vous n'étiez pas né pour «réussir», arrêtez-vous un moment et écoutez votre petite voix intérieure qui affirme que vous en avez le *droit.* Elle a raison. Vous avez le *droit,* depuis l'instant de votre naissance, de réaliser votre potentiel dans la mesure où vous le désirez. Cela est vrai pour tout le monde, donc pour *vous* aussi.

Nous naissons tous égaux; personne n'est «moins bon» ni «meilleur» à la naissance qu'un autre. On décrit souvent nos possibilités ou notre manque de potentiel sans tenir compte de notre véritable individualité.

Chacun de nous naît avec un bagage illimité. Or, la plupart du temps, la réalisation de toutes ces possibilités dépend de nous et de ce que nous croyons que nous sommes.

Si vous croyez que vous avez le droit de réaliser le meilleur de vos aptitudes, alors vous obtiendrez un succès plus grand dans presque toutes vos activités. Par contre, si vous croyez que le succès est l'apanage des autres mais non le *vôtre,* vous vous trompez.

Le succès est *certainement votre droit.* Ne laissez jamais personne vous convaincre du contraire!

Si vous et moi passions un moment ensemble, je vous montrerais des facettes de vous-même qui vous étonneraient. Je ne les inventerais pas, car elles ont toujours fait partie de vous.

Lorsque je dis que vous êtes incroyable sur une de mes cassettes, je ne m'adresse pas à un personnage mythique. Ces paroles vous décrivent, vous.

Débarrassez-vous de tous vos doutes face à ce que vous *êtes* ou *étiez.* Abandonnez, une fois pour toutes, ces fausses certitudes qui font de vous un être «fortuné ou malchanceux», «destiné à réussir», «né pour un petit pain» ou *condamné* à être autre chose que la personne incroyablement heureuse et prospère que vous devriez être.

Réussir est un droit inné; il est inscrit dans vos gènes. Chaque être humain est né pour survivre, grandir (mentalement, physiquement et spirituellement) et s'épanouir. Quelle qu'en soit la raison, (survivance de l'espèce ou croissance spirituelle), chacun est né pour «progresser». C'est un fait biologique.

Je vous dis ceci afin que vous sachiez que votre désir de vous *améliorer* est tout à fait *naturel*. Nous sommes ainsi faits, tous sans exception. Et chacun de nous est destiné *biologiquement* à *réussir*.

Méritez-vous le succès? Bien sûr! *Vous épanouir totalement est une donnée naturelle inscrite en vous dès votre naissance!*

Combien de personnes douées d'un immense potentiel à l'heure actuelle croient qu'elles *ne peuvent pas* réussir ou ne *méritent* pas d'obtenir le meilleur de ce que la vie peut offrir?

Mériter de réussir est un cadeau de la vie que nous devons accepter.

Après la parution de mon livre intitulé *What To Say When You Talk To YourSelf*, bon nombre de mes lecteurs m'ont demandé d'enregistrer une nouvelle cassette sur le «mérite». Pour eux et pour vous, voici ce que j'ai écrit.

Je mérite de réussir dans la vie.

Mes réussites résultent de ma façon de penser et d'agir, et j'ai appris à *penser* et à *agir* d'une manière efficace!

J'aime être ce que je suis! J'aime les choses que je fais «bien» et celles que je fais «assez bien». Comme je m'accepte, je n'exige jamais la perfection de moi-même, mais seulement le meilleur.

J'ai la capacité de faire des choix dans ma vie et j'en profite! Je mérite donc les résultats qui découlent de mes choix.

Dans la vie, je ne suis pas une victime, mais un(e) gagnant(e).

Je mérite de vivre la vie la plus heureuse qui soit. Je sais que je récolte ce que je sème.

Je mérite aussi de reconnaître les possibilités que m'offre la vie. Lorsqu'une occasion unique se présente, j'évalue la tâche qui m'attend, je travaille dur, je réussis et je profite des résultats obtenus.

J'ai de la personnalité et du caractère. Mon succès découle de ma façon d'être et de penser.

J'ai le droit de me réaliser dans tous les secteurs de ma vie. C'est là l'héritage légitime de tout être humain digne de mérite.

Je gagne chaque jour le droit de réussir. Je crée et mérite chacun de mes succès car je travaille pour l'obtenir.

Plus je me rends compte que *je mérite* le succès, plus je l'obtiens.

Je sais accepter les résultats positifs d'une autogestion efficace.

J'accepte aussi les succès que je m'efforce de créer. Je suis reconnaissant(e) pour chacun d'eux et j'accepte volontiers la joie et les bienfaits qu'ils m'apportent.

Je n'ai pas été créé(e) pour échouer, mais pour *réussir*. Le succès fait partie de ce que je suis, de *tout* mon être.

J'ai été conçu(e) et créé(e), tant mon corps que mon esprit, pour *réussir*! Mon succès n'est pas seulement ma récompense; c'est aussi ma *responsabilité*.

Je reconnais et accepte chaque jour ma valeur personnelle et mon droit de réussir. Je vis d'une manière qui contribue à mon harmonie, à mon bien-être, à ma paix mentale et crée toutes les facettes de ma réussite — et je le mérite!

Prendre sa vie en main

Aucune potion magique ne peut automatiquement mettre de l'ordre dans votre vie. Une *tierce personne* non plus. Il vous appartient en propre de prendre votre vie en main.

Je n'ai jamais cru qu'il était facile de se prendre en main. Cela est certainement plus facile à dire qu'à faire. Je crois cependant que prendre les commandes de ses objectifs, de ses choix et de ses activités est l'une des tâches les plus importantes que l'on puisse entreprendre.

Comme l'autre solution consiste à laisser les hasards de la vie et les caprices des autres diriger *votre* bonheur, *votre* succès et *votre* paix mentale, il vaut certainement mieux que vous assumiez vos propres responsabilités.

Vous en avez fait du chemin. À présent, il vous arrive peut-être de sentir un petit tiraillement qui vous dit: «Allons-y! Mettons-nous à l'œuvre!» Si vous avez décidé de prendre votre vie en main, le temps est venu de le faire.

La vie devient vraiment exaltante. J'apprends la joie de prendre ma vie en main!

J'ai décidé de renoncer à ce qui m'arrêtait ou m'empêchait de progresser dans le passé.

Je me concentre maintenant sur ce qui m'aide à me maîtriser, à concentrer mes efforts et à diriger mon subconscient d'une manière nouvelle et exaltante.

J'étais peut-être maître(sse) de ma vie avant, mais je le suis *davantage* maintenant!

Je prends le temps de décider ce que je veux dans la vie. Je sais maintenant ce que je veux et où je vais.

Je n'ai jamais l'impression d'être victime des circonstances de ma vie. Je ne vis pas au gré du hasard, mais en fonction de mes choix et de mes intentions.

C'est moi qui décide de l'orientation de mon avenir.

J'aime prendre des décisions qui influent sur ma vie. Le fait de prendre ces décisions et d'agir en conséquence me procure la confiance et la détermination nécessaires pour atteindre mes objectifs.

Je suis maître(sse) de toutes les parties de ma vie. Je prends même soin des moindres détails susceptibles d'influer sur mon bonheur et ma réussite.

Je ne remets jamais mes tâches à plus tard, je m'y attelle tout de suite! Comme je me prends en main, je veille à assumer toutes mes responsabilités.

Je sais remplacer les mots «C'est la vie, je n'y peux rien!» par «C'est mon *choix* et je *peux* y faire quelque chose!»

Je suis désormais maître(sse) de mon temps et de mes activités. Je connais mes objectifs et je fais le nécessaire pour les atteindre. Je progresse un peu plus chaque jour.

J'aime mettre de l'ordre dans ma vie. Je jouis d'une plus grande paix de l'esprit.

Je suis fier(ère) de prendre le temps d'être maître(sse) de ma vie.

J'ai remplacé l'incertitude par de nouvelles directives intérieures solides, le doute par l'assurance, et toute appréhension à mon sujet, par une nouvelle image radieuse de *ce que je suis* et de ce que je *choisis* d'être.

Je n'accepte plus de conditionnement ni de directives négatives provenant de moi-même, d'un tiers ou de mon entourage.

J'aime le sentiment que j'éprouve quand je prends position, tiens bon et refuse d'accepter moins que ce que j'attendais.

En prenant ma vie en main, non seulement je dirige mes pensées, mes actions et mon orientation, mais je vaincs aussi toutes les limites inutiles que je me suis imposées dans le passé.

J'ai appris la «vérité» sur moi-même et j'aime ce que j'ai appris. Désormais, je sais que je peux faire *tout* ce que je veux sans exception. Et *je* choisis d'être maître(sse) de *moi-même.*

Quelle merveilleuse opinion de soi-même! Quelle façon extraordinaire de *vivre*! Si vous avez décidé que c'est *ainsi* que vous voulez vivre, alors laissez-moi vous encourager.

Certaines personnes ont été très étonnées quand elles ont décidé de prendre leur vie en main. Elles se sont débarrassées d'énormes fardeaux qu'elles transportaient depuis des années, en croyant qu'elles les traîneraient toute leur vie. Bon nombre d'entre elles, à l'instar de leurs amis et de leurs proches, ne s'en croyaient pas capables, jusqu'au jour où elles ont essayé.

Je vous encourage à prouver la fausseté de vos vieux doutes sur vous-même! En réalité, vous *pouvez* prendre votre vie en main si vous le voulez vraiment, à condition de posséder une bonne dose de courage, de détermination... et de *confiance.*

Avoir confiance

La «confiance» ne nous tombe pas du ciel. Nous l'avons lorsque nous la réclamons de nous-même. Nous pouvons en avoir besoin, la ressentir et en souhaiter davantage, mais il nous appartient de *contribuer* au moins à la faire naître. Il existe des livres, des conférences, des thèses consacrés uniquement au thème de la confiance. *Sans* confiance, notre courage faiblit, nos réussites sont amoindries et nos victoires, superficielles, tandis qu'*avec* de la confiance, nos esprits s'épanouissent et accomplissent le travail nécessaire.

Je ne connais pas de grands cerveaux ni de personnes accomplies qui n'attribuent pas leur succès, du moins en partie, à ce pouvoir insaisissable qu'on appelle «la confiance». Ce pouvoir ne peut ni s'acheter ni se quantifier. Et pourtant, nous pouvons évaluer les *conséquences* qui découlent du fait d'avoir confiance dans tous nos actes.

Avoir confiance, c'est aussi *croire* en soi, au meilleur de ses idéaux, à ses rêves, à tout ce qu'on fait et au meilleur des personnes qui nous entourent.

Si je voulais trouver un seul mot pour décrire un mélange de confiance, de foi, d'assurance, d'espoir, de certitude et d'expectative, je parlerais de «confiance». C'est lorsque nous faisons confiance à nos rêves qu'ils se réalisent.

Je croyais auparavant que la «confiance» était un cadeau offert aux personnes qui avaient de la chance. En réalité, *n'importe qui* peut développer cette qualité. Vous pouvez faire plus qu'écouter les sages paroles du prêtre ou de quiconque vous invite à «*avoir confiance*». Ces personnes vous offrent un sage conseil. Mais vous pouvez y mettre du vôtre. Plus vous voudrez avoir confiance, plus vous en aurez.

Allez-y! Ayez davantage confiance! Peu importe où vous en êtes, la confiance vous donnera l'énergie spirituelle (et physiologique) dont vous avez besoin pour réaliser chacun de vos objectifs.

Parlez-vous. Donnez-vous *confiance*. N'abandonnez pas, insistez. Exigez-la! Pratiquez-la! Puis observez les résultats.

J'ai confiance.

J'ai de plus en plus confiance en moi et dans mon avenir.

Ma confiance s'étend à tous les secteurs de ma vie. Elle est toujours présente en moi; elle augmente ma force, mon assurance et ma foi.

Je suis conscient(e) du rôle que joue ma confiance dans ma vie et de son importance pour mon bien-être global.

Je me donne chaque jour la directive consciente de recevoir ouvertement la force spirituelle qui m'est donnée.

Je ne compte jamais sur un tiers pour créer en moi un sentiment de confiance.

Je suis conscient(e) du pouvoir immense de mes pensées et de leur rôle dans ma vie.

J'assume l'entière responsabilité de mes pensées et j'exploite au maximum les capacités de mon esprit.

Je dirige les miraculeuses ressources de mon esprit de manière à améliorer ma vie et celle des autres.

Je ne laisse aucune pensée destructrice s'attarder dans mon esprit.

Je choisis de n'avoir *que* des pensées qui renforcent ma foi et ma confiance dans la vie.

Ma vie reflète ma confiance. Et je cherche chaque jour à exprimer cette confiance de multiples et merveilleuses façons.

Je crée chaque jour du bien-être et des bienfaits dans chacun des secteurs de ma vie.

J'ai une confiance profonde et inébranlable. Je suis décidé(e) à vivre chaque jour d'une manière qui renforce ma confiance et mon enthousiasme.

J'ai confiance.

Devenir une personne totale

Notre potentiel est immense lorsque nous nous donnons la peine de le laisser s'épanouir. Vous-même possédez à l'instant même et tel que vous êtes un potentiel que vous ne soupçonnez même pas. Imaginez que vos attentes soient comblées et que vous soyez en pleine possession de vous-même: Qu'éprouvez-vous?

Cette vision n'est pas un rêve. Cette image de vous est aussi réelle que celle que vous avez de vous-même aujourd'hui. Mais vous apparaissez alors comme une personne plus tranquille, plus heureuse, plus accomplie, plus *complète*.

Cette merveilleuse image nous indique le chemin et nous prodigue conseils et encouragements. Nous ne connaîtrons sans doute jamais l'illumination, mais nous savons que nous pouvons toujours nous épanouir davantage en refusant de nous croiser les bras.

Les autosuggestions qui suivent vous aideront à vous voir sous un angle très particulier en élargissant la perception que vous avez de vous-même et en vous donnant un aperçu de ce que vous pourriez *vraiment* être.

Elles tracent pour chacun de nous le portrait de *ce que nous sommes à notre meilleur* et nous révèlent nos idéaux les plus élevés.

Je suis en contact avec ma vraie nature. Je participe à la création de ma destinée. Je suis maître(sse) de ma vie, de moi-même et de l'orientation de mon avenir.

La santé et le bien-être prévalent dans tous les secteurs de ma vie. Je possède un esprit et un corps forts et sains.

J'accorde de la valeur à ma vie et à tout ce qu'elle englobe.

La vie est merveilleuse et tout mon être est plein d'une grande richesse.

La vie est l'école de mon âme. J'y apprends de nombreuses choses merveilleuses. Je suis un(e) élève appliqué(e).

J'ai ouvert mon esprit aux trésors de ma vie et j'en reçois en abondance.

Je sais vraiment qui je suis et où je vais. J'ai pris ma destinée fermement en main.

Je crois en la grandeur. Je crois en la mienne et la crée dans ma vie.

Je retire chaque jour une grande satisfaction de certains aspects particuliers de ma vie. Je vis pleinement et complètement. La vie me comble de ses bienfaits.

Je vis entièrement selon mes choix. Je suis maître(sse) de toutes mes pensées, de toutes mes actions et de moi-même.

Je crée la complétude dans chacune des parties de moi-même. Et toutes les parties de mon être s'unissent pour créer une vie unifiée.

Je suis un être exceptionnel. J'étais destiné(e) à l'être et JE LE SUIS. Je suis unique aux yeux de mon entourage et à mes propres yeux.

Je m'efforce sans cesse de renforcer et d'améliorer les parties de moi-même qui cherchent à s'épanouir; tous les secteurs de ma vie sont en équilibre et en harmonie les uns avec les autres.

Je crée le moi que je vois en imagination. Bien que j'aie du chemin à faire, je suis content(e) de ce que je suis aujourd'hui. Je ne suis qu'au début du voyage.

Si ce n'est pas encore fait, prenez la décision de ne pas passer un moment de plus à vous plaindre de ce que vous *n'*êtes *pas*. Décrivez plutôt ce que vous *êtes* et *pouvez être,* en répétant les autosuggestions les plus susceptibles de renforcer votre confiance en vous. Vos directives intérieures sont précieuses et vous ne devez pas les gaspiller. Vous méritez d'obtenir le maximum de la personne que vous êtes.

Cette *vie*, cette «âme», cette personne unique que *vous* êtes a été créée pour *réussir*, pour apprendre, grandir et réaliser son potentiel. Pourquoi en serait-il autrement?

Combler vos attentes les plus grandes est certainement le but le plus valable que vous puissiez jamais viser. Je vous encourage à vous *attendre à devenir* ce que vous êtes de mieux et à ne *jamais* y renoncer.

Vivre aujourd'hui, *aujourd'hui*

Nous arrivons maintenant au texte final (pour l'instant) qui mettra un terme à cette séance d'autosuggestion. Si vous en étiez l'auteur, qu'écririez-vous? Que *pourriez*-vous écrire qui n'ait déjà été dit?

En fait, nous pouvons nous dire beaucoup plus à nous-même que ce que contient le présent ouvrage. Il existe des détails, des problèmes individuels, des objectifs personnels et des buts précis qui bénéficieraient certainement d'autosuggestions éclairées. Mais nous avons fait le premier pas.

C'était justement là le but des autosuggestions présentées ici: vous aider à démarrer. Leur but n'était pas de résoudre tous vos problèmes ni de vous aider à apporter tous les changements que vous escomptiez. Si elles vous ont incité à réfléchir sur vos *propres* autosuggestions passées et futures, elles ont rempli leur rôle.

Pour moi, le texte final n'est jamais vraiment le dernier puisque j'y reviens sans cesse. En effet, il pousse l'autodétermination un pas plus loin puisqu'il pose des *questions* et y apporte les bonnes réponses.

À mon avis, si nous utilisions quotidiennement cette forme d'autosuggestion, nous serions en *grande partie* plus heureux.

J'ai offert une cassette de ces autosuggestions à mes meilleurs amis et je la considère comme le plus beau des cadeaux. J'en ai aussi offert une copie à des enfants, à mon fils qui étudie à l'université, à des présidents de compagnies à des enseignants et même à mes parents. Elle peut remonter le moral de *n'importe qui.*

C'est un texte qui vous parle de vous *aujourd'hui!* C'est le type d'autosuggestions axées sur le présent qui vous aide à mieux envisager aujourd'hui et demain. Il y a quelques années, alors que je commençais à étudier l'autosuggestion et à écrire des textes — il n'existait alors ni textes ni cassettes d'autosuggestions — j'élaborai l'idée que chacun de nous possède à ses côtés un «entraîneur personnel», un *meilleur ami* qui lui prodigue les mots d'encouragement dont il a si souvent besoin.

J'avais souvent souhaité avoir un «entraîneur» qui se tiendrait à mes côtés pour m'encourager dans les moments difficiles.

Le texte ci-dessous est légèrement différent des précédents puisqu'il vous parle à la première et à la deuxième personnes, comme si un vous *extérieur* et un vous *intérieur* conversaient ensemble.

Les fervents de l'autosuggestion utilisent cette forme qui représente le niveau suivant de programmation, la sorte d'autosuggestion qui vous vient presque automatiquement lorsque vous pratiquez la technique depuis un certain temps. Essayez-les. Vous aimerez peut-être la façon dont elles vous parlent et exigent de vous des réponses!

J'espère que vous prendrez ces autosuggestions à cœur, comme je l'ai fait, tant que vous choisirez de vivre ce jour-*ci,* et ceux de *demain* et d'*après-demain* comme *les journées les plus importantes de votre vie.*

«Bonjour! Comment vas-tu aujourd'hui?»
Très bien! Je m'aime, j'aime ce que je fais dans la vie et je suis heureux(se) de vivre!

«Quel sentiment éprouves-tu face à aujourd'hui?»
Aujourd'hui est un jour merveilleux! J'ai établi mes objectifs, je sais quoi faire et je suis prêt(e) à le faire.

«Sais-tu pourquoi cette journée est importante pour toi?»
Bien sûr! Cette journée, c'est aujourd'hui! C'est ma seule chance d'en faire le plus grand jour de ma vie et c'est ce que j'ai décidé de faire.

«Que te diras-tu à propos d'aujourd'hui pour le rendre unique?»
Aujourd'hui est une journée à vivre. C'est le jour où je trouverai la joie. Où je ferai en sorte que tout marche bien. Et où je ferai ce que j'ai à faire!

«Que ressens-tu envers ton passé aujourd'hui?»
Je respecte et j'apprécie les leçons du passé, mais j'ai laissé mes vieilles limites derrière moi. Je vois aujourd'hui comme une occasion incroyable de vivre le présent et de me créer un meilleur avenir.

«Apprendras-tu du nouveau aujourd'hui?»
J'apprends du nouveau chaque jour, et particulièrement aujourd'hui! Aujourd'hui est une bonne journée pour apprendre du nouveau.

«Que feras-tu en cas de problème?»
Je sais déjà que la plupart des problèmes n'en sont pas. Aujourd'hui, je verrai les problèmes comme des situations que je peux régler. J'ai de la facilité à résoudre les problèmes et ils ne me dérangent pas du tout!

«Aujourd'hui ne sera-t-il pas simplement un jour ordinaire pour toi comme il le serait pour une autre personne?»
Aucun jour n'est «ordinaire» pour moi. Chaque jour est spécial. Ce qui veut dire que je trouverai une façon de rendre aujourd'hui unique!

«Es-tu certain(e) d'être capable de faire d'aujourd'hui un jour unique?»
Je conserve mon optimisme. Je sais qu'il n'en tient qu'à moi de passer une bonne journée. Je suis à la hauteur, je suis impatient(e) de vivre ce jour et je le vis de mon mieux!

«Comment te sens-tu? As-tu de l'énergie aujourd'hui?»
Je me sens très bien! J'ai beaucoup d'énergie, je prends soin de moi-même, je suis en forme et je vis de mon mieux!

«Comment va ta vie?»
Ma vie est bonne. Je sais qui je suis, où je vais et ce que j'ai à faire. J'assume mes responsabilités et je prends soin de mon avenir. Je suis heureux(se) d'être ici, et ma vie est meilleure qu'elle ne l'a jamais été.

«As-tu suffisamment de moments de détente et de loisir?»
Je veille à obtenir le repos dont j'ai besoin et je recrée mon énergie d'une manière saine. Je fais de l'exercice, je me repose, je dors, je tire des plans, je m'accorde des congés et j'aime mon travail.

«T'entends-tu bien avec les personnes de ton entourage aujourd'hui?»
Je fais en sorte que mes relations soient positives. Je m'exerce à écouter, à comprendre, à soutenir les autres et à donner le meilleur de moi-même. J'aime les gens et les gens m'aiment.

«Comment vois-tu ton avenir aujourd'hui?»
Mon avenir semble radieux. Je le planifie, je m'y prépare et je crois au meilleur avenir possible. Mais je veille à faire le nécessaire aujourd'hui pour m'assurer un avenir satisfaisant.

«Y a-t-il d'autres directives que tu voudrais te donner aujourd'hui?»
Je me donne toujours des directives supplémentaires afin d'améliorer chacune de mes journées. Elles m'aident à démarrer et je leur en ajoute d'autres pendant la journée. Je me tiens des propos comme:
Aujourd'hui est un jour important pour moi.

Je vis dans le présent. Je prépare mon avenir et chaque jour qui vient, mais aujourd'hui, je fais de mon mieux.

Chaque minute comptera aujourd'hui.

«Es-tu heureux(se)?»
Oui. Je mène une vie significative. Je m'aime, j'aime mes objectifs et mes réalisations, et je progresse.

«Tu es un être exceptionnel. Je sais que tu passeras une excellente journée.»

J'écoute souvent ce texte qui ne manque jamais d'améliorer ma journée. Pourquoi? Parce qu'il fait appel aux meilleures capacités du cerveau et de l'esprit pour nous préparer à créer notre succès, une journée à la fois.

C'est là la nature de toutes les autosuggestions valables, et elles sont efficaces, qu'elles soient écrites ou enregistrées, qu'on les répète ou qu'on s'en souvienne, une journée à la fois.

L'autosuggestion nous prépare à créer notre succès parce que c'est son but et qu'elle est efficace.

Chapitre vingt-six

ÉPILOGUE

Ce ne sont là que quelques autosuggestions. Nous pouvons les lire, y réfléchir, les écrire, les écouter, et même en appliquer quelques-unes. Toutefois, la plupart de nos vraies autosuggestions ne seront jamais écrites, ni exprimées à haute voix. Elles nous parleront tout bas, à notre insu.

Si nous pouvions seulement entendre les mots que nous nous répétons intérieurement, si nous pouvions les voir par écrit, je soupçonne que nous serions étonnés. Si nous pouvions lire un programme informatique sur nos propres pensées, nos hauts et nos bas, nos questions et nos doutes, nos peurs et nos vieilles convictions, nous ne serions pas au bout de nos surprises.

Toutefois, nous ne verrons jamais la plus grande partie de notre programmation et nous ne saurons jamais dans quelle mesure elle nous arrête, nous dicte ce qu'il ne faut pas faire, alors que si nos convictions avaient été légèrement différentes, nous aurions pu le faire. Nous ne verrons jamais les pensées qui nous rendent malade ou déséquilibrent notre vie, ni un imprimé informatique de nos doutes personnels imaginaires. Nous ne ferons jamais, à l'instar du vieux Sartebus, l'inventaire des limites que nous transportons avec nous.

De sorte que nous ne sommes jamais certains de ce que nous devons *vraiment* changer en nous. Certains de nos vieux programmes nous sautent aux yeux, mais ce n'est pas le cas de la plupart d'entre eux.

Comment savoir quoi changer? Comment connaître les autosuggestions qui nous aideront à remplacer nos vieux programmes improductifs par de meilleurs programmes?

Même si le cerveau humain peut enfin se comprendre et s'analyser, nous sommes toujours incapables de déchiffrer tout ce qu'il contient. Nous pouvons seulement écouter nos vieux monologues intérieurs en sachant qu'il ne s'agit là que d'une infime partie de ce que nous nous répétons intérieurement. Même les meilleurs chercheurs ne savent pas ce que nous *pourrions* faire avec notre cerveau si nous apprenions à mieux l'utiliser.

Nous savons cependant qu'il peut nous aider à apprendre, à grandir ou à changer. Cet organe incroyable que nous appelons le cerveau peut faire plus pour nous que la plupart des gens ne lui ont jamais demandé. Nous ne réalisons jamais notre véritable potentiel. Nous vivons à l'ombre de notre vieux moi, en visant beaucoup moins haut que nous pourrions le faire si nous nous en donnions la chance.

Exploiter ses trésors intérieurs

Maintenant, c'est à nous de jouer! Nous ne savons pas tout, mais nous avons répondu à quelques questions. Nous savons désormais quoi faire pour modifier certains détails ou certaines facettes importantes de notre vie. Si nous voulons augmenter notre estime personnelle, nous savons, du moins en partie, où la trouver. Si nous souhaitons une plus grande détermination, nous savons quoi faire. Si nous voulons être plus responsable de nous-même, nous savons par où commencer. Si nous voulons mieux maîtriser notre vie, nous le pouvons.

Alors pourquoi ne pas *changer* ou *redresser* quelques petits détails? *Devenons autonomes, défendons notre cause, refusons l'inévitable et prenons notre destinée en main!*

Peu importe qui vous êtes, qui vous pensiez être et où la vie vous a conduit dans le passé, contentez-vous d'imaginer où vous pourriez aller, *maintenant,* en fonction de vos choix et grâce à votre confiance en vous. Que vous direz-vous aujourd'hui? Que vous direz-vous à votre sujet demain matin? Et après-demain?

Vous direz-vous ce qu'il y a de mieux sur vous-même ou moins que cela? Si nous devions nous rencontrer un de ces jours, je connaîtrais votre décision. Nous pourrions tous les deux constater les résultats de la petite décision que vous avez prise concernant chacun des secteurs de votre vie. Ne vous vendez jamais au rabais. Découvrez vos trésors intérieurs et montrez-les.

Soyez certain(e) que vous êtes plus que ce que vous connaissez de vous-même jusqu'à présent. Vous méritez de réaliser les meilleures facettes de votre nature. *Si vous n'étiez pas né(e) pour réaliser vos trésors intérieurs, on ne vous les aurait pas donnés.*

Vos trésors vous attendent. Amusez-vous bien.

Table des matières

Ouvrages parus chez les éditeurs du groupe Sogides

* Pour l'Amérique du Nord seulement

LES ÉDITIONS DE L'HOMME

AFFAIRES

* **Acheter une franchise,**
  Levasseur, Pierre
* **Bourse, La,** Brown, Mark
* **Comprendre le marketing,**
  Levasseur, Pierre
* **Devenir exportateur,** Levasseur, Pierre
  Étiquette des affaires, L',
  Jankovic, Elena
* **Faire son testament soi-même,**
  Poirier, Me Gérald et
  Lescault-Nadeau, Martine
  Finances, Les, Hutzler, Laurie H.
  Gérer ses ressources humaines,
  Levasseur, Pierre

Gestionnaire, Le, Colwell, Marian
Informatique, L', Cone, E. Paul
* **Lancer son entreprise,**
  Levasseur, Pierre
  Leadership, Le, Cribbin, James
  Meeting, Le, Holland, Gary
  Mémo, Le, Reinold, Cheryl
* **Ouvrir et gérer un commerce de détail,**
  Roberge, C.-D. et Charbonneau, A.
  Patron, Le, Reinold, Cheryl
* **Stratégies de placements,**
  Nadeau, Nicole

ANIMAUX

Art du dressage, L', Chartier, Gilles
Cheval, Le, Leblanc, Michel
Chien dans votre vie, Le, Margolis, M. et
  Swan, C.
Éducation du chien de 0 à 6 mois, L',
  DeBuyser, Dr Colette et
  Dehasse, Dr Joël
* **Encyclopédie des oiseaux,**
  Godfrey, W. Earl
  Guide de l'oiseau de compagnie, Le,
  Dr R. Dean Axelson
  Guide des oiseaux, Le, T.1,
  Stokes, W. Donald
  Guide des oiseaux, Le, T.2,
  Stokes, W. Donald et
  Stokes, Q. Lilian

* **Mon chat, le soigner, le guérir,**
  D'Orangeville, Christian
  Observations sur les mammifères,
  Provencher, Paul
* **Papillons du Québec, Les,**
  Veilleux, Christian et
  Prévost, Bernard
  Petite ferme, T.1, Les animaux,
  Trait, Jean-Claude
  Vous et vos oiseaux de compagnie,
  Huard-Viau, Jacqueline
  Vous et vos poissons d'aquarium,
  Ganiel, Sonia
  Vous et votre beagle, Eylat, Martin
  Vous et votre berger allemand,
  Eylat, Martin

ANIMAUX

Vous et votre boxer, Herriot, Sylvain
Vous et votre braque allemand,
Eylat, Martin
Vous et votre caniche, Shira, Sav
Vous et votre chat de gouttière,
Mamzer, Annie
Vous et votre chat tigré, Eylat, Odette
Vous et votre chihuahua, Eylat, Martin
Vous et votre chow-chow,
Pierre Boistel
Vous et votre cocker américain,
Eylat, Martin
Vous et votre collie, Éthier, Léon
Vous et votre dalmatien, Eylat, Martin
Vous et votre danois, Eylat, Martin
Vous et votre doberman, Denis, Paula
Vous et votre fox-terrier, Eylat, Martin
Vous et votre golden retriever,
Denis, Paula
Vous et votre husky, Eylat, Martin

Vous et votre labrador,
Van Der Heyden, Pierre
Vous et votre lévrier afghan,
Eylat, Martin
Vous et votre lhassa apso,
Van Der Heyden, Pierre
Vous et votre persan, Gadi, Sol
Vous et votre petit rongeur,
Eylat, Martin
Vous et votre schnauzer, Eylat, Martin
Vous et votre serpent, Deland, Guy
Vous et votre setter anglais,
Eylat, Martin
Vous et votre shih-tzu, Eylat, Martin
Vous et votre siamois, Eylat, Odette
Vous et votre teckel, Boistel, Pierre
Vous et votre terre-neuve,
Pacreau, Marie-Edmée
Vous et votre yorkshire,
Larochelle, Sandra

ARTISANAT/BRICOLAGE

Art du pliage du papier, L',
Harbin, Robert
* Artisanat québécois, T.1, Simard, Cyril
* Artisanat québécois, T.2, Simard, Cyril
* Artisanat québécois, T.3, Simard, Cyril
* Artisanat québécois, T.4, Simard, Cyril
et Bouchard, Jean-Louis
* Construire des cabanes d'oiseaux,
Dion, André

* Encyclopédie de la maison québécoise,
Lessard, Michel et Villandré, Gilles
* Encyclopédie des antiquités,
Lessard, Michel et Marquis, Huguette
* J'apprends à dessiner, Nassh, Joanna
Taxidermie moderne, La, Labrie, Jean
* Tissage, Le, Grisé-Allard, Jeanne et
Galarneau, Germaine
Vitrail, Le, Bettinger, Claude

BIOGRAPHIES

* Brian Orser - Maître du triple axel,
Orser, Brian et Milton, Steve
* Dans la fosse aux lions, Chrétien, Jean
* Dans la tempête, Lachance, Micheline
* Duplessis, T.1 - L'ascension,
Black, Conrad
* Duplessis, T.2 - Le pouvoir,
Black, Conrad
* Ed Broadbent - La conquête obstinée
du pouvoir, Steed, Judy
* Establishment canadien, L',
Newman, Peter C.
* Larry Robinson, Robinson, Larry et
Goyens, Chrystian
* Michel Robichaud - Monsieur Mode,
Charest, Nicole

* Monopole, Le, Francis, Diane
* Nouveaux riches, Les,
Newman, Peter C.
* Paul Desmarais - Un homme et son em-
pire, Greber, Dave
* Plamondon - Un cœur de rockeur,
Godbout, Jacques
* Prince de l'Église, Le, Lachance, Micheline
* Québec Inc., Fraser, M.
* Rick Hansen - Vivre sans frontières,
Hansen, Rick et Taylor, Jim
* Saga des Molson, La, Woods, Shirley
* Sous les arches de McDonald's,
Love, John F.
* Trétiak, entre Moscou et Montréal,
Trétiak, Vladislav

BIOGRAPHIES

* **Une femme au sommet - Son excellence Jeanne Sauvé,** Woods, Shirley E.

CARRIÈRE/VIE PROFESSIONNELLE

* **Choix de carrières, T.1,** Milot, Guy
* **Choix de carrières, T.2,** Milot, Guy
* **Choix de carrières, T.3,** Milot, Guy
  Comment rédiger son curriculum vitae, Brazeau, Julie
  Guide du succès, Le, Hopkins, Tom
* **Je cherche un emploi,** Brazeau, Julie
  Parlez pour qu'on vous écoute, Brien, Michèle

Relations publiques, Les, Doin, Richard et Lamarre, Daniel
Techniques de vente par téléphone, Porterfield, J.-D.
* **Test d'aptitude pour choisir sa carrière,** Barry, Linda et Gale
Une carrière sur mesure, Lemyre-Desautels, Denise
Vente, La, Hopkins, Tom

CUISINE

* **À table avec Sœur Angèle,** Sœur Angèle
* **Art d'apprêter les restes, L',** Lapointe, Suzanne
  Barbecue, Le, Dard, Patrice
* **Biscuits, brioches et beignes,** Saint-Pierre, A.
* **Boîte à lunch, La,** Lambert-Lagacé, Louise
  Brunches et petits déjeuners en fête, Bergeron, Yolande
  100 recettes de pain faciles à réaliser, Saint-Pierre, Angéline
* **Confitures, Les,** Godard, Misette
  Congélation de A à Z, La, Hood, Joan
  Congélation des aliments, La, Lapointe, Suzanne
  Conserves, Les, Sœur Berthe
  Crème glacée et sorbets, Lebuis, Yves et Pauzé, Gilbert
  Crêpes, Les, Letellier, Julien
  Cuisine au wok, Solomon, Charmaine
  Cuisine aux micro-ondes 1 et 2 portions, Marchand, Marie-Paul
* **Cuisine chinoise traditionnelle, La,** Chen, Jean
* **Cuisine créative Campbell, La,** Cie Campbell
  Cuisine facile aux micro-ondes, Saint-Amour, Pauline
* **Cuisine joyeuse de Sœur Angèle, La,** Sœur Angèle
  Cuisine micro-ondes, La, Benoît, Jehane

* **Cuisine santé pour les aînés,** Hunter, Denyse
  Cuisiner avec le four à convection, Benoît, Jehane
* **Cuisiner avec les champignons sauvages du Québec,** Leclerc, Claire L.
  Faire son pain soi-même, Murray Gill, Janice
* **Faire son vin soi-même,** Beaucage, André
  Fine cuisine aux micro-ondes, La, Dard, Patrice
  Fondues et flambées de maman Lapointe, Lapointe, Suzanne
  Fondues, Les, Dard, Patrice
  Je me débrouille en cuisine, Richard, Diane
  Livre du café, Le, Letellier, Julien
  Menus pour recevoir, Letellier, Julien
  Muffins, Les, Clubb, Angela
  Nouvelle cuisine micro-ondes I, La, Marchand, Marie-Paul et Grenier, Nicole
  Nouvelles cuisine micro-ondes II, La, Marchand, Marie-Paul et Grenier, Nicole
  Omelettes, Les, Letellier, Julien
  Pâtes, Les, Letellier, Julien
* **Pâtisserie, La,** Bellot, Maurice-Marie
* **Recettes au blender,** Huot, Juliette
* **Recettes de gibier,** Lapointe, Suzanne
* **Robot culinaire, Le,** Martin, Pol

DIÉTÉTIQUE

Combler ses besoins en calcium,
Hunter, Denyse
* Compte-calories, Le, Brault-Dubuc, M.
et Caron Lahaie, L.
* Cuisine du monde entier avec Weight
Watchers, Weight Watchers
Cuisine sage, Une, Lambert-Lagacé,
Louise
Défi alimentaire de la femme, Le,
Lambert-Lagacé, Louise
* Diète Rotation, La, Katahn, Dr Martin
* Diététique dans la vie quotidienne,
Lambert-Lagacé, Louise
Livre des vitamines, Le, Mervyn, Leonard
Menu de santé, Lambert-Lagacé, Louise
Oubliez vos allergies, et... bon appétit,
Association de l'information sur les
allergies

* Petite et grande cuisine végétarienne,
Bédard, Manon
* Plan d'attaque Weight Watchers, Le,
Nidetch, Jean
* Plan d'attaque Plus Weight Watchers,
Le, Nidetch, Jean
* Régimes pour maigrir,
Beaudoin, Marie-Josée
Sage bouffe de 2 à 6 ans, La,
Lambert-Lagacé, Louise
* Weight Watchers - Cuisine rapide et
savoureuse, Weight Watchers
* Weight Watchers - Agenda 85 -
Français, Weight Watchers
* Weight Watchers - Agenda 85 -
Anglais, Weight Watchers
* Weight Watchers - Programme -
Succès Rapide, Weight Watchers

ENFANCE

* Aider son enfant en maternelle,
Pedneault-Pontbriand, Louise
Années clés de mon enfant, Les,
Caplan, Frank et Thérèsa
Art de l'allaitement maternel, L',
Ligue internationale La Leche
Avoir un enfant après 35 ans,
Robert, Isabelle
Bientôt maman, Whalley, J., Simkin, P.
et Keppler, A.
Comment nourrir son enfant,
Lambert-Lagacé, Louise
Deuxième année de mon enfant, La,
Caplan, Frank et Thérèsa
Développement psychomoteur du
bébé, Calvet, Didier
Douze premiers mois de mon enfant,
Les, Caplan, Frank
* En attendant notre enfant,
Pratte-Marchessault, Yvette
* Enfant unique, L', Peck, Ellen
Évoluer avec ses enfants,
Gagné, Pierre-Paul
Exercices aquatiques pour les futures
mamans, Dussault, J. et Demers, C.
* Femme enceinte, La,
Bradley, Robert A.

* Futur père, Pratte-Marchessault, Yvette
Jouons avec les lettres,
Doyon-Richard, Louise
Langage de votre enfant, Le,
Langevin, Claude
Mal des mots, Le, Thériault, Denise
Manuel Johnson et Johnson des
premiers soins, Le, Rosenberg,
Dr Stephen N.
Massage des bébés, Le,
Auckette, Amédia D.
Mon enfant naîtra-t-il en bonne santé?
Scher, Jonathan et Dix, Carol
* Pour bébé, le sein ou le biberon?
Pratte-Marchessault, Yvette
* Pour vous future maman, Sekely, Trude
Préparez votre enfant à l'école,
Doyon-Richard, Louise
Psychologie de l'enfant de 0 à 10 ans,
Cholette-Pérusse, Françoise
Respirations et positions
d'accouchement, Dussault, Joanne
Soins de la première année de bébé,
Les, Kelly, Paula
Tout se joue avant la maternelle,
Ibuka, Masaru

ÉSOTÉRISME

Avenir dans les feuilles de thé, L,
Fenton, Sasha
Graphologie, La, Santoy, Claude
Interprétez vos rêves, Stanké, Louis
Lignes de la main, Stanké, Louis

Lire dans les lignes de la main,
Morin, Michel
Vos rêves sont des miroirs, Cayla, Henri
Votre avenir par les cartes,
Stanké, Louis

HISTOIRE

* **Arrivants, Les,** Collectif
* **Civilisation chinoise, La,** Guay, Michel
* **Or des cavaliers thraces, L',**
Palais de la civilisation

* **Samuel de Champlain,**
Armstrong, Joe C.W.

JARDINAGE

* **Chasse-insectes pour jardins, Le,**
Michaud, O.
* **Comment cultiver un jardin potager,**
Trait, J.-C.
* **Encyclopédie du jardinier,**
Perron, W. H.
* **Guide complet du jardinage,**
Wilson, Charles
J'aime les azalées, Deschênes, Josée
J'aime les cactées, Lamarche, Claude
J'aime les rosiers, Pronovost, René
J'aime les tomates, Berti, Victor

J'aime les violettes africaines,
Davidson, Robert
Jardin d'herbes, Le, Prenis, John
* **Je me débrouille en aménagement
extérieur,** Bouillon, Daniel et
Boisvert, Claude
* **Petite ferme, T.2- Jardin potager,**
Trait, Jean-Claude
* **Plantes d'intérieur, Les,** Pouliot, Paul
* **Techniques de jardinage, Les,**
Pouliot, Paul
Terrariums, Les, Kayatta, Ken

JEUX/DIVERTISSEMENTS

* **Améliorons notre bridge,**
Durand, Charles
* **Bridge, Le,** Beaulieu, Viviane
* **Clés du scrabble, Les,** Sigal, Pierre A.
**Dictionnaire des mots croisés, noms
communs,** Lasnier, Paul
**Dictionnaire des mots croisés, noms
propres,** Piquette, Robert
Dictionnaire raisonné des mots croisés,
Charron, Jacqueline

* **Jouons ensemble,** Provost, Pierre
Livre des patiences, Le, Bezanovska, M.
et Kitchevats, P.
Monopoly, Orbanes, Philip
* **Ouverture aux échecs,** Coudari, Camille
* **Scrabble, Le,** Gallez, Daniel
Techniques du billard, Morin, Pierre

LINGUISTIQUE

Anglais par la méthode choc, L',
Morgan, Jean-Louis
J'apprends l'anglais, Sillicani, Gino et
Grisé-Allard, Jeanne

* **Secrétaire bilingue, La,** Lebel, Wilfrid

LIVRES PRATIQUES

* **Acheter ou vendre sa maison,** Brisebois, Lucille
* **Assemblées délibérantes, Les,** Girard, Francine
* **Chasse-insectes dans la maison, Le,** Michaud, O.
* **Chasse-taches, Le,** Cassimatis, Jack
* **Comment réduire votre impôt,** Leduc-Dallaire, Johanne
* **Guide de la haute-fidélité, Le,** Prin, Michel
* **Je me débrouille en aménagement intérieur,** Bouillon, Daniel et Boisvert, Claude
* **Livre de l'étiquette, Le,** du Coffre, Marguerite
* **Loi et vos droits, La,** Marchand, Mᵉ Paul-Émile
* **Maîtriser son doigté sur un clavier,** Lemire, Jean-Paul
* **Mécanique de mon auto, La,** Time-Life
* **Mon automobile,** Collège Marie-Victorin et Gouv. du Québec

* **Notre mariage (étiquette et planification),** du Coffre, Marguerite
* **Petits appareils électriques,** Collaboration
* **Petit guide des grands vins, Le,** Orhon, Jacques
* **Piscines, barbecues et patio,** Collaboration
* **Roulez sans vous faire rouler, T.3,** Edmonston, Philippe
* **Séjour dans les auberges du Québec,** Cazelais, Normand et Coulon, Jacques
* **Se protéger contre le vol,** Kabundi, Marcel et Normandeau, André
* **Tout ce que vous devez savoir sur le condominium,** Dubois, Robert
* **Univers de l'astronomie, L',** Tocquet, Robert
* **Week-end à New York,** Tavernier-Cartier, Lise

MUSIQUE

Chant sans professeur, Le, Hewitt, Graham
Guitare, La, Collins, Peter
Guitare sans professeur, La, Evans, Roger

Piano sans professeur, Le, Evans, Roger
Solfège sans professeur, Le, Evans, Roger

NOTRE TRADITION

* **Encyclopédie du Québec, T.2,** Landry, Louis
* **Généalogie, La,** Faribeault-Beauregard, M. et Beauregard Malak, E.
* **Maison traditionnelle au Québec, La,** Lessard, Michel

* **Moulins à eau de la vallée du Saint-Laurent, Les,** Villeneuve, Adam
* **Sculpture ancienne au Québec, La,** Porter, John R. et Bélisle, Jean
* **Temps des fêtes au Québec, Le,** Montpetit, Raymond

PHOTOGRAPHIE

Apprenez la photographie avec Antoine Désilets, Désilets, Antoine
8/Super 8/16, Lafrance, André
Fabuleuse lumière canadienne, Hines, Sherman
* **Initiation à la photographie,** London, Barbara

* **Initiation à la photographie-Canon,** London, Barbara
* **Initiation à la photographie-Minolta,** London, Barbara
* **Initiation à la photographie-Nikon,** London, Barbara

PHOTOGRAPHIE

* Initiation à la photographie-Olympus,
  London, Barbara
* Initiation à la photographie-Pentax,
  London, Barbara

Photo à la portée de tous, La,
Désilets, Antoine

PSYCHOLOGIE

Aider mon patron à m'aider,
Houde, Eugène
* Amour de l'exigence à la préférence,
  L', Auger, Lucien
Apprivoiser l'ennemi intérieur,
Bach, Dr G. et Torbet, L.
Art d'aider, L', Carkhuff, Robert R.
Auto-développement, L', Garneau, Jean
* Bonheur au travail, Le, Houde, Eugène
Bonheur possible, Le, Blondin, Robert
Ces hommes qui méprisent les
femmes... et les femmes qui les
aiment, Forward, Dr S. et
Torres, J.
Changer ensemble, les étapes du
couple, Campbell, Suzan M.
Chimie de l'amour, La,
Liebowitz, Michael
Comment animer un groupe,
Office Catéchèse
Comment déborder d'énergie,
Simard, Jean-Paul
Communication dans le couple, La,
Granger, Luc
Communication et épanouissement
personnel, Auger, Lucien
Contact, Zunin, L. et N.
Découvrir un sens à sa vie avec la logo-
thérapie, Frankl, D^r V.
* Dynamique des groupes, Aubry, J.-M.
et Saint-Arnaud, Y.
Élever des enfants sans perdre la
boule, Auger, Lucien
Enfants de l'autre, Les, Paris, Erna
Être soi-même, Corkille Briggs, D.
Facteur chance, Le, Gunther, Max
Infidélité, L', Leigh, Wendy
Intuition, L', Goldberg, Philip
* J'aime, Saint-Arnaud, Yves
Journal intime intensif, Le, Progoff, Ira
Mensonge amoureux, Le,
Blondin, Robert
Parce que je crois aux enfants,
Ruffo, Andrée

Parle-moi... j'ai des choses à te dire,
Salomé, Jacques
Perdant / Gagnant - Réussissez vos
échecs, Hyatt, Carole et
Gottlieb, Linda
* Personne humaine, La ,
  Saint-Arnaud, Yves
* Plaisirs du stress, Les,
  Hanson, Dr Peter, G.
Pourquoi l'autre et pas moi? - Le droit
à la jalousie, Auger, Dr Louise
Prévenir et surmonter la déprime,
Auger, Lucien
* Prévoir les belles années de la retraite,
  D. Gordon, Michael
* Psychologie de l'amour romantique,
  Branden, D^r N.
Puissance de l'intention, La,
Leider, R.-J.
S'affirmer et communiquer, Beaudry,
Madeleine et Boisvert, J.R.
S'aider soi-même, Auger, Lucien
S'aider soi-même d'avantage,
Auger, Lucien
* S'aimer pour la vie, Wanderer, Dr Zev
Savoir organiser, savoir décider,
Lefebvre, Gérald
Savoir relaxer pour combattre le
stress, Jacobson, Dr Edmund
Se changer, Mahoney, Michael
Se comprendre soi-même par les tests,
Collectif
Se connaître soi-même, Artaud, Gérard
Se créer par la Gestalt, Zinker, Joseph
* Se guérir de la sottise, Auger, Lucien
Si seulement je pouvais changer!
Lynes, P.
Tendresse, La, Wolfl, N.
Vaincre ses peurs, Auger, Lucien
Vivre avec sa tête ou avec son cœur,
Auger, Lucien

ROMANS/ESSAIS/DOCUMENTS

* **Baie d'Hudson, La,** Newman, Peter, C.
* **Conquérants des grands espaces, Les,**
  Newman, Peter, C.
* **Des Canadiens dans l'espace,**
  Dotto, Lydia
* **Dieu ne joue pas aux dés,** Laborit, Henri
* **Frères divorcés, Les,** Godin, Pierre
* **Insolences du Frère Untel, Les,**
  Desbiens, Jean-Paul
* **J'parle tout seul,** Coderre, Émile

Option Québec, Lévesque, René
* **Oui,** Lévesque, René
* **Provigo,** Provost, René et
  Chartrand, Maurice
Sur les ailes du temps (Air Canada),
  Smith, Philip
* **Telle est ma position,** Mulroney, Brian
* **Trois semaines dans le hall du Sénat,**
  Hébert, Jacques
* **Un second souffle,** Hébert, Diane

SANTÉ/BEAUTÉ

* **Ablation de la vésicule biliaire, L',**
  Paquet, Jean-Claude
* **Ablation des calculs urinaires, L',**
  Paquet, Jean-Claude
* **Ablation du sein, L',** Paquet, Jean-claude
* **Allergies, Les,** Delorme, Dr Pierre
Bien vivre sa ménopause,
  Gendron, Dr Lionel
Charme et sex-appeal au masculin,
  Lemelin, Mireille
Chasse-rides, Leprince, C.
* **Chirurgie vasculaire, La,**
  Paquet, Jean-Claude
Comment devenir et rester mince,
  Mirkin, Dr Gabe
De belles jambes à tout âge,
  Lanctôt, D^r G.
* **Dialyse et la greffe du rein, La,**
  Paquet, Jean-Claude
Être belle pour la vie, Bronwen, Meredith
Glaucomes et les cataractes, Les,
  Paquet, Jean-Claude
* **Grandir en 100 exercices,**
  Berthelet, Pierre
* **Hernies discales, Les,**
  Paquet, Jean-Claude
Hystérectomie, L', Alix, Suzanne
Maigrir: La fin de l'obsession,
  Orbach, Susie
* **Malformations cardiaques
  congénitales, Les,**
  Paquet, Jean-Claude
Maux de tête et migraines,
  Meloche, Dr J. , Dorion, J.
Perdre son ventre en 30 jours H-F, Bur-
  stein, Nancy et Roy, Matthews

* **Pontage coronarien, Le,**
  Paquet, Jean-Claude
* **Prothèses d'articulation,**
  Paquet, Jean-Claude
* **Redressements de la colonne,**
  Paquet, Jean-Claude
* **Remplacements valvulaires, Les,**
  Paquet, Jean-Claude
Ronfleurs, réveillez-vous, Piché, D^r J.
  et Delage, J.
Syndrome prémenstruel, Le,
  Shreeve, Dr Caroline
Travailler devant un écran,
  Feeley, Dr Helen
30 jours pour avoir de beaux cheveux,
  Davis, Julie
30 jours pour avoir de beaux ongles,
  Bozic, Patricia
30 jours pour avoir de beaux seins,
  Larkin, Régina
30 jours pour avoir de belles fesses,
  Cox, D. et Davis, Julie
30 jours pour avoir un beau teint,
  Zizmon, Dr Jonathan
30 jours pour cesser de fumer,
  Holland, Gary et Weiss, Herman
30 jours pour mieux s'organiser,
  Holland, Gary
**30 jours pour redevenir un couple
  amoureux,** Nida, Patricia et
  Cooney, Kevin
**30 jours pour un plus grand épanouisse-
  ment sexuel,** Schneider, A.
Vos dents, Kandelman, Dr Daniel
Vos yeux, Chartrand, Marie et
  Lepage-Durand, Micheline

SEXUALITÉ

Contacts sexuels sans risques,
   I.A.S.H.S.
* Guide illustré du plaisir sexuel,
   Corey, Dr Robert et Helg, E.
Ma sexualité de 0 à 6 ans,
   Robert, Jocelyne
Ma sexualité de 6 à 9 ans,
   Robert, Jocelyne
Ma sexualité de 9 à 12 ans,
   Robert, Jocelyne
Mille et une bonnes raisons pour le
   convaincre d'enfiler un condom et
   pourquoi c'est important pour
   vous..., Bretman, Patti,
   Knutson, Kim et Reed, Paul

* Nous on en parle, Lamarche, M. et
   Danheux, P.
Pour jeunes seulement, photoroman
   d'éducation à la sexualité,
   Robert, Jocelyne
Sexe au féminin, Le, Kerr, Carmen
Sexualité du jeune adolescent, La,
   Gendron, Lionel
Shiatsu et sensualité, Rioux, Yuki
* 100 trucs de billard, Morin, Pierre

SPORTS

Apprenez à patiner, Marcotte, Gaston
Arc et la chasse, L', Guardo, Greg
Armes de chasse, Les,
   Petit-Martinon, Charles
Badminton, Le, Corbeil, Jean
* Canadiens de 1910 à nos jours, Les,
   Turowetz, Allan et Goyens, C.
Carte et boussole, Kjellstrom, Bjorn
Comment se sortir du trou au golf,
   Brien, Luc
Comment vivre dans la nature,
   Rivière, Bill
Corrigez vos défauts au golf,
   Bergeron, Yves
* Curling, Le, Lukowich, E.
De la hanche aux doigts de pieds,
   Schneider, Myles J. et
   Sussman, Mark D.
Devenir gardien de but au hockey,
   Allaire, François
Golf au féminin, Le, Bergeron, Yves
Grand livre des sports, Le,
   Groupe Diagram
Guide complet de la pêche à la
   mouche, Le, Blais, J.-Y.
Guide complet du judo, Le, Arpin, Louis
Guide complet du self-defense, Le,
   Arpin, Louis
Guide de l'alpinisme, Le,
   Cappon, Massimo
Guide de la survie de l'armée
   américaine, Le, Collectif
Guide des jeux scouts, Association des
   scouts
Guide du trappeur, Le, Provencher, Paul
Initiation à la planche à voile, Wulff, D.
   et Morch, K.

J'apprends à nager, Lacoursière, Réjean
Je me débrouille à la chasse,
   Richard, Gilles et Vincent, Serge
Je me débrouille à la pêche,
   Vincent, Serge
Je me débrouille à vélo,
   Labrecque, Michel et Boivin, Robert
Je me débrouille dans une
   embarcation, Choquette, Robert
Jogging, Le, Chevalier, Richard
* Jouez gagnant au golf, Brien, Luc
* Larry Robinson, le jeu défensif,
   Robinson, Larry
Manuel de pilotage, Transport Canada
Marathon pour tous, Le, Anctil, Pierre
Maxi-performance, Garfield, Charles A.
   et Bennett, Hal Zina
Mon coup de patin, Wild, John
Musculation pour tous, La,
   Laferrière, Serge
* Partons en camping, Satterfield, Archie
   et Bauer, Eddie
Partons sac au dos, Satterfield, Archie
   et Bauer, Eddie
Passes au hockey, Chapleau, Claude
Pêche à la mouche, La, Marleau, Serge
Pêche à la mouche, Vincent, Serge
Planche à voile, La, Maillefer, Gérard
Programme XBX, Aviation Royale du
   Canada
Racquetball, Corbeil, Jean
Racquetball plus, Corbeil, Jean
Rivières et lacs canotables, Fédération
   québécoise du canot-camping
S'améliorer au tennis, Chevalier Richard
Saumon, Le, Dubé, J.-P.

SPORTS

Secrets du baseball, Les,
Raymond, Claude
Ski de randonnée, Le, Corbeil, Jean
Taxidermie, La, Labrie, Jean
Taxidermie moderne, La, Labrie, Jean
Techniques du billard, Morin, Pierre
Techniques du golf, Brien, Luc
Techniques du hockey en URSS,
Dyotte, Guy

Techniques du ski alpin, Campbell, S.,
Lundberg, M.
Techniques du tennis, Ellwanger
Tennis, Le, Roch, Denis
* **Viens jouer,** Villeneuve, Michel José
Vivre en forêt, Provencher, Paul
Volley-ball, Le, Fédération de volley-ball

**le jour,
éditeur**

ANIMAUX

* **Poissons de nos eaux,** Melançon, Claude

ACTUALISATION

**Agressivité créatrice, L' - La nécessité
de s'affirmer,** Bach, Dr G.-R.,
Goldberg, D^r H.
Aimer, c'est choisir d'être heureux,
Kaufman, B.-N.
**Arrête! tu m'exaspères - Protéger son
territoire,** Bach, Dr G., Deutsch, R.
Ennemis intimes, Bach, Dr G.,
Wyden, P.
**Enseignants efficaces - Enseigner et
être soi-même,** Gordon, D^r T.
États d'esprit, Glasser, W.
Focusing - Au centre de soi,
Gendlin, Dr E.T.

**Jouer le tout pour le tout, le jeu de la
vie,** Frederick, C.
**Manifester son affection -De la soli-
tude à l'amour,** Bach, Dr G.,
Torbet, L.
Miracle de l'amour, Kaufman, B.-N.
**Nouvelles relations entre hommes et
femmes,** Goldberg, D^r H.
* **Parents efficaces,** Gordon, D^r T.
**Se vider dans la vie et au travail -
Burnout,** Pines, A. , Aronson, E.
Secrets de la communication, Les,
Bandler, R., Grinder, J.

DIVERS

* **Coopératives d'habitation, Les,**
Leduc, Murielle
* **Hiérarchie ethnique dans la grande
entreprise,** Rainville, Jean

* **Initiation au coopératisme,**
Bédard, Claude
* **Lune de trop, Une,** Gagnon, Alphonse

ÉSOTÉRISME

Astrologie pratique, L',
  Reinicke, Wolfgang
Grand livre de la cartomancie, Le,
  Von Lentner, G.
Grand livre des horoscopes chinois, Le,
  Lau, Theodora

* **Horoscope chinois,** Del Sol, Paula
Lu dans les cartes, Jones, Marthy
Synastrie, La, Thornton, Penny
Traité d'astrologie, Hirsig, H.

GUIDES PRATIQUES/JEUX/LOISIRS

* **1,500 prénoms et significations,**
  Grisé-Allard, J.

* **Backgammon,** Lesage, D.

NOTRE TRADITION

* **Lettre à un Français qui veut émigrer
au Québec,** Dubuc, Carl

PSYCHOLOGIE/VIE AFFECTIVE ET PROFESSIONNELLE

Adieu, Halpern, Dr Howard
Adieu Tarzan, Franks, Helen
Aimer son prochain comme soi-même,
  Murphy, Dr Joseph
* **Anti-stress, L',** Eylat, Odette
Apprendre à vivre et à aimer,
  Buscaglia, L.
**Art d'engager la conversation et de se
faire des amis, L',** Gabor, Don
Art de convaincre, L', Heinz, Ryborz
* **Art d'être égoïste, L',** Kirschner, Joseph
Autre femme, L', Sévigny, Hélène
Bains flottants, Les, Hutchison, Michael
**Ces hommes qui ne communiquent
pas,** Naifeh S. et White, S.G.
Ces vérités vont changer votre vie,
  Murphy, Dr Joseph
Comment aimer vivre seul,
  Shanon, Lynn
**Comment dominer et influencer les
autres,** Gabriel, H.W.
**Comment faire l'amour à la même per-
sonne pour le reste de votre vie!,**
  O'Connor, D.
Comment faire l'amour à une femme,
  Morgenstern, M.
Comment faire l'amour à un homme,
  Penney, A.
Comment faire l'amour ensemble,
  Penney, A.

Contacts en or avec votre clientèle,
  Sapin Gold, Carol
Contrôle de soi par la relaxation, Le,
  Marcotte, Claude
Dire oui à l'amour, Buscaglia, Léo
* **Famille moderne et son avenir, La,**
  Richards, Lyn
Femme de demain, Keeton, K.
Gestalt, La, Polster, Erving
Homme au dessert, Un,
  Friedman, Sonya
Homme nouveau, L',
  Bodymind, Dychtwald Ken
Influence de la couleur, L',
  Wood, Betty
Jeux de nuit, Bruchez, C.
Maigrir sans obsession, Orbach, Susie
Maîtriser son destin, Kirschner, Joseph
Massage en profondeur, Le, Painter, J.,
  Bélair, M.
Mémoire, La, Loftus, Élizabeth
* **Mémoire à tout âge, La,**
  Dereskey, Ladislaus
Miracle de votre esprit, Le,
  Murphy, Dr Joseph
Négocier entre vaincre et convaincre,
  Warschaw, Dr Tessa
On n'a rien pour rien, Vincent, Raymond
Oracle de votre subconscient, L',
  Murphy, Dr Joseph

PSYCHOLOGIE/VIE AFFECTIVE ET PROFESSIONNELLE

Passion du succès, La, Vincent, R.
Pensée constructive et bon sens, La,
Vincent, Raymond
* **Personnalité, La,** Buscaglia, Léo
Petit répertoire des excuses, Le,
Charbonneau, C., Caron, N.
Pourquoi remettre à plus tard?,
Burka, Jane B., Yuen, L.M.
Pouvoir de votre cerveau, Le,
Brown, Barbara
Puissance de votre subconscient, La,
Murphy, Dr Joseph
Réfléchissez et devenez riche,
Hill, Napoleon
**S'aimer ou le défi des relations
humaines,** Buscaglia, Léo

**Sexualité expliquée aux adolescents,
La,** Boudreau, Y.
Succès par la pensée constructive, Le,
Hill, Napoleon et Stone, W.-C.
Transformez vos faiblesses en force,
Bloomfield, Dr Harold
**Triomphez de vous-même et des
autres,** Murphy, Dr Joseph
Univers de mon subconscient, L',
Vincent, Raymond
**Vaincre la dépression par la volonté et
l'action,** Marcotte, Claude
Vieillir en beauté, Oberleder, Muriel
**Vivre avec les imperfections de
l'autre,** Janda, Dr Louis H.
Vivre c'est vendre, Chaput, Jean-Marc

ROMANS/ESSAIS

* **Affrontement, L',** Lamoureux, Henri
* **C't'a ton tour Laura Cadieux,**
Tremblay, Michel
* **Cœur de la baleine bleue, Le,**
Poulin, Jacques
* **Coffret petit jour,** Martucci, Abbé Jean
* **Contes pour buveurs attardés,**
Tremblay, Michel
* **De Z à A,** Losique, Serge
* **Femmes et politique,** Cohen, Yolande

* **Il est par là le soleil,** Carrier, Roch
* **Jean-Paul ou les hasards de la vie,**
Bellier, Marcel
* **Neige et le feu, La,** Baillargeon, Pierre
* **Objectif camouflé,** Porter, Anna
* **Oslovik fait la bombe,** Oslovik
* **Train de Maxwell, Le,** Hyde, Christopher
* **Vatican -Le trésor de St-Pierre,**
Malachi, Martin

SANTÉ

Tao de longue vie, Le,
Soo, Chee

Vaincre l'insomnie, Filion, Michel et
Boisvert, Jean-Marie

SPORT

* **Guide des rivières du Québec,**
Fédération cano-kayac

* **Ski nordique de randonnée,**
Brady, Michael

TÉMOIGNAGES

Merci pour mon cancer,
De Villemarie, Michelle

Quinze

COLLECTIFS DE NOUVELLES

* **Aimer,** Beaulieu, V.-L., Berthiaume, A., Carpentier, A., Daviau, D.-M., Major, A., Provencher, M., Proulx, M., Robert, S. et Vonarburg, E.
* **Crever l'écran,** Baillargeon, P., Éthier-Blais, J., Blouin, C.-R., Jacob, S., Jean, M., Laberge, M., Lanctôt, M., Lefebvre, J.-P., Petrowski, N. et Poupart, J.-M.
* **Dix contes et nouvelles fantastiques,** April, J.-P., Barcelo, F., Bélil, M., Belleau, A., Brossard, J., Brulotte, G., Carpentier, A., Major, A., Soucy, J.-Y. et Thériault, M.-J.
* **Dix nouvelles de science-fiction québécoise,** April, J.-P., Barbe, J., Provencher, M., Côté, D., Dion, J., Pettigrew, J., Pelletier, F., Rochon, E., Sernine, D., Sévigny, M. et Vonarburg, E.

* **Dix nouvelles humoristiques,** Audet, N., Barcelo, F., Beaulieu, V.-L., Belleau, A., Carpentier, A., Ferron, M., Harvey, P., Pellerin, G., Poupart, J.-M. et Villemaire, Y.
* **Fuites et poursuites,** Archambault, G., Beauchemin, Y., Bouyoucas, P., Brouillet, C., Carpentier, A., Hébert, F., Jasmin, C., Major, A., Monette, M. et Poupart, J.-M.
* **L'aventure, la mésaventure,** Andrès, B., Beaumier, J.-P., Bergeron, B., Brulotte, G., Gagnon, D., Karch, P., LaRue, M., Monette, M. et Rochon, E.

DIVERS

* **Beauté tragique,** Robertson, Heat
* **Canada — Les débuts héroïques,** Creighton, Donald
* **Défi québécois, Le,** Monnet, François-Marie
* **Difficiles lettres d'amour,** Garneau, Jacques

* **Esprit libre, L',** Powell, Robert
* **Grand branle-bas, Le,** Hébert, Jacques et Strong, Maurice F.
* **Histoire des femmes au Québec, L',** Collectif, CLIO
* **Mémoires de J. E. Bernier, Les,** Therrien, Paul